JN080048

人類史マップ

サピエンス誕生・危機・拡散の全記録

本書を読む前に

種は形態学的特徴によって定義される。標本の年代と発見された地理的位置から、種の進化と定住の筋書きを組み立てることはできるものの、ある標本に使用する名前、その分類学的ランク（種または亜種）や地質年齢について、専門家の間でも意見は分かれる。それらの異なる観点から、進化や定住に関するさまざまな仮説が生まれてくるのだ。しかし、すべての仮説を本書の地図上に網羅することは物理的にできない。現在分かっていることについては、統一見解に基づいて総合的に解説してはいるものの、すべての問いに対して一様に正確な答えを提供できるわけではない。

これからも、人類定住の筋書きは年代や分類が修正されるだけではなく、新しい発見があるたびに改められ、書き換えられていく。例えば、モロッコのジュベルイルーの化石の年代が実際は従来の説よりも古く（約30万年前）、ギリシャのアピディマ洞窟で発見された2つの標本の1つは、解剖学的に20万年前のホモ・サピエンス（*Homo sapiens*）のものであると訂正された。これはイスラエルのズッティエで見つかった男性の化石の年代が間違いでないことを裏づけている。彼は約28万年前に「すでに」アフリカの外に出ていたホモ・サピエンスだ。研究がさらに進めば、本書が採用した筋書きよりもはるか昔に、ホモ・サピエンスがアフリカを出たという別の筋書きが明らかになるかもしれない。

人類史マップ

序文

現代人の歴史について語るには、この地球という惑星に「現在」生息する唯一の人類「種」ホモ・サピエンスが誕生してからの歴史は当然だが、ホモ属が現れた300万年前からの歴史、さらにはそのはるか昔、140億年前から続く宇宙の歴史から始めなければならない。

あえて「現在」と断るのは、歴史が始まって以来、あらゆるものが絶えず変化し続けているからだ。いつの日か私たちから新たな人類が誕生するかもしれないし、私たち自身が地球ではない別の星で暮らすようになる可能性も大いにある。

私たちが知る最も古い宇宙の歴史は140億年前まで遡る（それ以前は、宇宙物理学者曰く、「知りようがない」）。この宇宙にあまたある銀河の1つ、天の川という美しい名前の銀河に46億年前、太陽系が誕生し、地球が形成された。そして40億年あまり前、地球の海に漂う物質から生命が誕生した。

生殖という特権を与えられた生命体についてくどくど語る必要はないだろう。生命体はとてつもない多様性を持って地球に広がった。誕生以来一度として生物の自己変革は止まったことがない。なぜなら、環境そのものが変化を繰り返し、それに適応していかなければならないからだ。もしも物理法則による絶妙なバランスが働かなければ、世界はめまいがするほど混沌としていたかしれない。

それはそれとして、1000万年前の生物界において1つの発明があった。熱帯アフリカのどこかで、「脊椎動物」に属する「哺乳類」の中で「霊長類」と呼ばれる、長い間4本の足を地面につけて歩いていた生物が森林の草原化に適応するため、2本足で立ち上がったのだ。こうして「人類の基礎」と呼べる私たちの近縁種の歴史が始まった。

彼ら「人類以前」の種たちは見事な系統樹ができるほどに多様化した。そしてそのうちの1つの形態が、気候の変化に対応する必要があるという単純な理由から今一度変化を遂げ、頭とその中身を発達させた。その結果、おそらく地球で初めて、自分がものを知っていることを自覚し、それゆえに先のことを予想できるホモ属が誕生した。ホモ属は今から300万年前に誕生するとすぐに移動を始め、さまざまな環境に直面し、適応し、そして多様化していった。

乾燥した環境へのよくある適応（気道の変化、脳の複雑化）が起こり、それに便乗する形で言語と意識が発達した。するとすぐに今日ホモ・サピエンスの属性とされる認知、技術、知性、精神性、審美性、道徳観といった能力も芽生えた。いうまでもなくそれらの機能は現在のヒトには劣る。それでも、身体能力を拡張する道具や象徴的な価値を持つ道具を、自ら発明したかどうかは別にして、作るようになる。こうして人類は文化的存在となった。

するとそ今度は、人類の生物学的性質と文化的要素が多様化し、豊かになった(生物多様性と文化多様性の両面で)。生息圏も拡大し、約250万年前には熱帯からユーラシアに、5万年前以降になるとオーストラリアとアメリカに到達した。貴重な遺骨を研究するときには見逃されがちだが、人類が文化を生み出すように、文化もまた人類の生物学的性質に影響を与え、おそらく遺伝的浮動につながる集団の隔離条件が形成されるたびに、さまざまな人類の集団間の恒久的な交配を維持した。

こうして人類の歴史は現代人にたどり着く。ホモ・サピエンスはアフリカで生まれ、そこから世界中へ広がっていった。数十万年前に誕生したとき、ホモ・サピエンスは決して地球上に生きる唯一の人類の「種」ではなかった。長い間、旧世界ではさまざまな人類が生息し、環境条件と生物学的条件が許すときには新たな人類の種が誕生していた。ホモ・サピエンスは、最終的に地球全体において唯一のホモ属の種になるが、それはほんの数万年前の出来事であり、そこから驚くような繁栄を遂げた。

もちろん、人間は知っての通り、恐ろしい捕食者であるが、それと同時に象徴から芸術を、思考から世界を理解して説明する科学を、社会からは、逆説的ではあるが、略奪を「修復」する思いやりを発達させもした。

この素晴らしい人間性、過去や現代の人々の多様性、地球上いたるところの人々に見られる多様性を包括的かつ学術的に扱う本書の序文を書くことができたのは光栄なことだった。本書の著者テルモ・ピエバニには大いに感銘を受けた。その作品は以前から知っており、彼が企画したローマの「ホモ・サピエンス」展を友人であるルイージ・カバッリ・スフォルツァとともに鑑賞した。また、素晴らしく、革新的な研究を行ったバレリー・ゼトゥンにも、賞賛を送りたい。彼の研究にはその「原点」から注目しており、その論文を審査する機会に恵まれたことにも感謝している。また、発行者のデビッド・キングスには、本書の編纂を企画した英断と、私に序文を託してくれたことに重ねて感謝を述べたい。

イブ・コパン
コレージュ・ド・フランス名誉教授
2019年9月　パリにて

まえがき

ルモンド新聞社、リブレリア・ゲオグラフィカ社の後援を受けて着手した本書『人類史マップ』を刊行できたのは、世界的に有名な哲学者・進化論者のテルモ・ピエバニ氏と、パリ古生物学研究センターのメンバーであり、ホモ・エレクトスの系統発生および東南アジアの先史時代の文化の専門家であるバレリー・ゼトゥン氏の研究のおかげだ。

本書の目的は、全世界を網羅する科学的テーマに新しいアプローチで迫ることにある。地図、図表、解説を有機的に組み合わせて時系列に並べ、過去200万年にわたって繰り返されたホモ属の拡散の経路を明らかにしようとするものだ。

本書の読者は、アフリカを出た最初のホモ・サピエンスの足跡と、さまざまな集団に分かれての拡散をたどり、数千年前まで旧世界全体で続いていたほかの人類たちと共存していた実態を追っていくことになる。世界中に生息地を拡大した私たちホモ・サピエンスは、新石器時代以降、植物の栽培と動物の家畜化を通して生態系を変えた唯一の種だ。その歴史は魅力にあふれ、先人たちの物語は、私たち現生人類の成り立ちに地理、歴史、民族学、自然科学がどう関わってくるかを教えてくれる。

本文に添えられた地図や復元図は、分野の垣根を越えた科学研究による最新データに基づいたものだ。今では、遺伝子比較や古代DNAの研究から導き出された分子学的証拠と文化の進化に関する古生物学的および考古学的証拠を、集団間の言語的なつながりと結びつけた研究が進められている。それらの研究のどれもが、長年にわたって進化を続け、人類の多様化に決定的な影響を及ぼしてきた地球という惑星との関わりなしには語れない。

さあ、私たち人類の豊かな歴史に飛び込もう。ただ覚えておいてほしいことがある。人類史の大まかな流れはかなりはっきりしている。しかし、明日、あるいは明後日にも、人間の進化という魅惑のパズルに新しいピースを追加する新発見があるかもしれないのだ。

ステファノ・ジュリアーニ
リブレリア・ゲオグラフィカ社長
2019年9月　イタリア、ノバーレにて

ラスコー洞窟に描かれた絵画（フランス）。

プロローグ

科学の最も素晴らしい特徴の1つは、新しい知の地平線を切り開き、時にそれを自ら修正できるところだ。長いこと、人類の進化の歴史は直線的、つまり古い種から新しい種へ交代していき、最終的にホモ・サピエンス（*Homo sapiens*）に到達したのだと考えられてきた。しかし今では、その考えは否定されている。私たちが知る自然史から見た人類の歴史は限りなく複雑で興味深い。これを最も的確に説明したモデルが進化の系統樹で、現在に至るまでいくつにも枝分かれしている。アフリカで最後に生まれて世界中に広がったホモ・サピエンスは、進化の系統樹という、さまざまな声が織りなす楽曲の主役の1人だ。

人類の進化の重要な要因となっているのは、地理的隔離、生息地の移動、拡大、移住だ。過去200万年にわたってホモ属の種はアフリカの外へ繰り返し拡散し、世界に多様性というモザイク模様を形成した。現在では、遺伝子学者ルイジ・ルーカ・カバッリ=スフォルツァ教授による研究プログラムのおかげで、比較遺伝データ、古生物学的および考古学的発見、古気候（→用語集）の証拠、文化史を1つにまとめて、異なる人類種の多様性のみならず、ホモ・サピエンスの個体群の多様性の断片を再現できる。人類の物語は遺伝子の中、人類個体群の中、そして言語の中に刻まれ、私たちがどこからやってきて、どのように拡散し、そしてなぜ異なるところと、共通しているところがあるのかを教えてくれる。

進化には、生物集団の系譜と突然変異という時間的な側面のみならず、空間的および地理的な側面がある。人間の集団がどのように地球上に分布し、物理的環境との相互作用によって移動したかを探るのは、私たちの複雑な歴史を理解するための基本だ。こうした科学的発見の文化的な重要性を理解し、それを初めて世界地図上に再現して説明したことに、この人類拡散の歴史を綴った世界地図を世に出す意義がある。

本書は、ルイジ・ルーカ・カバッリ=スフォルツァ教授と私が企画した国際展覧会「ホモ・サピエンス：人間の多様性の偉大な歴史」（ローマ、パラッツォデイコングレッシ、2011～2012年）の素晴らしい経験がなければ、日の目を見ることはなかっただろう。本書の刊行実現のために力を貸してくれた幅広い分野の専門家に並々ならぬ感謝を捧げたい。本書には彼らの専門知識が反映されている。また、グイド・バルブジャーニ、フランチェスコ・カバッリ=スフォルツァ、ジョバンニ・デストロ・ビソル、ニコラ・グランディ、ジョルジオ・マンズィ、ヤコポ・モッジ=チェッキ、ダビデ・ペッテナー、イアン・タターサル、クラウディオ・トゥニズに感謝を述べたい。ラファエル・カルロ・デ・マリニス氏の行き届いた校閲にも感謝する。あとは、皆さんのホモ・サピエンスの歴史を巡る旅の安全を願うばかりだ！

テルモ・ピエバニ
哲学者・進化論専門家
パドバ大学（イタリア）生物学部
生物科学哲学教授

CONTENTS

1　人類の夜明けと最初の拡散

東アフリカ大地溝帯の申し子

今から1000万年ほど前、アフリカ大陸に大地溝帯と呼ばれる全長6000kmの巨大な大地の壁が形成され、大西洋から内陸へ吹き込む湿潤な風がさえぎられた。

その影響により、アフリカ大陸の最東端地域では乾燥化が進んだ。熱帯雨林は縮小し、草原とサバンナが取って代わった。この新たな環境に適応して現れたのが猿人だ。猿人は2本の足で歩くことができた。しかし二足歩行は良いことばかりではない。

四足歩行をやめた影響で、身体構造全体が変わった。二足歩行によって姿勢は不安定になり、生命の維持に不可欠な臓器をさらけ出して歩く羽目になった。出産も難しくなり、子どもが自分で動けるようになるまでの時間が延びた。それでも猿人は自然淘汰を免れた。直立歩行には次のような直接的な強みがあったのだ。

立って歩くと草に視界をさえぎられずに周りを監視でき、熱帯や赤道直下の強烈な日差しを浴びる体の表面積を減らせる。平原を頻繁に移動する必要がある猿人にとってこれは大きな強みとなった。二足歩行の元々の機能が何であれ、二本足で歩くようになって大地溝帯の申し子たちは長距離を走れるようになり、手を自由に使えるようになった。どちらも二足歩行に変わったことでもたらされた恩恵だ。手の親指は長く、ほかの指と向き合っているので、ものを思った通りに握ることができる。もちろん必要とあれば、手を使って木登りや水泳も可能だ。

かくして私たち人類は地球上の陸地という陸地に進出し、勢力を拡大することができた。この繁栄の根底にあるのは、解剖学的に不完全であるが故に生まれた文化にほかならない。

二足歩行:
立位および歩行姿勢の進化

❶チンパンジー
❷アルディピテクス/アウストラロピテクス
❸ネアンデルタール人
❹現生人類

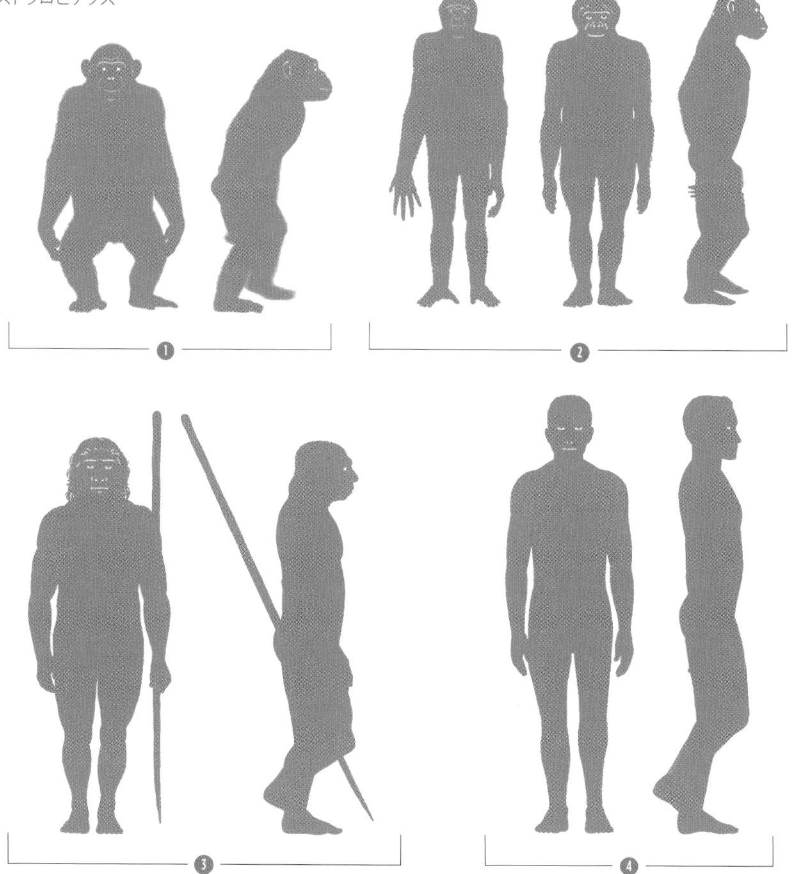

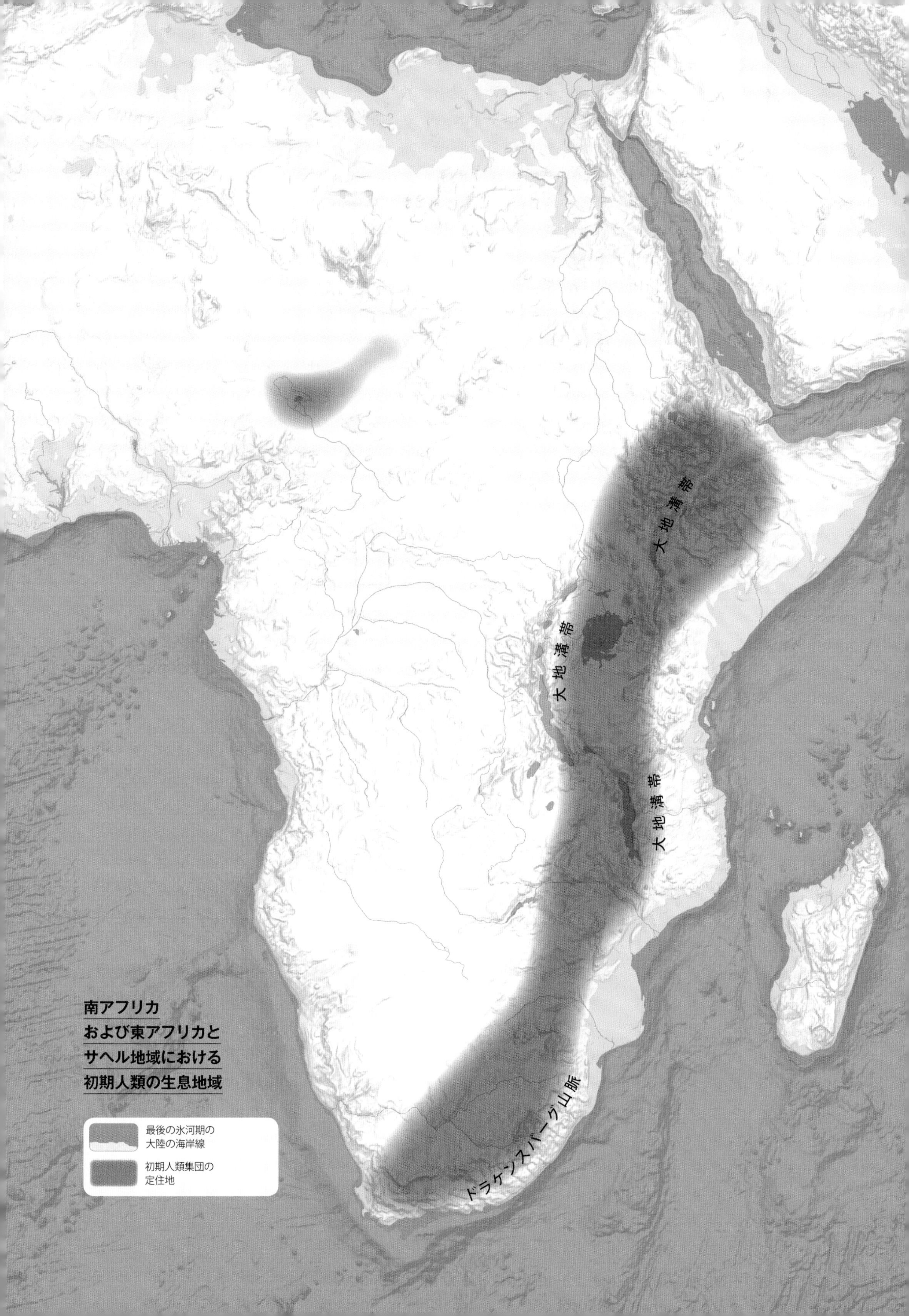
南アフリカ
および東アフリカと
サヘル地域における
初期人類の生息地域
最後の氷河期の
大陸の海岸線
初期人類集団の
定住地
大地溝帯
大地溝帯
大地溝帯
ドラケンスバーグ山脈

大陸移動

地球の地表は地殻が冷え固まった太古の昔から絶えず動いている。動き続ける地殻プレートは時に衝突し、時にすれ違い、時に離れていく。火山、地震、造山運動（→用語集)、岩石形成といった地質学的な活動はすべて地球内部で起こっている活動の結果だ。

地球内部では放射性元素が崩壊して熱が生まれ、その熱に温められたマントルは地表へと昇り、やがて冷えて沈むプロセス、いわゆる対流を延々と繰り返している。中央海嶺に沿って形成される地表の巨大な岩盤であるプレートはこのマントルの対流に乗って動いている。

毎年地球全体で、マグニチュード6クラスの地震が約3000回発生し、約50回の噴火が起こり、山脈は隆起を続けている。これらの現象は巨大なプレートがすれ違い、衝突し、一方のプレートが他方のプレートの下へ潜り込むことで生じている。こうした大陸移動と海面の変動は、各年代の動物群と植物群の分布を強く制約している。

生命の進化と地球の進化は密接に関連している。生物の進化に影響するのは大陸移動だけではない。プレートの移動によって出現したアフリカの大地溝帯、ヒマラヤ山脈、峡谷、島、海なども気候や雨量を変化させたり、地上の生態系を分断する物理的障壁となる。

例えば、鮮新世（→用語集）にパナマ地峡が閉じたことで、海流と海水温が変化し、地球全体の気候に大変動が起こっている。同じくアフリカにおける人類の進化も生態系の変化と地球の活発な地質学的活動が引き金となっている。

噴火や地震といった天変地異は人間にとっては恐ろしいことだが、これは地球が活気に満ちあふれ、予想もしない変化が起きる可能性がある何よりの証拠であり、こうした現象があったからこそ一連の猿人が現れたのだ。

下の年表は、地球の歴史に刻まれたさまざまな段階を示している。地質時代ごとに分かれており、一連の地球環境の変化によって起こった新しい生命形態の出現だけでなく、地球上の生命の歴史に刻まれた6つの大量絶滅の発生も記されている。

地質年代

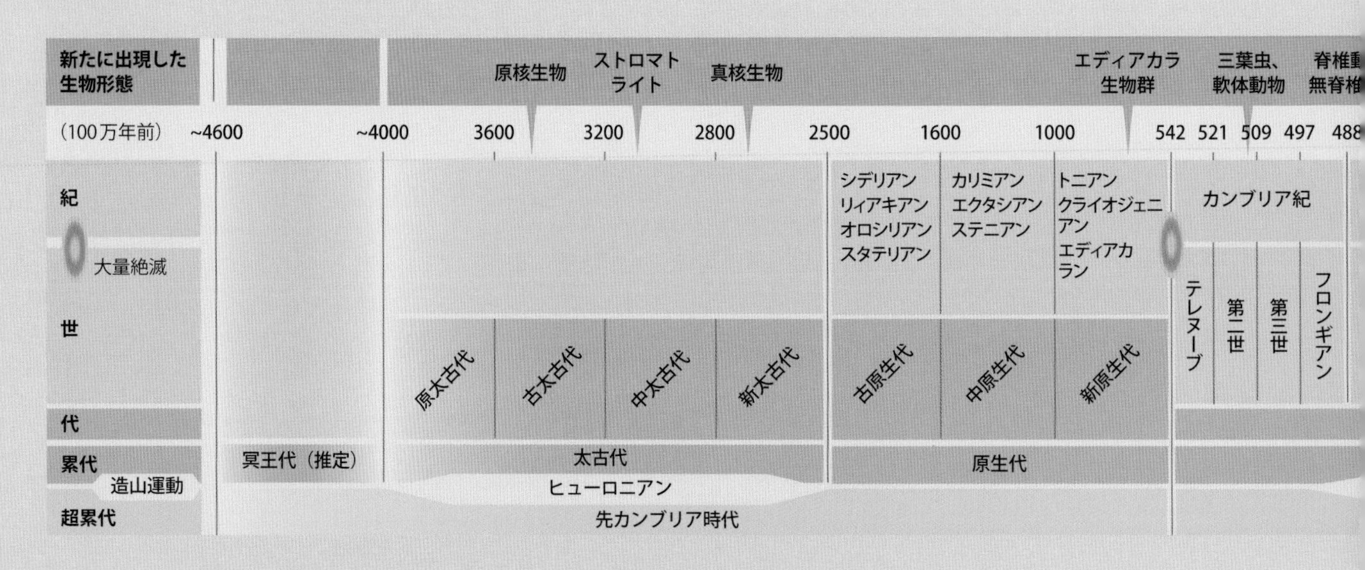

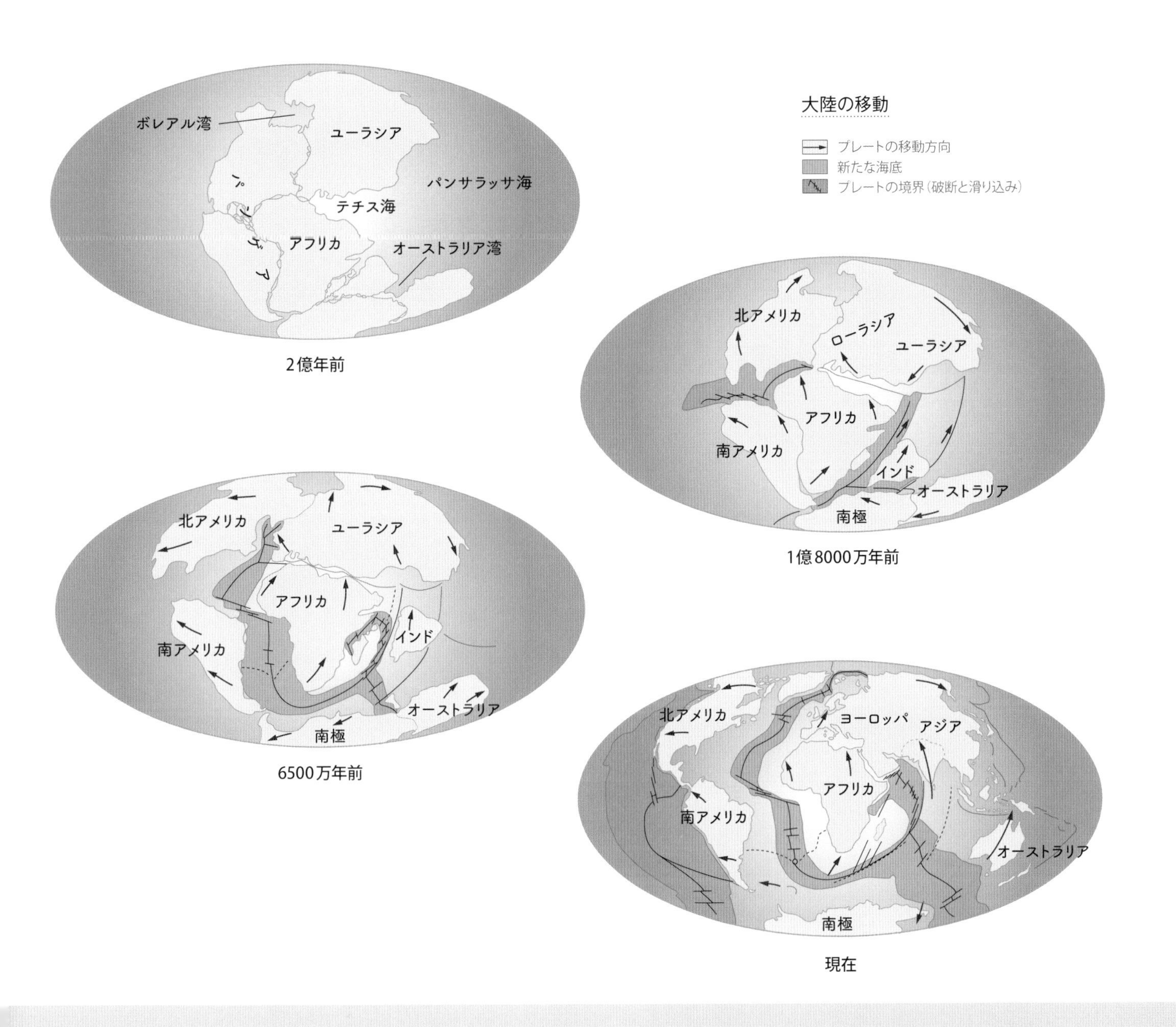

陸生植物　アンモナイト、昆虫　両生類　爬虫類　恐竜　哺乳類　鳥類　ヒト科　ホモ属

444　428　423　418　416　397　385　359　318　299　271　260　251　246　229　200　176　161　145　99　65　56　34　23　5.3　2.6　0.0117

シルル紀　デボン紀　石炭紀　ペルム紀　三畳紀　ジュラ紀　白亜紀　古第三紀　新第三紀　第四紀

後期　ランドベリ　ウェンロック　ラドロー　プリドリ　前期　中期　後期　ミシシッピアン　ペンシルバニアン　シスウラリアン　グアダルピアン　ロービンジアン　前期　中期　後期　前期　中期　後期　前期　後期　暁新世　始新世　漸新世　中新世　鮮新世　更新世　完新世

古生代　中生代　新生代

顕生代

カレドニア　バリスカン　アルプス=ヒマラヤ

東アフリカの最初の猿人

人類は現代の私たちまで一直線に進化してきたというのは時代遅れの考えで、一部のメディアでは、それがいまだに幅を利かせている。しかし、祖先の進化の歴史をたどってみれば、人類というバトンを特定の種が親から子へと引き継いできたわけではないことが分かる。

そもそも人類の種は、その始まりの頃から常に複数存在し、さまざまな方向に進化していたのだ。人類の歴史は固有の適応力を持ったさまざまな種や亜種たちの共存の物語だ。初期の人類は東アフリカやアフリカの角あたりの谷や高地を中心に生息していたらしいが、やがて大地溝帯からチャド湖方面と南アフリカ方面の2方向へ拡散していった。その中で重要な位置を占めるのが、アルディピテクス・ラミダス（*Ardipithecus ramidus*）という種だ。彼らはアウストラロピテクス（*Australopithecus*）よりも前、600万年前頃から440万年前に現在のエチオピア北部に生息していた。

アルディピテクス・ラミダスが生息していた時期は、進化の系統樹において、チンパンジーと私たちの共通祖先から人類へつながる種の分岐が起こった頃に近い。アルディピテクス属として知られている古代種は2つしかない。どちらも樹上性の類人猿のような特徴を持ちながら高度な二足歩行も可能で、これはほかの種には見られない解剖学的特徴だ。

しかし彼らがサルから現生人類への進化を結びつける「ミッシングリンク」というわけではない。おそらく当時の複合的な環境に適応すべく、時に樹上生活をし、時に地上に降りて生活する特殊な二足歩行動物だったと考えられる。アルディピテクス以後、東アフリカには多くの種が現れた。その中でもアウストラロピテクスとパラントロプス（*Paranthropus*）は頑丈な身体を持つ種へと進化した。

アルディピテクス・ラミダスの復元図。

最古の石器製作場所（330万年前）として知られるロメクウィ3遺跡の発掘中に発見された石器。

ロメクウィの驚くべき石器製作技術

2015年5月、ケニアのトゥルカナ湖の西岸にあるロメクウィ3遺跡で驚くほど大量の石器が見つかったと発表された。しかも石器の年代は、私たちと同じホモ属の最古の化石よりも70万年古い、330万年前のものと考えられる。

つまりこれらの石器は、道具を作る器用さがその名前の由来となったホモ・ハビリス（*Homo habilis*）よりも古い時代に石の道具を作る能力があったことを示している。非常に原始的ながら、石器の種類は豊富だ。この石器を作ったのが誰かは不明だが、エチオピアで見つかった同時代の骨にある石器による傷跡と関連があるかもしれない。

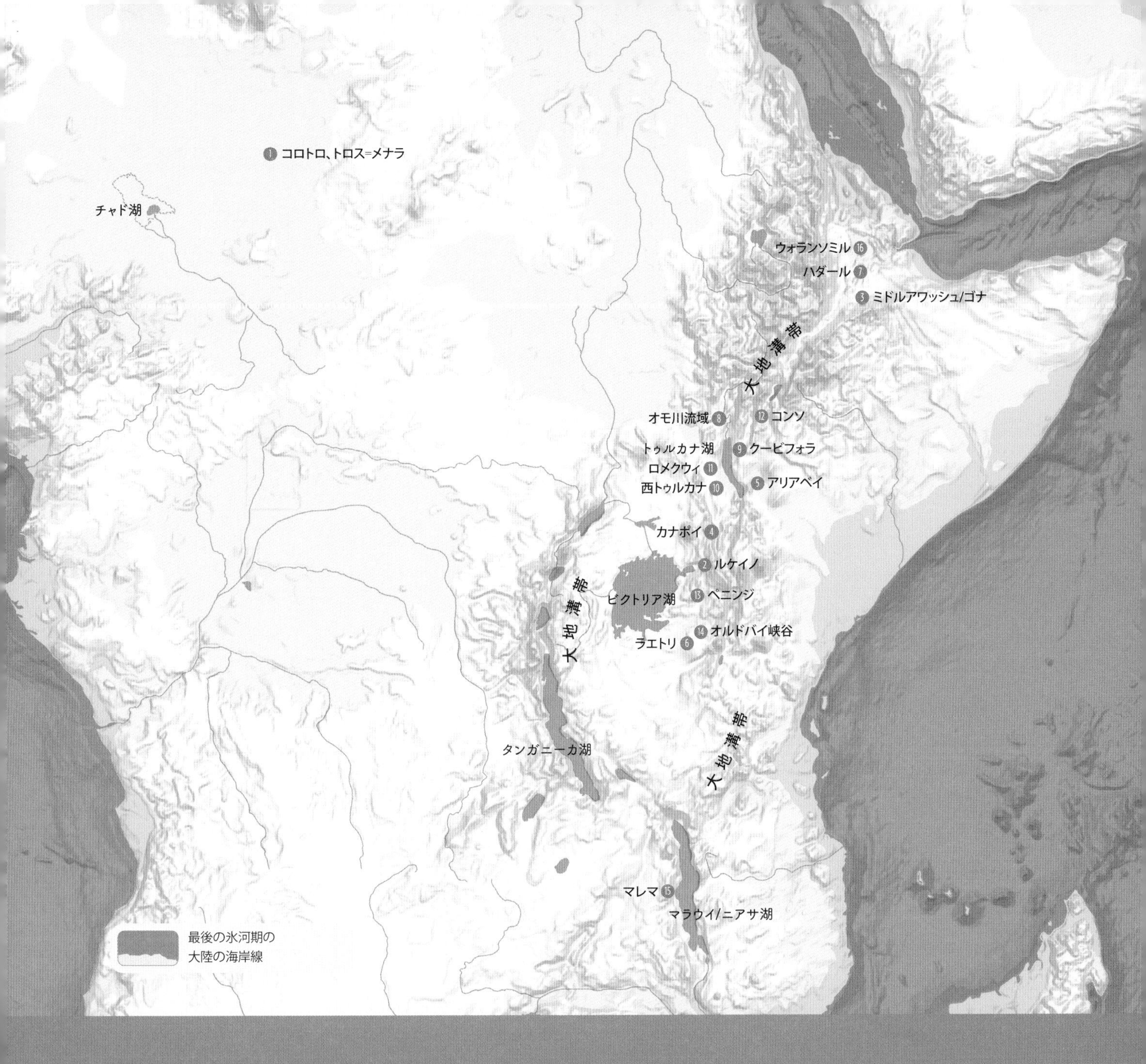

東アフリカにおける初期人類の共存

(番号は古→新の順)

1 コロトロ、トロス=メナラ
アウストラロピテクス・バーレルガザリ
サヘラントロプス・チャデンシス

2 ルケイノ
オロリン・トゥゲネンシス

3 ミドルアワッシュ/ゴナ
アスアウストラロピテクス・アファレンシス
アルディピテクス・カダバ
アルディピテクス・ラミダス
アウストラロピテクス・ガルヒ

4 カナポイ
アウストラロピテクス・アナメンシス

5 アリアベイ
アウストラロピテクス・アナメンシス

6 ラエトリ
アスアウストラロピテクス・アファレンシス

7 ハダール
アスアウストラロピテクス・アファレンシス

8 オモ川流域
アスアウストラロピテクス・アファレンシス
パラントロプス・エチオピクス
パラントロプス・ボイセイ

9 クービフォラ
パラントロプス・エチオピクス
アスアウストラロピテクス・アファレンシス

10 西トゥルカナ
パラントロプス・エチオピクス
パラントロプス・ボイセイ
ケニアントロプス・プラティオプス

11 ロメクウィ
現在知られる最古の石器作製
(330万年前)

12 コンソ
パラントロプス・ボイセイ

13 ペニンジ
パラントロプス・ボイセイ

14 オルドバイ峡谷
パラントロプス・ボイセイ

15 マレマ
パラントロプス・ボイセイ

16 ウォランソミル
アウストラロピテクス・デイレメダ

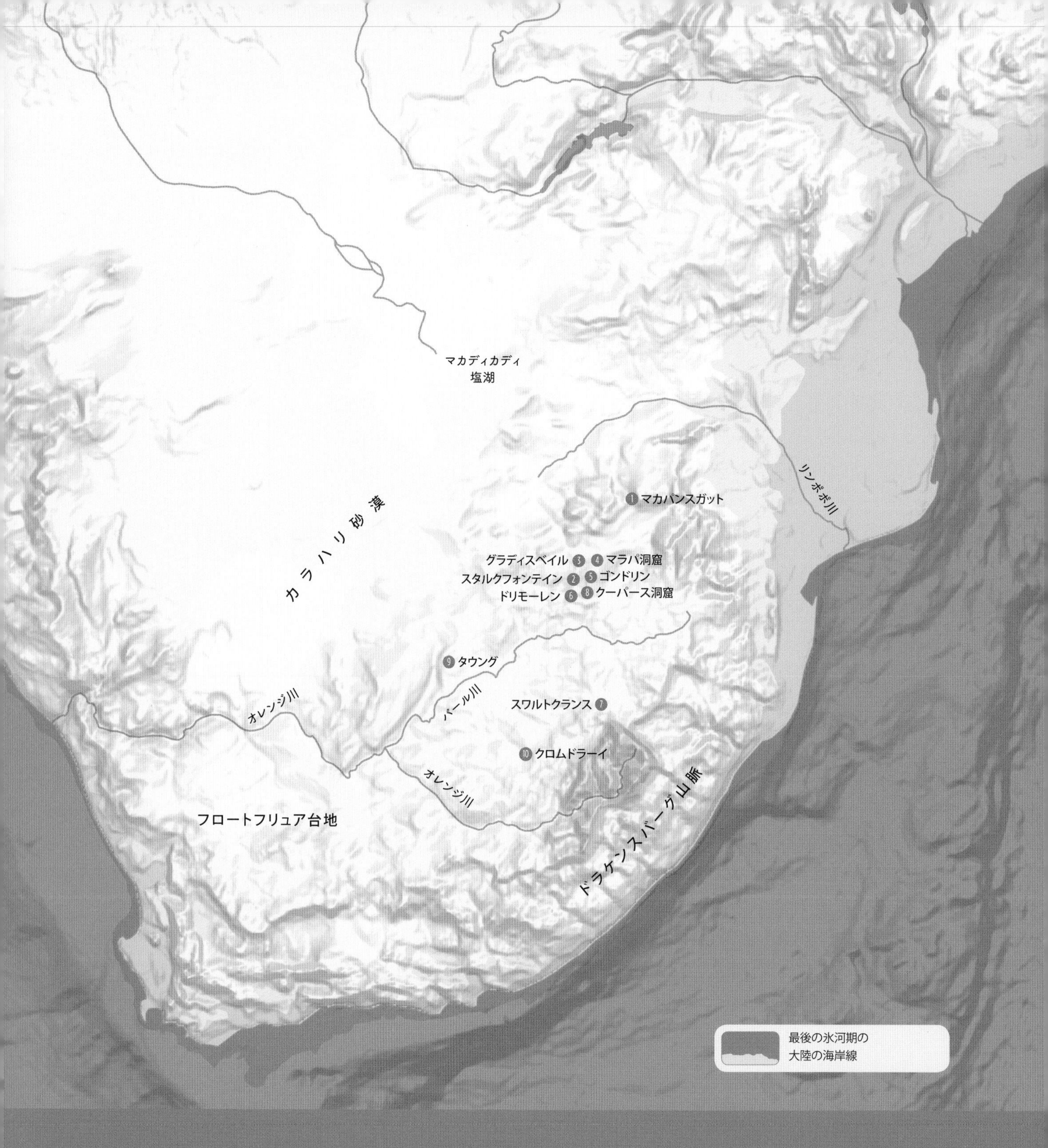

南部アフリカ、第2の人類発祥の地

（番号は古→新の順）

1 **マカパンスガット**
アウストラロピテクス・アフリカヌス

2 **スタルクフォンテイン**
アウストラロピテクス・アフリカヌス

3 **グラディスベイル**
アウストラロピテクス・アフリカヌス

4 **マラパ洞窟**
アウストラロピテクス・セディバ

5 **ゴンドリン**
パラントロプス・ロブストス・クロムドラーイ
パラントロプス・ロブストス

6 **ドリモーレン**
パラントロプス・ロブストス

7 **スワルトクランス**
パラントロプス・ロブストス

8 **クーパース洞窟**
パラントロプス・ロブストス

9 **タウング**
アウストラロピテクス・アフリカヌス

10 **クロムドラーイ**
パラントロプス・ロブストス

南アフリカ、
もう1つの人類の揺りかご

南アフリカは初期の人類を生み出した第2の揺りかごとなった。アフリカ南部における人類の進化は300万年前に始まったと思われる。その中心に位置するのが1924年に発見されたアウストラロピテクス・アフリカヌス（*Australopithecus africanus*）だ。さらに、おそらくその子孫で、二足歩行するもっと新しい猿人の1つと考えられるアウストラロピテクス・セディバ（*Australopithecus sediba*）が発見され、南アフリカでホモ属が誕生したとする説が提唱された。近くの発掘現場でホモ・ナレディ（*Homo naledi*）が新たに見つかったことも、この仮説を後押しした。

とはいえ、進化においては密接に関連していない種同士でも、似たような環境圧を受けると同じような特徴を発達させることがある。また離れた土地で似たような突然変異が散発的に起こる可能性もある。したがって、私たち人類の共通祖先が東アフリカと南アフリカのどちらに生息していたか、断定はできない。樹上と地上を行き来する種から二足歩行する地上種への移行は、同系統の種の中だけで起こったのではない。環境の変化が複数の種の間に競争をもたらし、さまざまな形の環境適応が起こり、いろいろな方向への進化へとつながったのだろう。

2010年、ヨハネスブルグ北部のマラパ洞窟でアウストラロピテクス属の新種、アウストラロピテクス・セディバの化石が発見されたと発表された。この発見で注目すべきことは、化石の年代の新しさだ。アウストラロピテクス・セディバは初期のホモ属や北部最後のアウストラロピテクス属、頑丈型猿人のパラントロプスと同じ頃に生きていたのだ。もしも宇宙人がアウストラロピテクス・セディバの時代（240万～190万年前）のアフリカにやってきたら、少なくともこの3つの異なる属の猿人の集団を発見しただろう。

240万年前から190万年前のアウストラロピテクス・セディバの復元図。

いくつにも枝分かれした人類の系統図を構成するすべての種がそうであるように、アウストラロピテクス・セディバもさまざまな解剖学的特徴が混在し、アウストラロピテクスに似ている部分もあれば、ホモ属に似ている部分もある。だがセディバの一番の特徴は何といっても、完全な二足歩行ができるように形が変わった骨盤だ。

人類史の3分の2近くにおいて脳の発達の兆候は見られないが、二足歩行はそれぞれの種が独自に発達させた。つまり、人類の進化は決して直線的ではなく、さまざまな共通の祖先、遠い親戚種、個体群が局所的な生態系の変化や絶滅、行き詰まり、共生を経験する中で何度も枝分かれし、その中で残った一系統が今の私たちなのだ。人類の歴史は、自ら直面した環境における可能性の追求や環境の活用法がいかに多様だったかを物語っている。

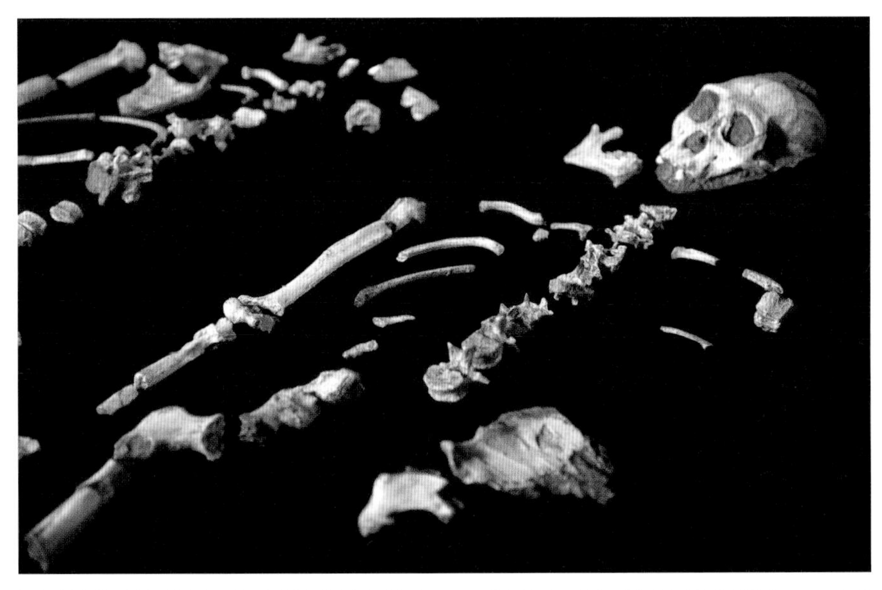
2008年8月に南アフリカのマラパ洞窟で発見されたアウストラロピテクス・セディバの2つの骨格の複製。ウィットウォータースランド大学（南アフリカ共和国）から提供されたもので、ロンドン自然史博物館に保管されている。

人類の最初の一歩

タンザニア北部のラエトリに降り積もったばかりの火山灰に、アウストラロピテクス・アファレンシス（*Australopithecus afarensis*）の成人個体2人と若い個体1人が足跡を残した。足跡はやがて石化し、375万年後に私たちの祖先である種の1つが残した最も古い「歩行」の記録として発見された。彼らはほかの動物と一緒に、雨混じりの軽い火山灰が降ってくるサディマン火山の噴火から逃れようと平原の先を目指して走っていた。そのとき、凝灰岩に最初の人類種の証となる70個の足跡が刻まれた。彼らは確かに二足歩行をしていた。そのことを1979年、発見者のメアリー・D・リーキーは彼らの足跡から理解した。彼らの足跡には土踏まずが存在し、親指とほかの指の間が離れてはいるものの平行に並んでいたのだ。

人類の歴史は足から始まった

アンドレ・ルロワ=グーラン
（フランスの民族学者、考古学者、先史学者／1964年）

この2つの個体は、1974年に全骨格の40%が発見されたことで有名な「ルーシー」と同じ種だ。ルーシーは320万年前にエチオピアに生息していた。最近の研究から、彼女の土踏まずは私たちのものとよく似ており、明らかに二足歩行種の特色を示していることが確認されている。中新世後期以降、複数の霊長類の系統が二足歩行の移動方法を発達させた。その1つ、オレオピテクスも900万～600万年前には二足歩行をしていたが、その系統はのちに消滅している。霊長類の進化史において二足歩行は何度も現れているが、新しい環境において二足歩行を自分の強みにした種がたやすく子孫を残せたため、二足歩行は移動手段として絶えることなく脈々と受け継がれたのだ。

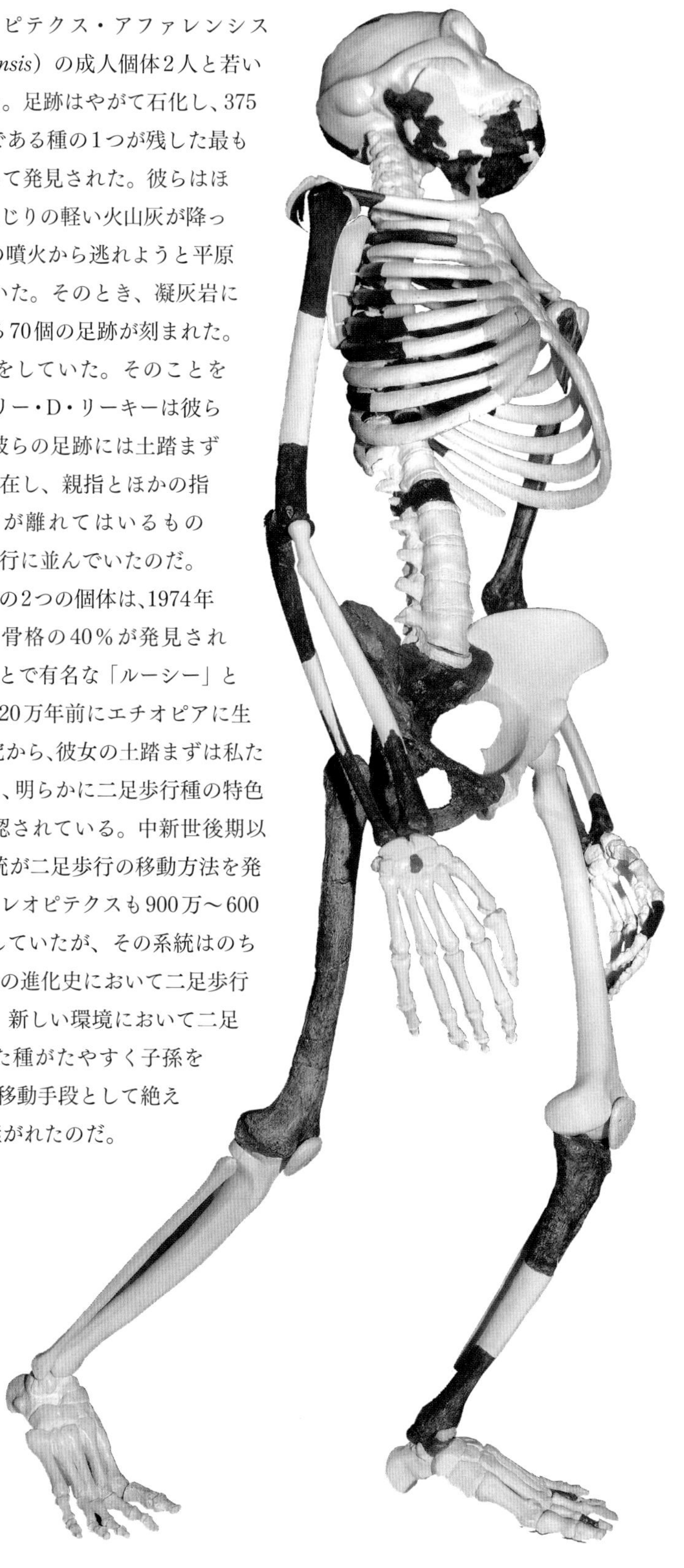

現在米国のクリーブランド自然史博物館に展示されているルーシーの復元骨格。茶色の部分は、研究者のモーリス・タイーブ、ドナルド・ジョハンソン、イブ・コパンの3人がエチオピアのハダール遺跡で実際に発見した化石を表している。ルーシーの体格は成人でも、現在の人間の6歳児くらいの大きさだ。

タンザニア北部のラエトリで見つかった足跡は、アウストラロピテクス・アファレンシス種に属する2人（3人ともいわれている）が同地で起こった火山の噴火から逃げようとしていたことを物語っている。

ラエトリの足跡。これまでに発見された中で最も古い私たちの先祖の「歩行」の痕跡（375万年前）。

アルデン洞窟、ナミビアのトラッカーが甦らせた歴史の一場面

フランスのエロー県カセラスのセス渓谷にあるアルデン洞窟内には、中石器時代の人間の足跡400個が残された道が30m以上にわたって続いている。

2013年、この初期の「探検家たち」について詳しく調査するため、ケルン大学が考古学の国際プロジェクト「Tracking in Caves（洞窟の追跡）」を立ち上げ、その一環として伝統的な知識を伝える3人のナミビア人トラッカー（動物の足跡などを追う技術に長けた狩人）が先史学者のチームに招聘された。トラッカーと考古学者が共同調査を行った結果、約8000年前にさまざまな集団がこの洞窟の土を踏みしめたことを示すデータが得られた。

サン族（ナミビアの狩猟採集民）のトラッカー3人が行った分析は、研究者が先に高度な機器を使って得ていた結果を補完し、裏づけるものだった。実際、最新技術と伝統技術を融合させた科学的なハイブリッド手法を用いれば、洞窟の歴史の一場面を甦らせ、そこを歩いた一人ひとりの年齢層や性別を特定することができる。同じように足跡を調べれば、それがどんな人物だったかを特定するだけでなく、その行動までも分かるのだ。

ナミビア人トラッカーの的確で並外れた分析能力から、足跡を残した人々の鮮明な姿が浮かび上がってきた。男性は歩き方と杖として使われた棒が引いた線から、片足を引きずっており、女性は足跡の大きさと沈み具合から子どもを抱いていたことが分かった。さらに足跡の中にかなりの数の子どもの足跡が混ざっていることも判明した。彼らは家族だったのかもしれない。

すべて合わせると20人ほどがこの道を歩いたようだ。彼らの足跡はそれを調べる現代の私たちにとって、この先史時代（→用語集）を撮影した「スナップ写真」だ。また洞窟の壁には枝が燃えた跡が見られ、この集団は壁にたいまつを差し込んで照明として用いていたことが分かる。地表から25m下の洞窟網には、クマの爪痕やホラアナハイエナの痕跡も見られる。ここにいた人間たちには危険が迫っていたのか、急いでいたのか、それとも単に好奇心から洞窟に入ったのだろうか？

フランスの先史学者フィリップ・ギャランの立ち会いのもと、3人のナミビア人トラッカー、ウイ、テュイ、ツムガオの3人が、道の一部に残る数千年前の足跡を調べている。彼らの会話は、独特なクリック音が混じるコエ語で行われた。

右：遺跡を傷つけないように、足跡の分析は足跡から離れたところから区画を区切って行われた。さまざまな色のレーザーを使い、研究者とトラッカーが協力して現場を「読み取る」。足の方向や支えなど、目に見えるものすべてが、どんな痕跡も見過ごさないトラッカーには重要な情報源となる。

複雑に分岐する人類の系統樹

最近まで、ヒトと類人猿は別の科に分類されていた。しかしDNA解析によると人間、チンパンジー、そのほかの類人猿は遺伝的に近いことが分かった。これを受けて一部の分類学者は形態学的相違（重要であるが）ではなく、遺伝的距離に基づいた修正を現在提案している。現在のヒト族（ヒト科の下、ヒト亜科のさらに下の階級）には、ホモ属とチンパンジーとの共通祖先から分岐した600万年前から現在までに現れたすべての人類の絶滅種が含まれる。ヒト亜科にはチンパンジーとゴリラも含まれる。つまり、「ヒト科」は、人間、チンパンジー、ゴリラ、さらにオランウータンまで網羅する霊長類の大所帯なのだ(すべて1600万～1200万年前に生息していた共通の祖先を起源としている)。

チンパンジーとの共通祖先（約700万～600万年前に生息）から分かれ、それ以降に現れたヒト亜族に属する種は、現在発見されているだけで20以上があり、「見事な枝ぶり」の系統樹を形作っている。

発見されている化石が示す系統に属する種の間には先祖と子孫の関係があると考えるのが妥当だと、研究者は考えている。右の図中のクエスチョンマークは1つの共通祖先から分岐したと結論づけるにはデータが欠けていることを表している。種の多様化が最も進んだ時期は約200万年前かその少し前で、この時期にちょうどアフリカでは、生態系を変化させる気候の流動期を迎え、最初のホモ属が現れた。ただ一部の古人類学者は、当時の人類の種のいくつかは実際にはさほど異なっていなかった可能性があり（そのような古代の交雑の有無を実際には確認できないが）、ホモ属とされるものは同じ種の変種の可能性があるとしている。

それでもほかの多くの動物の科と同じく、系統樹全体のモデルは変わらず、いくつにも枝分かれした木であることは揺るがない。私たちの祖先の進化の歴史において1つの種しか存在しなかった時期は一度たりともなかった。重要なのは何よりも数、種として生物地理学的にどれだけ広く多く分布しているかだ。

生物学では、異なる種の2つが交配して交配種が生まれるが、こうして生まれた交配種には繁殖能力がないと考えられている。これが亜種同士になると繁殖が可能で、そこから生まれる雑種は繁殖できる。しかし化石の場合、種と亜種を区別するのに、繁殖が可能かどうかという基準を使うのは難しい。そこで現代人をホモ・サピエンス・サピエンス（*Homo sapiens sapiens*、ホモ・サピエンス種のサピエンス亜種）と見なし、それ以外をホモ・サピエンス（種）と見なす。生物学において生物の名前は属と種の2つの言葉を組み合わせて表現される。ホモ・サピエンスの場合は属がホモ、種がサピエンスで、さらに3つ目に亜種名がつくことがある。

人類の進化図

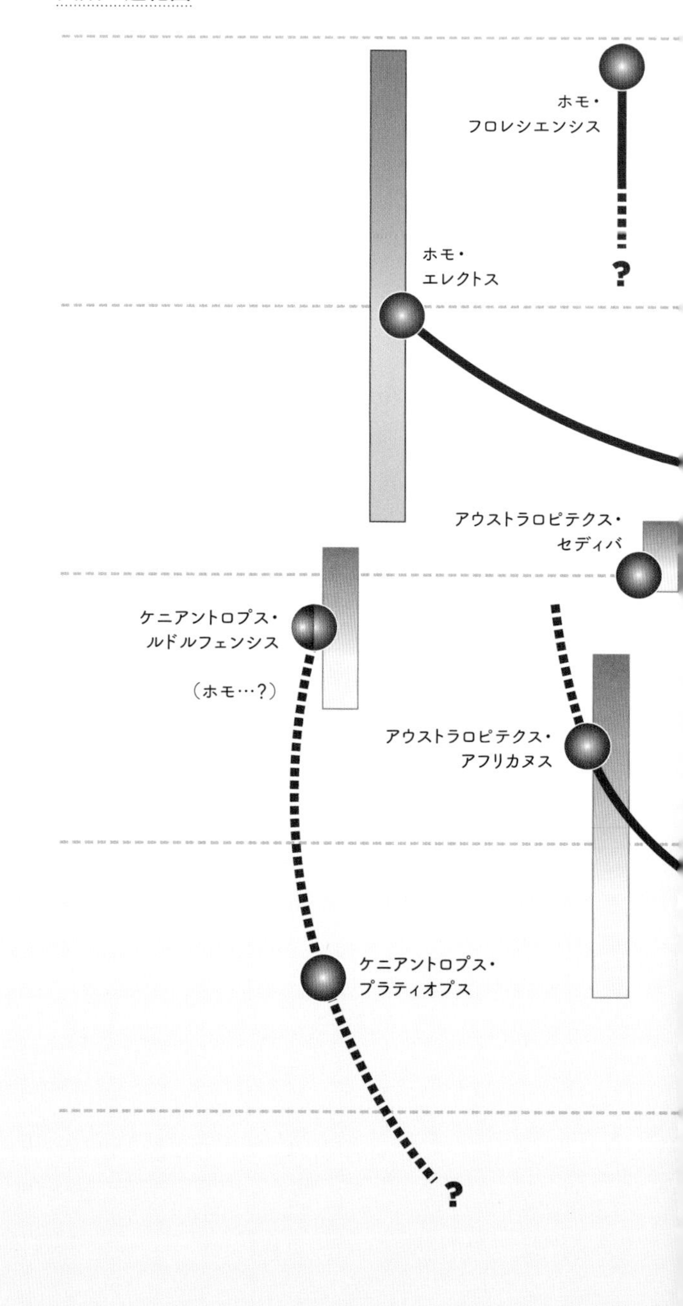

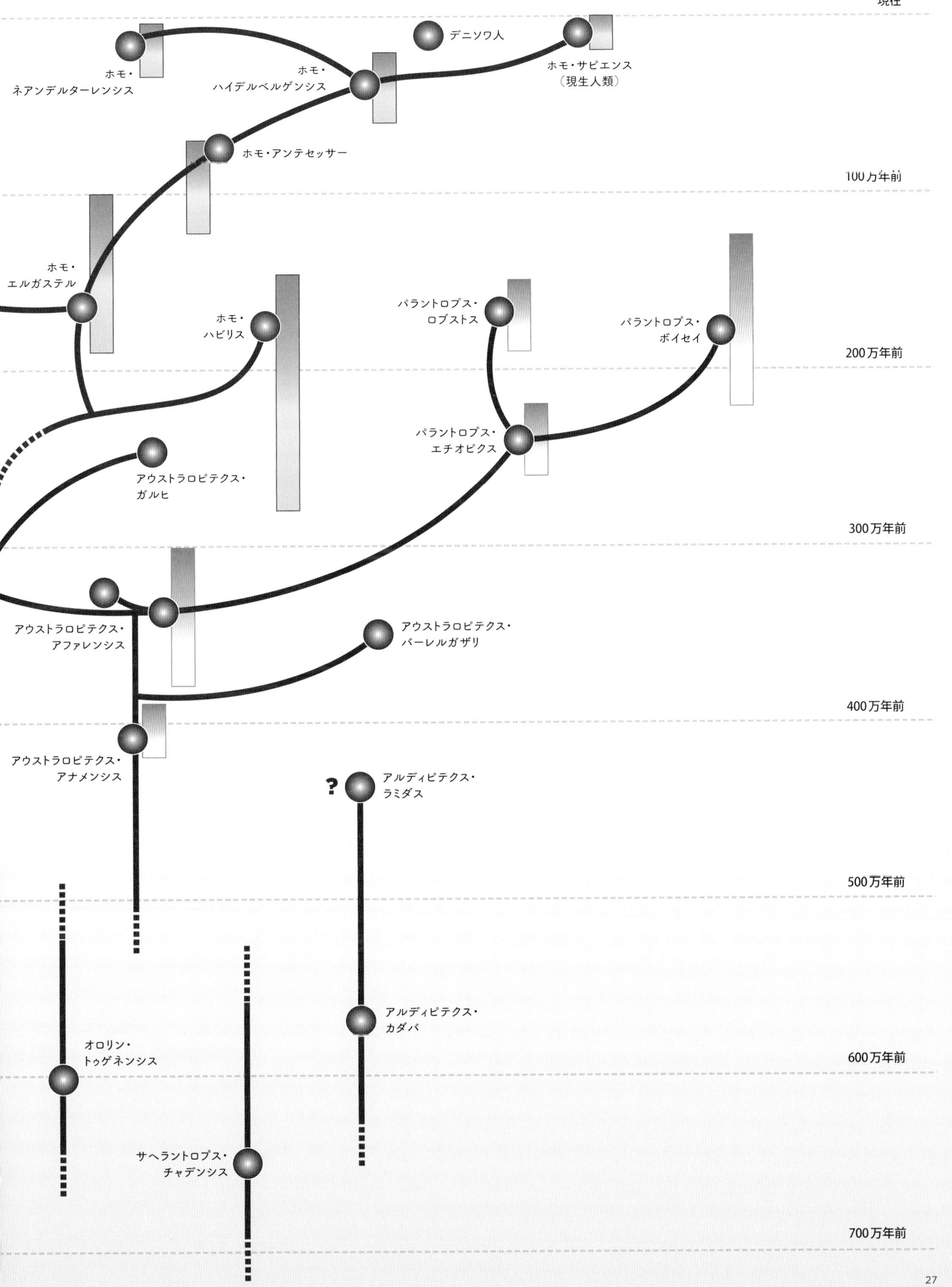
現在
ホモ・
ネアンデルターレンシス
デニソワ人
ホモ・サピエンス
（現生人類）
ホモ・
ハイデルベルゲンシス
ホモ・アンテセッサー
100万年前
ホモ・
エルガステル
ホモ・
ハビリス
パラントロプス・
ロブストス
パラントロプス・
ボイセイ
200万年前
パラントロプス・
エチオピクス
アウストラロピテクス・
ガルヒ
300万年前
アウストラロピテクス・
アファレンシス
アウストラロピテクス・
バーレルガザリ
400万年前
アウストラロピテクス・
アナメンシス
?
アルディピテクス・
ラミダス
500万年前
アルディピテクス・
カダバ
オロリン・
トゥゲネンシス
600万年前
サヘラントロプス・
チャデンシス
700万年前

ホモ属の誕生

ホモ・ハビリスの復元像。
スペインのブルゴス人類進化博物館所蔵。

ホモ属の誕生は大きな適応分岐となった。最初のホモ属は、約280万年前にアフリカに現れた。エチオピアではホモ・ハビリスの化石が、ケニアとマラウイの遺跡ではまた別のホモ・ルドルフェンシス（*Homo rudolfensis*）という人類の化石が見つかっている。約190万年前には新しい身体構造を有する人類ホモ・エルガステル（*Homo ergaster*）が現れる。ホモ・エルガステルは体が細くて軽く、完全な二足歩行を行い、頭蓋の容量が発達していた（600～800cm^3）。

ホモ・エルガステルはホモ・ハビリスとは見た目が異なっていた。ホモ・ハビリスは最後のアウストラロピテクス類、同じ時代に生息していた巨大な体を持つ3つの頑丈型のパラントロプス（その中のパラントロプス・ボイセイ〈*Paranthropus boisei*〉は今からわずか120万年前まで生きていた）に似ていた。

190万年ほど前、北半球に氷河ができ始めた影響で東アフリカと南アフリカは乾燥化がさらに進み、見渡す限りサバンナで覆われるようになっていた。すると、効率的に体を冷すことができ、手作業に長けた新しい人類が現れる。それがホモ・エルガステルだ。この新種は複雑な社会集団を作って暮らし、雑食（肉の摂取量のほうが多い）で、そして何より長距離を歩ける能力を備えていた。

この草原を二足で歩く原人は大地溝帯東部にあるオルドバイ峡谷周辺に暮らし、小さな獲物を食べ、自分たちを襲いそうな大型動物から逃げたりしていたが、やがて人類として初めてアフリカを出る。これが人類の世界拡散の始まりとなった。

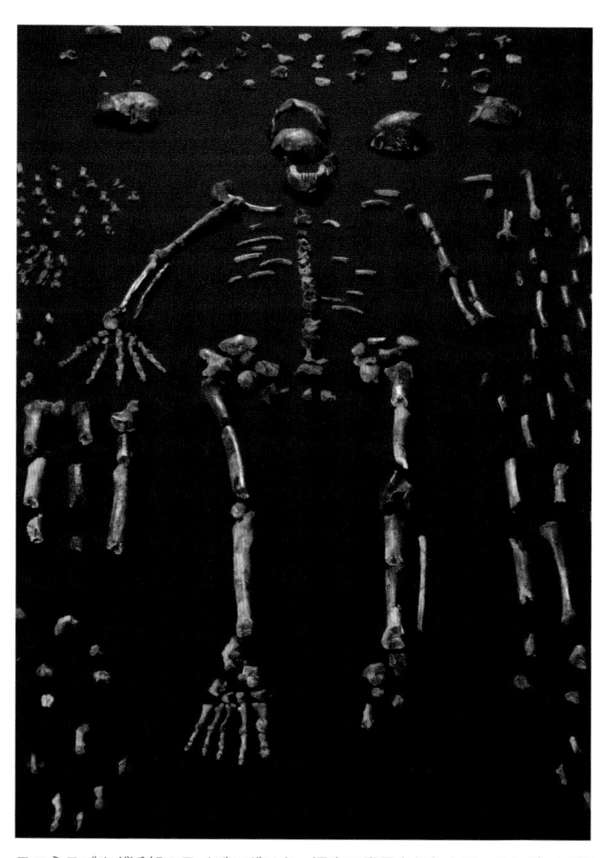
ヨハネスブルグ近郊のライジングスター洞窟で発見されたホモ・ナレディの復元骨格。

ホモ・ナレディ
アフリカで発見された新しい近縁種

最近になって人間進化の系統樹にホモ属の新種が加わった。それは、ヨハネスブルグ近郊のライジングスターという洞窟で発見された。狭い道を伝って洞窟に入ると、入り口から40m進んだ空間に、何と15人分にはなる1550個以上のヒトの骨の化石があったのだ。

このホモ・ナレディと呼ばれる人類の化石は脳が小さく、歯には原始的特徴が見られ、指は曲がっているが、現生人類のような足、脚、手首、腕をしている。必要に応じて丸まった指を使って木に登り、広い範囲を巧みに歩くことができたようだ。この身体構造は鬱蒼と木々が茂る森と、何もない開けた荒野や草原が交互に存在する移行期の環境に適応した、樹上型と地上型のハイブリッドだ。これだけ多くの骨が1カ所で見つかったということは、ホモ・ナレディがカルスト地形に網の目のように広がる洞窟の底に仲間の遺体を意図的に置いた可能性を示している。

2017年にホモ・ナレディの生息年代が33万5000～13万9000年前と発表された。これは本当に驚くべき発見だ。アフリカでは、ある人類の集団がホモ・サピエンスとして進化する一方、その南部では私たちの3分の1の大きさ（500cm^3）の脳しか持たないホモ属が樹上生活も送りながら、乾燥する環境に適応を果たしていたのだ。

アフリカに最初に現れたホモ属の主なもの

(番号は古→新の順)

1 レディゲラル
280万年前

2 オルドバイ峡谷
240万年前

3 ウラハヒル
240万年前

4 クービフォラ
190万年前

5 スタルクフォンテイン
180万～150万年前

6 ブイア
100万年前

7 ブーリ
100万年前

8 スワルトクランス
100万年前

9 ライジングスター洞窟
33万5000～13万9000年前

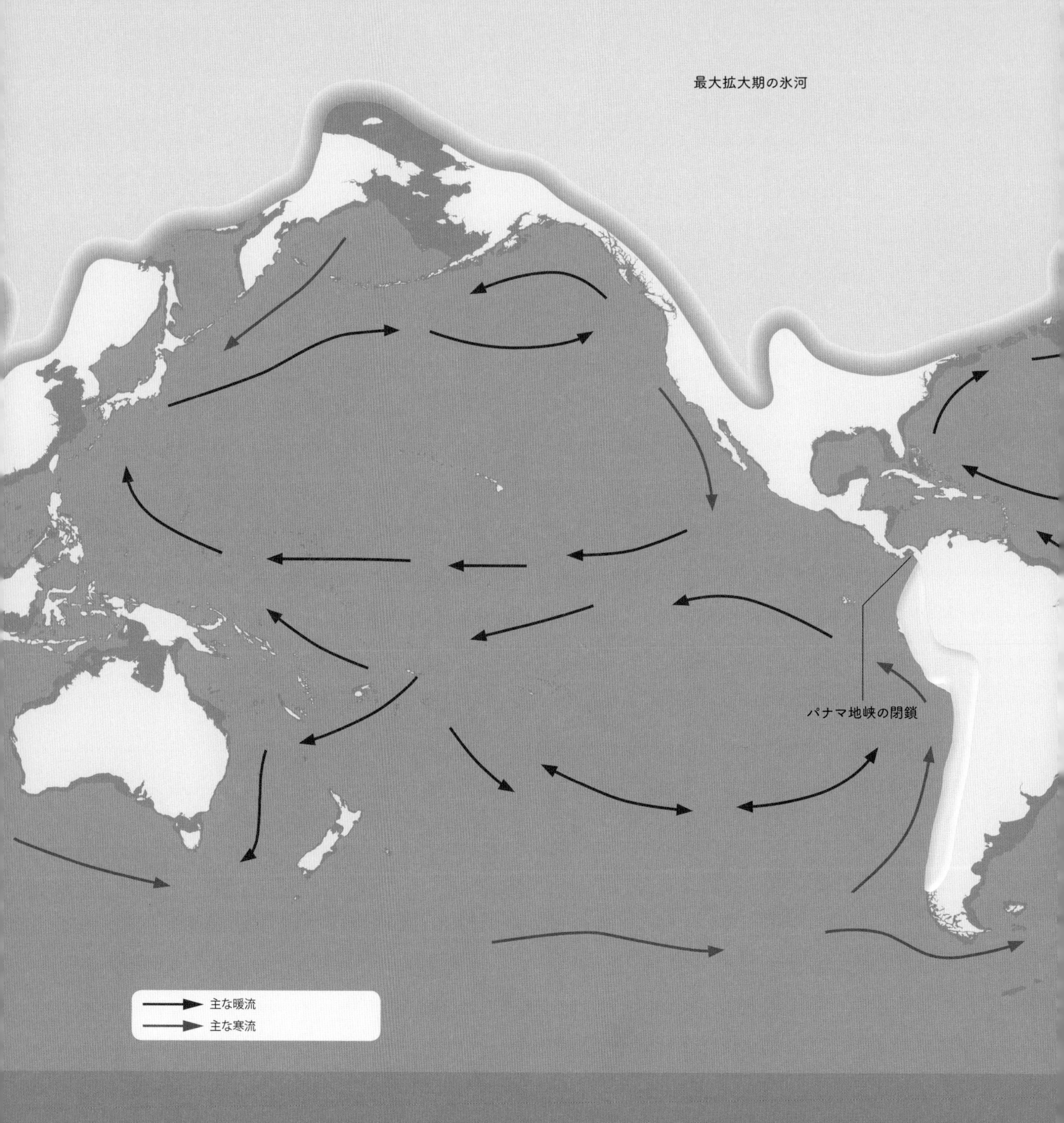

古気候

過去200万年の間にホモ属が経験した氷期は20回を超える。これだけ氷期が到来したのは地球の大気循環が変化した影響もあるだろうが、ヒマラヤ山脈が隆起し、パナマ海峡が閉じて地峡になり、大西洋の海流が地球規模で変わったことも大きな要因と考えられる。こうした気候変動（→用語集）に人類は数十万年にわたって翻弄され、人口は増減を繰り返した。最後の氷期はアフリカで誕生したばかりのホモ・サピエンス種にとって大きな打撃となった。この氷期は12万年前に始まり、2万〜1万5000年前にピークに達した。1万2000年前には急激に温暖化し、温暖な気候が地球に戻ってきた（そのおかげで農業革命への扉が開く）。

しかしその後も気候は安定せず、寒冷化は数回起こった。中には1万1000年前のヤンガードリアス期のように1000年しか続かなかった氷期もある。氷期は地球規模の気象現象であり、

気候、海面、植生帯の分布、降雨量を変化させ、それが人類を拡散させたり、収縮させたりした。氷河期が最も厳しい時期を迎えたときは、東アフリカおよび南アフリカのごく狭い範囲、主に風雨をしのげる沿岸地域にいたホモ属の集団しか生き延びられなかった。繰り返し起こったアフリカ大陸からほかの大陸への人類の拡散は、氷期の到来によって起こった気候変動がその道を開いたと考えられる。

トゥルカナ・ボーイ

**1984年の驚くべき発見。
160万年前にさかのぼる
9歳のホモ・エルガステルの化石。
骨格には現代人と
多くの類似点が見られる。**

トゥルカナ・ボーイは推定9歳とされる160万年前のホモ・エルガステルの骨格で、1984年にリチャード・リーキー、ミーブ・リーキー、アラン・ウォーカーによって発見された。ほぼ全身が残っている骨格は珍しく、ケニアのトゥルカナ湖のほとりにあるナリオコトメで発掘された。たる状胸郭などの「痕跡」器官を除けば、現代人によく似ている。

股関節の構造や大腿骨と脊椎の角度が120度あることから、完全二足歩行だったのは確実だ。細い体は体温を放散するのに極めて効率的だった。身長は160cmあり、成人になっていれば180cmという当時としては珍しい高身長に成長したかもしれない。しかし頭蓋の容量（880cm^3）や頭蓋骨と下顎骨は現代人に比べて原始的だ。さらにアウストラロピテクス類の化石人に比べて成長がゆっくりで、幼齢期が長かった。トゥルカナ・ボーイは二足歩行するすべての人類の起源に近い系統である可能性が強い。

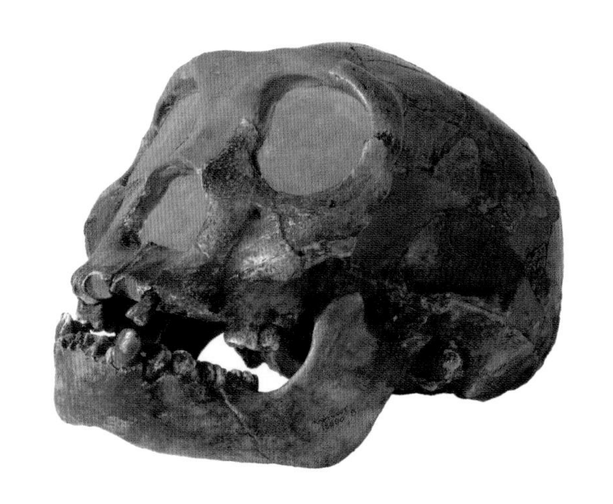

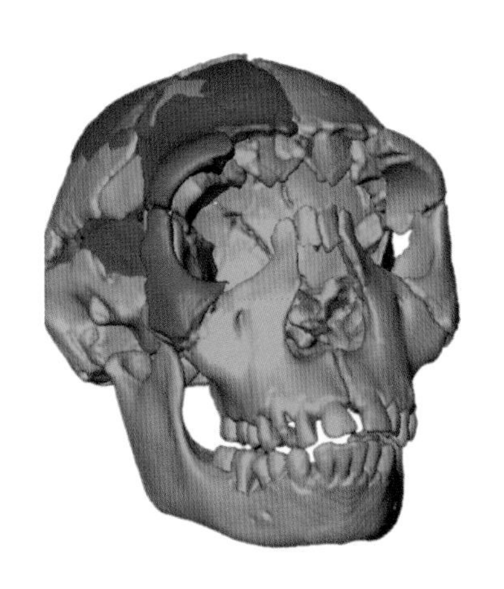

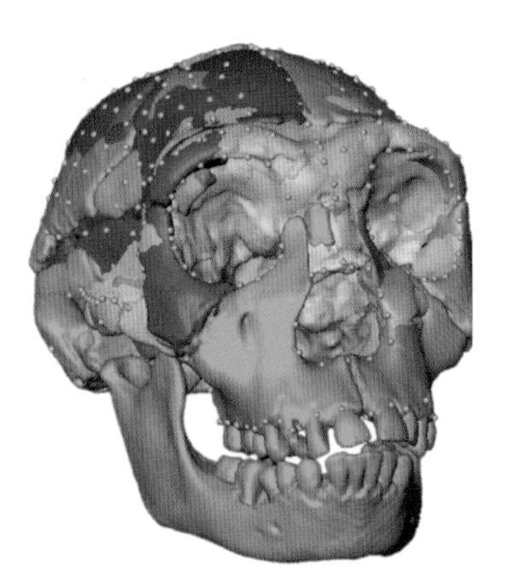

トゥルカナ・ボーイの頭蓋骨の復元模型および高解像度CTスキャンによる3Dモデル。

右ページ：ケニア北部のトゥルカナ湖のほとりで化石が見つかった、推定9歳のホモ・エルガステル、トゥルカナ・ボーイの復元像。制作者エリザベト・デイネ。

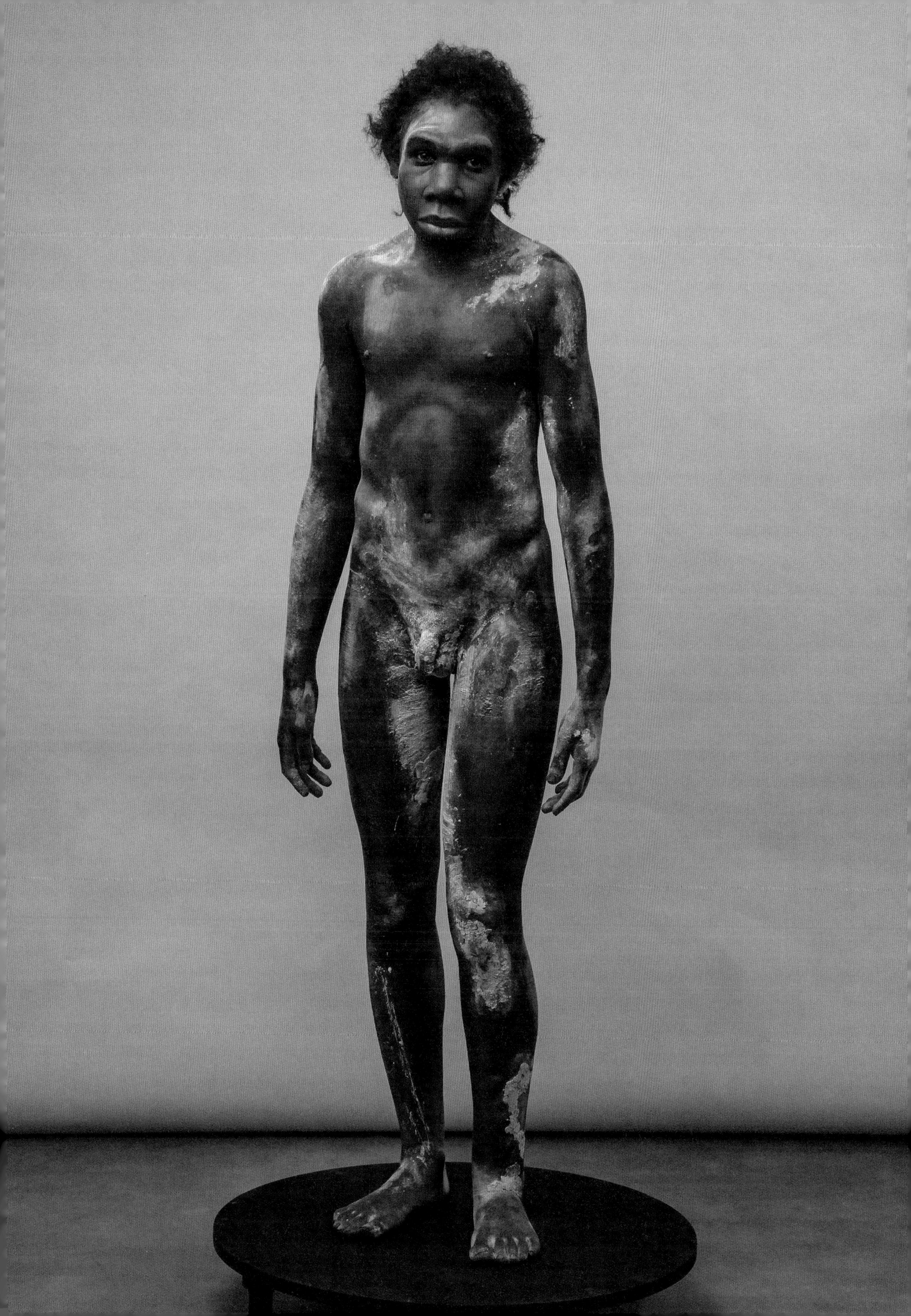

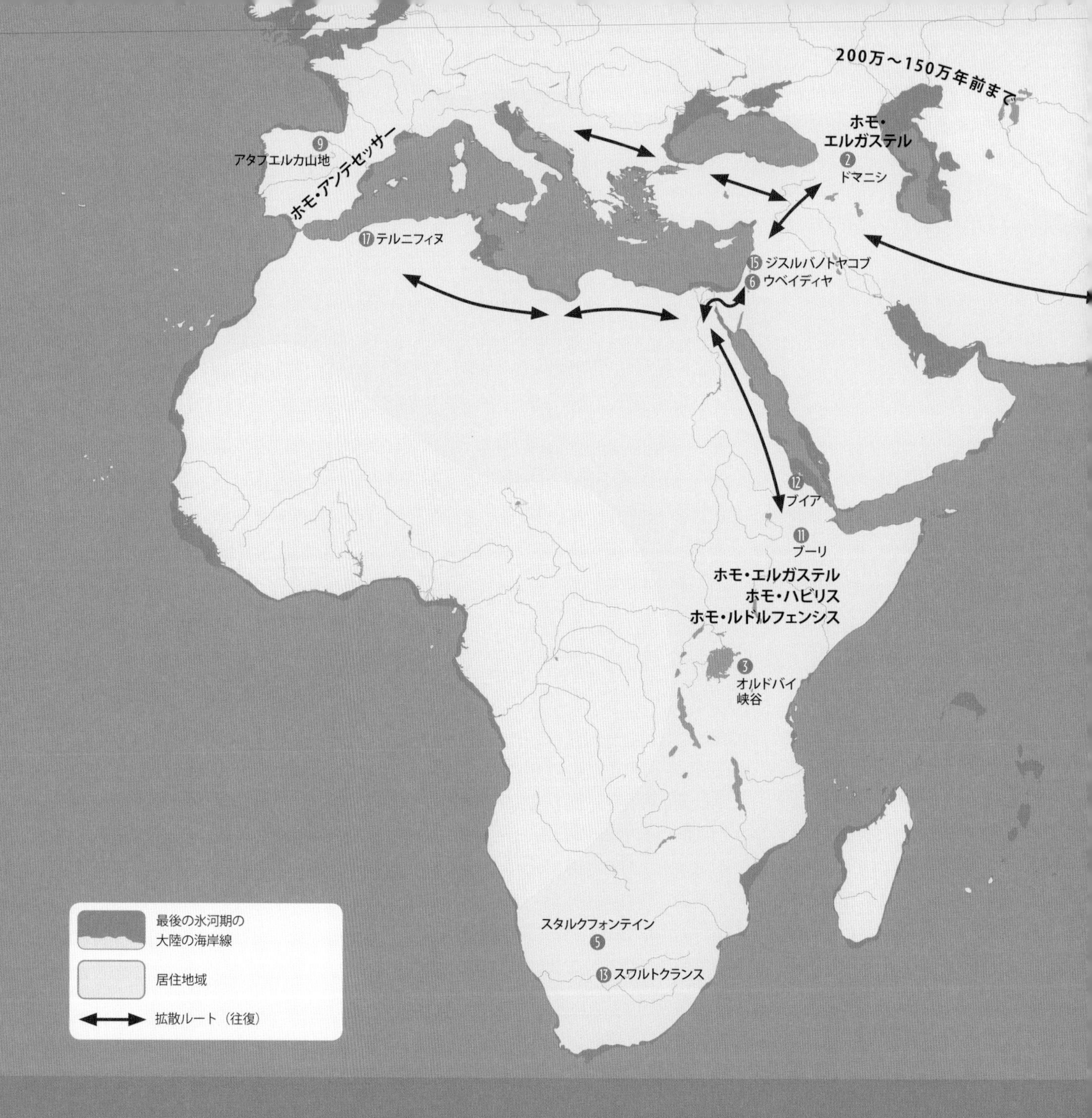

最初の出アフリカ

ホモ・エルガステルの初期の化石は広範囲に残っている。これは食料探しや乾燥化に適応するために、長い歩幅を生かした高い移動能力を獲得した証だ。彼らは雑食で、脳を拡張させ、かなり組織化された集落を作った形跡があり、おそらく火も使っていたと考えられる。25～30人程度の小さな集団で移動し、アフリカ各地の渓谷や高地に分布していた。

そして彼らは人類史上初めてアフリカ大陸の外へ出た。その痕跡は、古くはジョージアの小コーカサス山脈の約200万年前の地層に、ほかにも中東のウベイディヤ、南アジアの海岸沿い、さらに現在のパキスタンのリワットにもはっきりと見られる。150万年前には、中国の人字洞や周口店、ジャワ島のサンギランなどで見られるように、アジアに現在ホモ・エレクトス（*Homo erectus*）と呼ばれるホモ属の新たな分派が現れた。その一方でアフリカに留まったホモ・エルガステルが100万年前まで存続したことが、タンザニアのオルドバイ、エチオピアのブーリ、エリトリアのブイア、南アフリカ共和国のスワルトクランスの遺跡から証明されている。

これは進化学者が「進化放散」と呼ぶ、進化的な分岐を伴う1つの拡散プロセスだ。中国からスペイン、南アフリカまで生息地が拡大したために、遠く離れた集団同士が混じり合うことがなくなり、地方ごとに変異体が現れ、やがて完全な亜種として分岐したのだ。

要するに、アフリカの角の谷を旅立った最初のホモ属は、進化の視点からすれば短い数万年から数十万年の間に太平洋沿岸まで到達したのだ。しかしこれは、以後何度も起こる拡散の波の始まりにすぎなかった。この「出アフリカ」と呼ばれる拡散プロセスは地域ごとの進化を促し、私たちを含めたホモ属の種の多様化につながった。

（番号は古→新の順）

1 リワット
190万年前

2 ドマニシ
185万年前
ホモ・エルガステル

3 オルドバイ峡谷
180万年前

4 モジョケルト
180万年前
ホモ・エレクトス

5 スタルクフォンテイン
180万～150万年前

6 ウベイディヤ
160万年前

7 サンギラン
160万年前
ホモ・エレクトス

8 人宇洞
150万年前
ホモ・エレクトス

9 アタプエルカ山地
120万～78万年前
ホモ・アンテセッサー

10 トリニール
110万年前
ホモ・エレクトス

11 ブーリ
100万年前

12 ブイア
100万年前

13 スワルトクランス
100万年前

14 藍田
100万～53万年前
ホモ・エルガステル

15 ジスルバノトヤコブ
78万年前

16 周口店
78万～50万年前
ホモ・エレクトス

17 テルニフィヌ
70万年前

18 元謀
70万～50万年前
ホモ・エレクトス

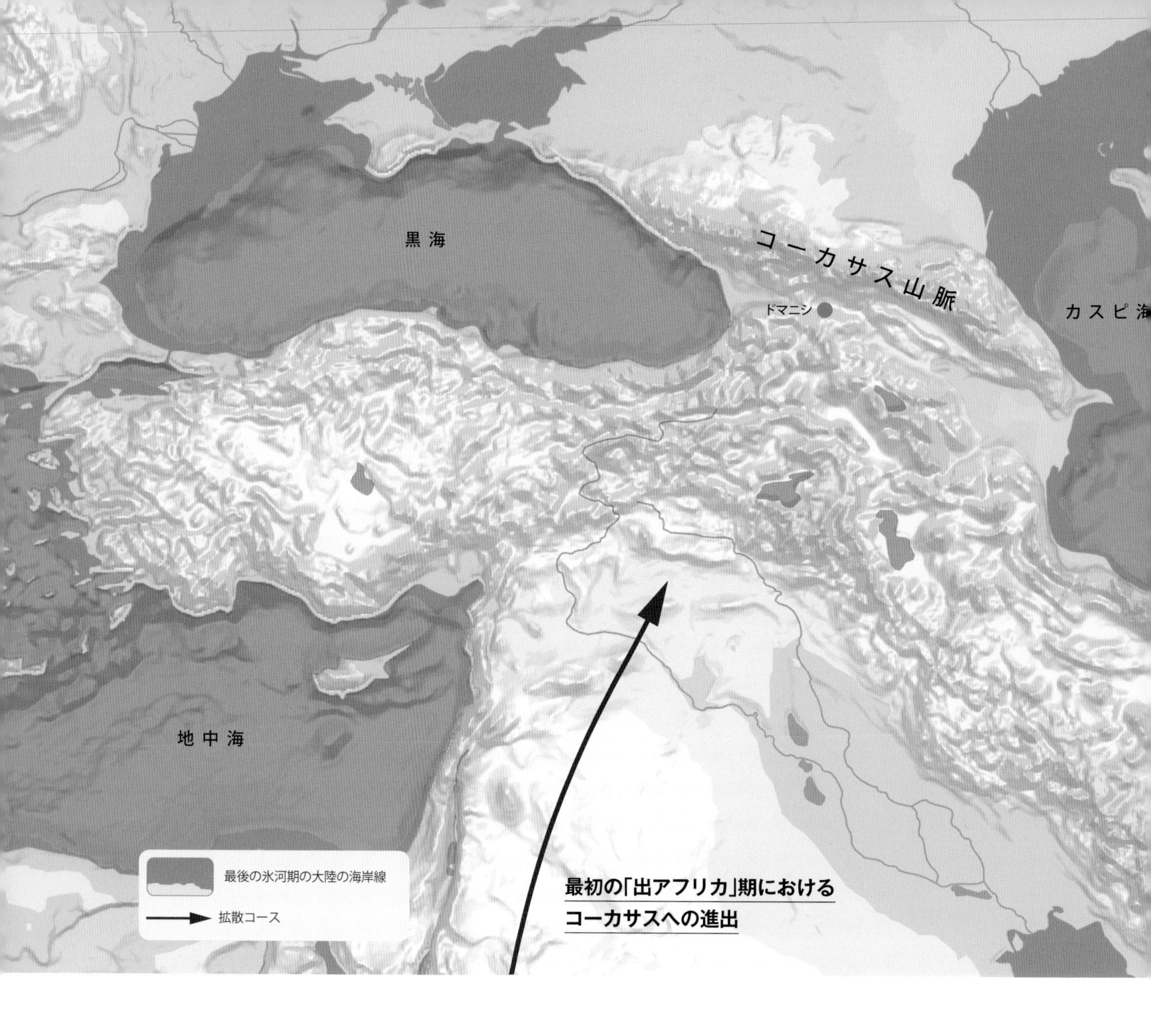

コーカサスの最初の人間

ジョージアのドマニシ遺跡は、アフリカ大陸以外で発見された人類の痕跡としては最も古い。この遺跡からは複数の人類の化石と1000を超える人工物が出土している。見つかった化石は原始的な人類で、身体的構造は特定の集団においてよく見られる、初期の特徴と新しい特徴の始まりが混ざったタイプだ。

黒海とカスピ海に挟まれたジョージアに、両脇を2つの川が流れ、山頂に中世の城跡が残る玄武岩の山がある。ドマニシ遺跡はその山の麓にあり、2つの川の合流地点に広がる平地を見下ろしている。この185万年前の人間の居住地からは人類の化石とともに前期更新世の動物の遺骸が数多く発見された。アフリカ以外で発見されたヒトの遺跡としては最古である。

こうして初歩的な加工技術を備えた人類は、アフリカの大地溝帯からレバント回廊（ヨルダン周辺）を通ってジョージアの沿岸まで生息地を拡大し、人類として初めてアフリカではない生態系での永住に成功した。この人類はそれまでに見られなかった高い拡散の能力を持ち、形態学的な多様性に富んでいた。実際、発掘された5体の頭蓋の形はかなり異なっている。

ジョージアのドマニシ遺跡は玄武岩の岩群でできている。2つの川の合流地点に形成された谷の大半が玄武岩だ。

下：ドマニシ遺跡で発見された5つの頭蓋骨。

ドマニシ遺跡で発見されたホモ・エルガステルの化石

時代区分

200万〜65万年前

（番号は古→新の順）

1 ドマニシ
175万年前

2 スワルトクランス
165万年前

3 ウベイディヤ
150万年前

4 クービフォラ
150万〜20万年前

5 オルドバイ峡谷
140万年前

6 サンギラン
120万年前

7 アタプエルカ トリンチェラ
120万〜78万年前

8 ブーリ
100万年前

9 ブイア
100万年前

10 藍田
100万年前

11 トリニール
80万年前

12 雲県
80万年前

13 ティゲニフ
70万年前

14 周口店
67万〜40万年前

時代区分

65万〜15万年前

15 ボド
60万年前

16 サルダニャ
50万年前

17 ボックスグローブ
50万年前

18 マウエ
50万年前

19 アラゴ
45万年前

20 アタプエルカ・シマ・デ・ロス・ウエソス
45万年前

21 ベノーザ
45万年前

22 ピゾリアーノ
45万年前

23 ンドゥトゥ
40万年前

24 ビルツィングスレーベン
40万年前

25 チェプラーノ
40万年前

26 スワンスカム
40万年前

27 ナルマダ
40万年前

28 エヤシ
35万年前

29 カブウェ
35万年前

㉚ペトラロナ
35万年前

㉛サンブンマチャン
30万年前

㉜フロリスバッド
26万年前

㉝シュタインハイム
25万年前

㉞キビシュ
20万年前

㉟大茘
20万年前

㊱金牛山
20万年前

㊲ズッティエ
20万年前

㊳ンガロバ
12万年前

㊴カステル・ディ・グイド
3万年前

金牛山 36
周口店 14
大茘 35
藍田 10
雲県 12
サンブンマチャン 31
6 サンギラン
トリニール 11

２度目の出アフリカ

中期更新世（78万年〜13万5000年前）の初めかその少し前、化石証拠が再び断片化するこの時期に「旧世界」（アフリカおよびユーラシア）全体に新たな人類が拡散していた。彼らは頭蓋が大きく発達し（最大容量が1200cm^3 またはそれ以上）、東南アジアを除く全域でアシュール型（→用語集）石器と呼ばれる、最初の両面加工石器（→用語集）を使っていた。

ヨーロッパにはホモ・ハイデルベルゲンシス（*Homo heidelbergensis*）がいた。60万年前にはすでに現れており、その祖先はかつてユーラシアにいたネアンデルタール人（→用語集）と現生人類の共通祖先であるだけでなく、アジアのほかの場所で見つかった種やアフリカに残った種の起源とされるホモ・アンテセッサー（*Homo antecessor*）だ。

最近の研究から、ヨーロッパに暮らしていたホモ・ハイデルベルゲンシスは、ネアンデルタール人の初期型であることが明らかになっている。ヨーロッパ（スペイン、フランス、英国、イタリア、ギリシャ、ドイツ）で骨が発見されており、地理的な隔離によってネアンデルタール人の系統になった。

アフリカにも現生人類の起源であるホモ・アンテセッサーの子孫だと特定されている種がいる。それがホモ・ローデシエンシス（*Homo rhodesiensis*）だ。ホモ・ローデシエンシスの化石はエチオピアのボド、ザンビアのカブウェ、モロッコのジュベルイルーで見つかっている。北東アジアでは、人類の系統はそこまではっきりしていない。これまでに発掘された化石がホモ・エレクトスから進化した形態に属しているのか、それともネアンデルタール人や現代人とは別系統のホモ・アンテセッサーからの派生なのかは断定できていない。ただし中国の大茘などの遺跡から見つかった化石は約20万年前のものであることが分かっている。そうすると北東アジアの系統はホモ・エレクトスから局所進化したのか、それともアフリカやヨーロッパと共通祖先から進化したのか、はたまたアフリカ系統のホモ・エレクトスやヨーロッパ系統のホモ・アンテセッサーからなのかという疑問が生じる。

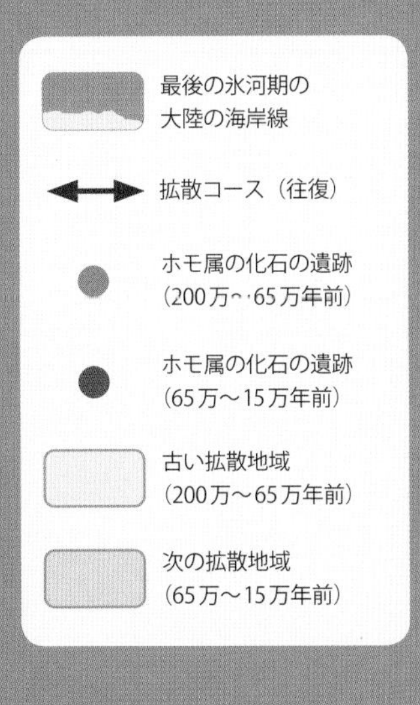

サハラ砂漠およびサヘル地域の陸上生態系と環境変動

氷期と間氷期が入れ替わるたびに特定の植生帯が消えたり、現れたりする。陸上生態系が変化すると、種は自らの生活様式を維持できるか順応可能な生息地を探す。アフリカ内外のホモ属の移動パターンもサハラ砂漠およびサヘル地域の乾期と雨期の入れ替わりに関係していることが最近の研究で明らかになっている。この季節の移り変わりを生んでいるのは、大西洋海流系の強さで、海流の強さが変わることで気候変動が起こる。

つまり、私たち人類は地球規模の自然のダイナミズムによって起こる環境の変化や現象にずっと左右されてきたのだ。今でこそサハラ地域は砂漠だが、私たちの遠い祖先が愛でていたサハラには湖や川があり、緑の草原が広がっていた。衛星画像でしか確認できない化石化した川があるが、それはかつてチャド、スーダン、リビアを結ぶ自然回廊だった。資源、獲物、水が豊かな温暖期のサハラの広大な草原なら、南アフリカや東アフリカからやって来たアフリカの人類の集団が繁栄してもおかしくない。

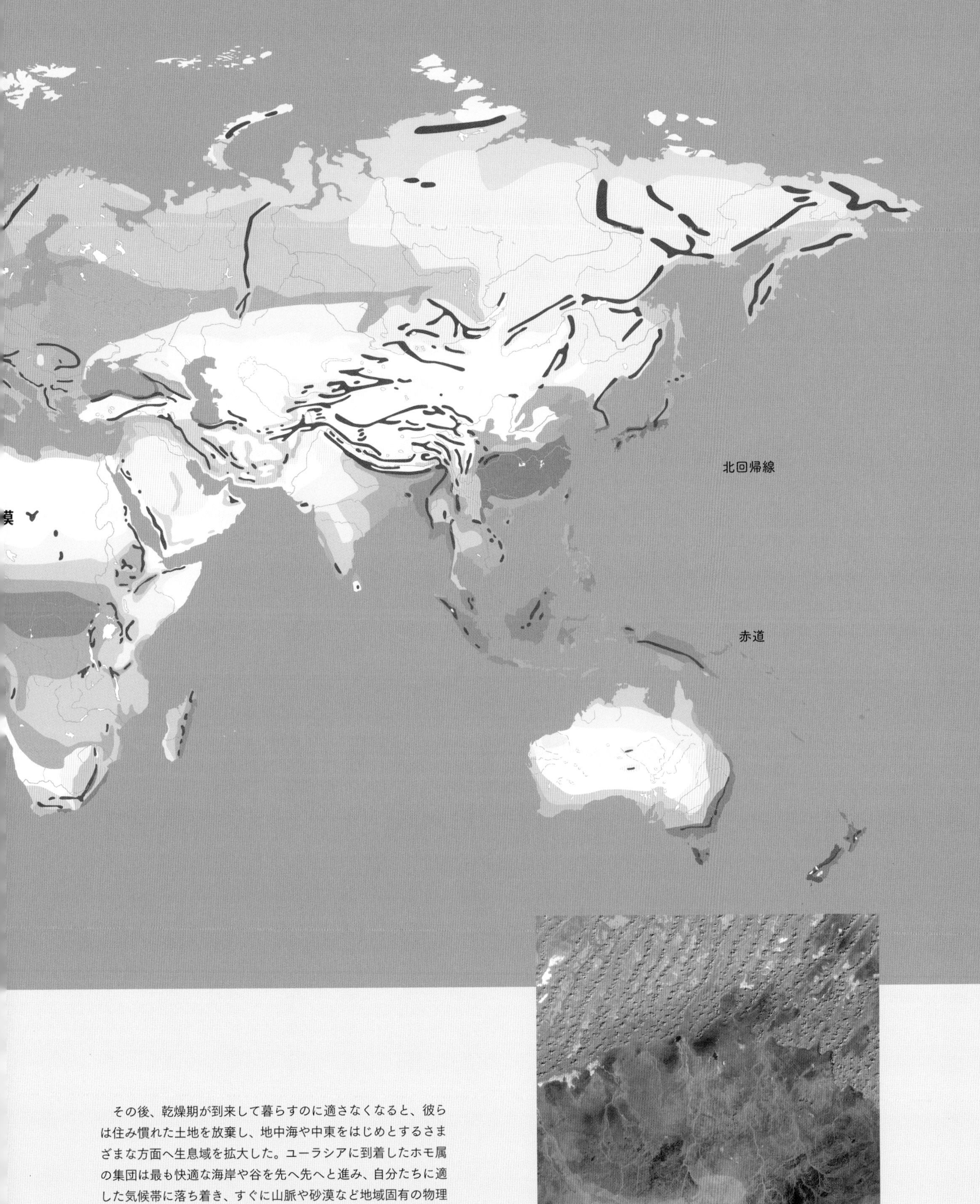

アルジェリアのサハラ砂漠の衛星画像。過去の環境が今とはまったく違っていたことを化石化した水系網が如実に物語っている。

その後、乾燥期が到来して暮らすのに適さなくなると、彼らは住み慣れた土地を放棄し、地中海や中東をはじめとするさまざまな方面へ生息域を拡大した。ユーラシアに到着したホモ属の集団は最も快適な海岸や谷を先へ先へと進み、自分たちに適した気候帯に落ち着き、すぐに山脈や砂漠など地域固有の物理的障害に適応した。現生人類やネアンデルタール人などの最近の種は、気候が極度に悪化した時代に過酷な生態系に直面している。

最初のヨーロッパ人が今のヨーロッパ人ではない

最初にアフリカを出て拡散したホモ属の子孫は120万年ほど前にヨーロッパに到達した。ヨーロッパ最古の人類の生息地として、スペイン北部ブルゴスの近く、アタプエルカ山地のグランドリナ遺跡やシマ・デル・エレファンテ遺跡が見つかっている。

発掘されたヒトの化石は非常に古く、120万～78万年前のもので、ホモ・エルガステルの子孫や近縁種の特性を有し、同じ技術を使っていた。彼らはホモ・アンテセッサーと呼ばれ、最初にヨーロッパに住み着いた人類だ。ホモ・アンテセッサーは最初の人類の拡散期にはるばる中東からやって来て、60万年前の氷河期まで生き残った可能性が高い。その子孫であるホモ・ハイデルベルゲンシスが登場するのは、氷河期の寒冷化によってヨーロッパが地理的に孤立していた頃で、彼らの化石がギリシャのペトラロナ遺跡やフランスのアラゴ洞窟などで発見されている。

イタリアのラツィオ南部のチェプラーノ遺跡で発見された頭蓋骨で分かるように、ホモ・ハイデルベルゲンシスにはネアンデルタール人の特徴が現れ始めていた。またイタリア以外でも、アタプエルカ山地のスペイン側にあるシマ・デ・ロス・ウエソスで約50万年前のホモ・ハイデルベルゲンシスのバラバラになった骨が少なくとも30体分見つかっている。

アタプエルカのシマ・デ・ロス・ウエソスで発見された化石。
アタプエルカの遺跡は2000年にユネスコの世界遺産に登録された

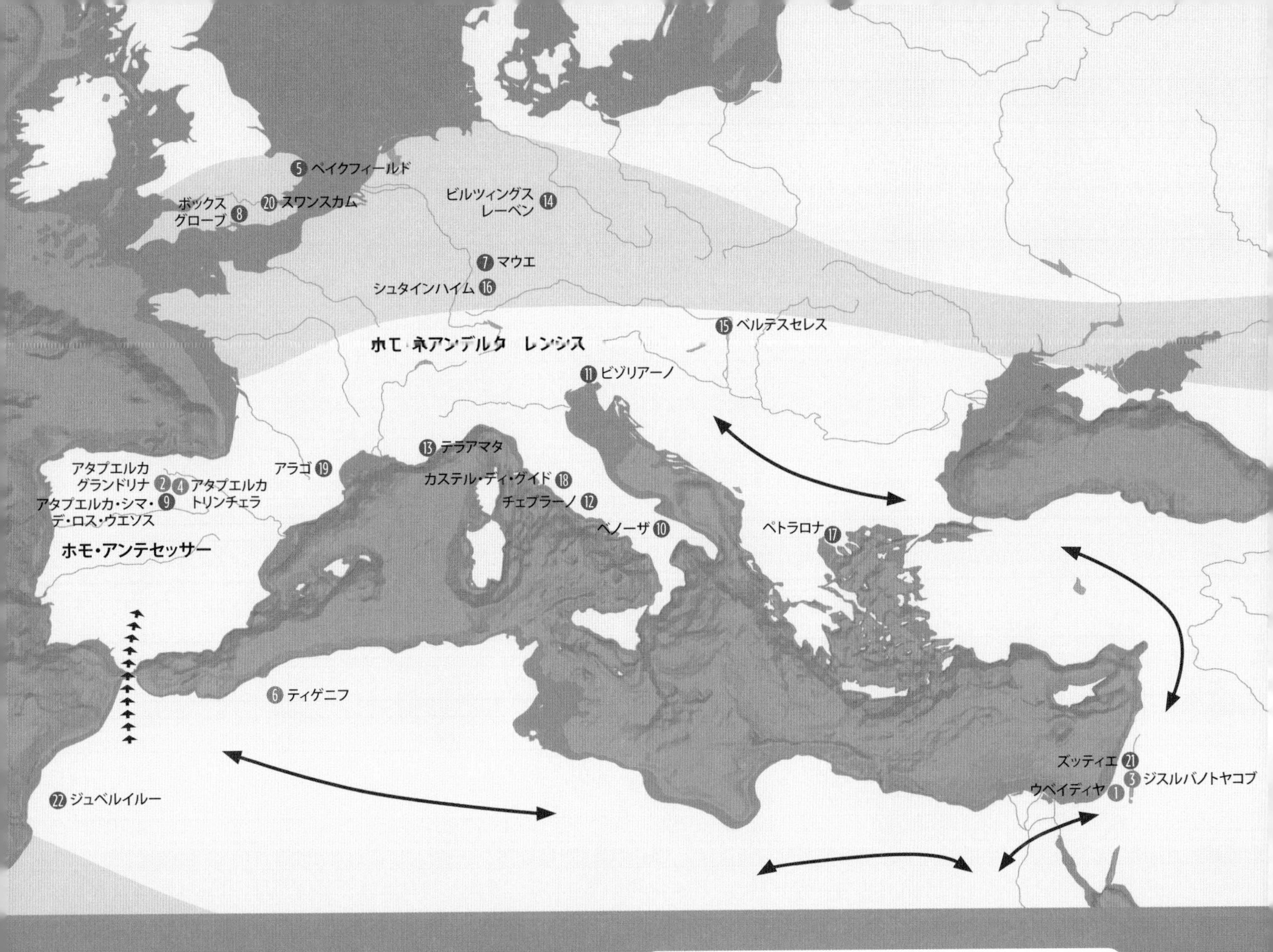

最後の氷河期の大陸の海岸線

拡散コース（往復）

古い拡散地域（200万～70万年前）

次の拡散地域（70万～15万年前）

ホモ属の化石の遺跡（200万～70万年前）

ホモ属の化石の遺跡（70万～15万年前）

ヨーロッパへの最初の進出

（番号は古→新の順）

1 ウベイディヤ
160万年前

2 アタプエルカグランドリナ
120万～78万年前
ホモ・アンテセッサー

3 ジスルバノトヤコブ
78万年前

4 アタプエルカトリンチェラ
78万～20万年前

5 ペイクフィールド
70万年前
ホモ・ハイデルベルゲンシス

6 ティゲニフ
70万年前

7 マウエ
60万～50万年前
ホモ・ハイデルベルゲンシス

8 ボックスグローブ
52万4000～47万8000年前
ホモ・ハイデルベルゲンシス

9 アタプエルカ・シマ・デ・ロス・ウエソス
50万年前
ホモ・ハイデルベルゲンシス

10 ベノーザ
45万年前

11 ピゾリアーノ
45万年前

12 チェプラーノ
43万～38万5000年前
ホモ・ハイデルベルゲンシス

13 テラアマタ
40万年前：人類最初の小屋
ホモ・ハイデルベルゲンシス

14 ビルツィングスレーベン
37万年前
ホモ・ハイデルベルゲンシス

15 ベルテスセレス
35万年前
ホモ・ハイデルベルゲンシス

16 シュタインハイム
35万～25万年前
ホモ・ネアンデルターレンシス

17 ペトラロナ
35万～20万年前
ホモ・ネアンデルターレンシス

18 カステル・ディ・グイド
30万年前

19 アラゴ
30万～20万年前
ホモ・ハイデルベルゲンシス

20 スワンスカム
30万～20万年前
ホモ・ネアンデルターレンシス

21 ズッティエ
28万年前

22 ジュベルイルー
28万年前

皮膚形成と復顔

頭蓋骨から顔を復元する「復顔」という技術がある。この技術を用いれば、対象の生前の顔を科学的に正しい形でよみがえらせることができる。そして科学的に正しい復顔であるために欠かせないのが人類学と法医学の知識だ。軟部組織は化石として残らず、種、性別、推定年齢などにより厚さが異なる。そこで解剖学的知識に基づいて推測される軟部組織の厚さ分のピンを頭蓋骨の特定の箇所に取りつけ、その厚みに合わせてくぼみに粘土またはプラスチシン（モデリング粘土）を盛っていく。

顔の肉づきができあがったら、専門の復元師が仕上げを行う。皮膚や瞳の色、鼻と耳の形、髪の種類は古人類学者の意見も参考にするが、最後は復元師に委ねられる。

現在では断層撮影画像解析に基づくデジタル復顔も重要になっている。新たな解剖学的または遺伝的発見に合わせて修正できるのがデジタル復顔の大きな利点だ。

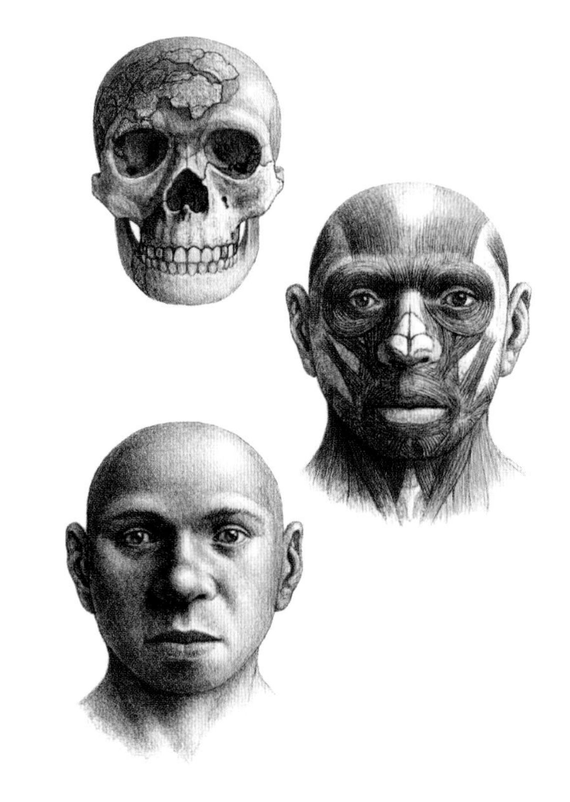

人相学に基づき、スペインのアタプエルカで発見された化石から描き起こされたホモ・アンテセッサーの顔の復元図。

右ページ：30万年ほど前に生息していたホモ・ローデシエンシスの復顔。ザンビアのブロークンヒル（現在のカブウェ）で発見された頭蓋骨を基にしている。制作者エリザベト・デイネ。

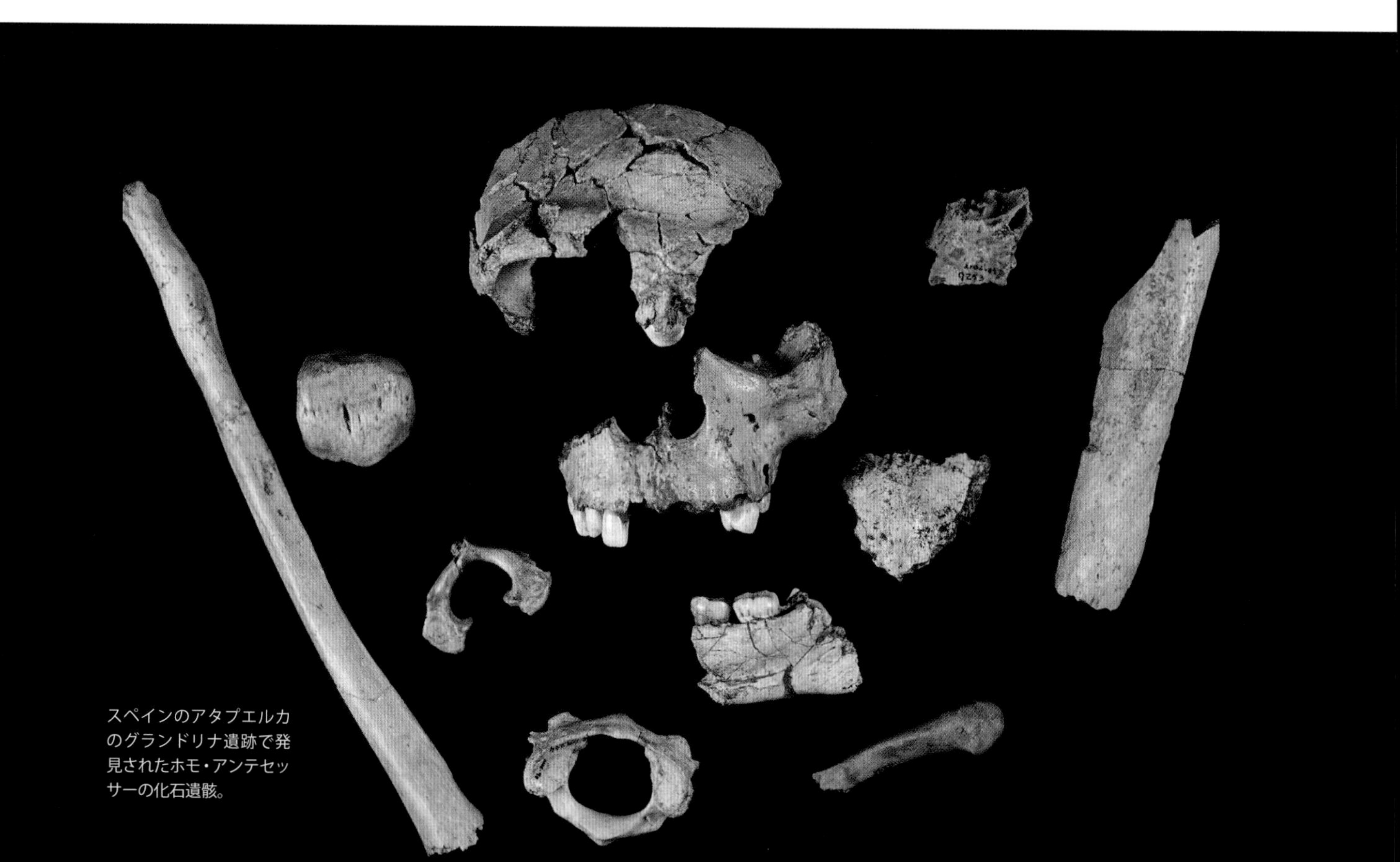

スペインのアタプエルカのグランドリナ遺跡で発見されたホモ・アンテセッサーの化石遺骸。

化石になった足跡

2013年、英国のノーフォーク沿岸に位置するヘイズバラ近くで、人間（大人と子ども合わせて5人分、おそらく家族と考えられる）の化石化した足跡が発見された。この足跡は85万年前に川底の泥につけられたもので、アフリカ以外で見つかったものとしては最も古い。2回目の出アフリカの際にヨーロッパに初めて足を踏み入れたホモ・アンテセッサーの子孫が85万年前に生きていたことを示す何よりの証拠だ。

南イタリアでも世界最古の部類に入る人類の足跡が見つかっている。誰のものかはっきりしていない（おそらくホモ・ハイデルベルゲンシスと考えられるが、それにしては足跡が少し小さい）が、今をさかのぼること38万5000～32万5000年前のはるか昔、カンパニア州北西部ロッカモンフィーナ火山が噴火したときの火山灰に残ったものだ。恐怖でパニックに陥っている動物たちがひしめく中、3人の二足歩行のヒトが他人の足跡を踏みつけながら噴火する火山の斜面を一目散に駆け下りた。その際、火山灰が混ざった熱い泥に56個の足跡を残した。

3人はバランスを崩して滑り、避難できる場所を求めてジグザグに進んだ。あわてて逃げていたので、手を地面についた。その手形が永遠に消えることのない化石となった。この3人はまだ幼かったかもしれないし、イタリア半島のこの地域に暮らしていた小さな人類だった可能性もある。地元の人々はこの足跡を「悪魔の道」と呼んでいる。

ノーフォーク（英国）とカンパニア（イタリア）には、ヨーロッパで最も古い人類の足跡が残っている。

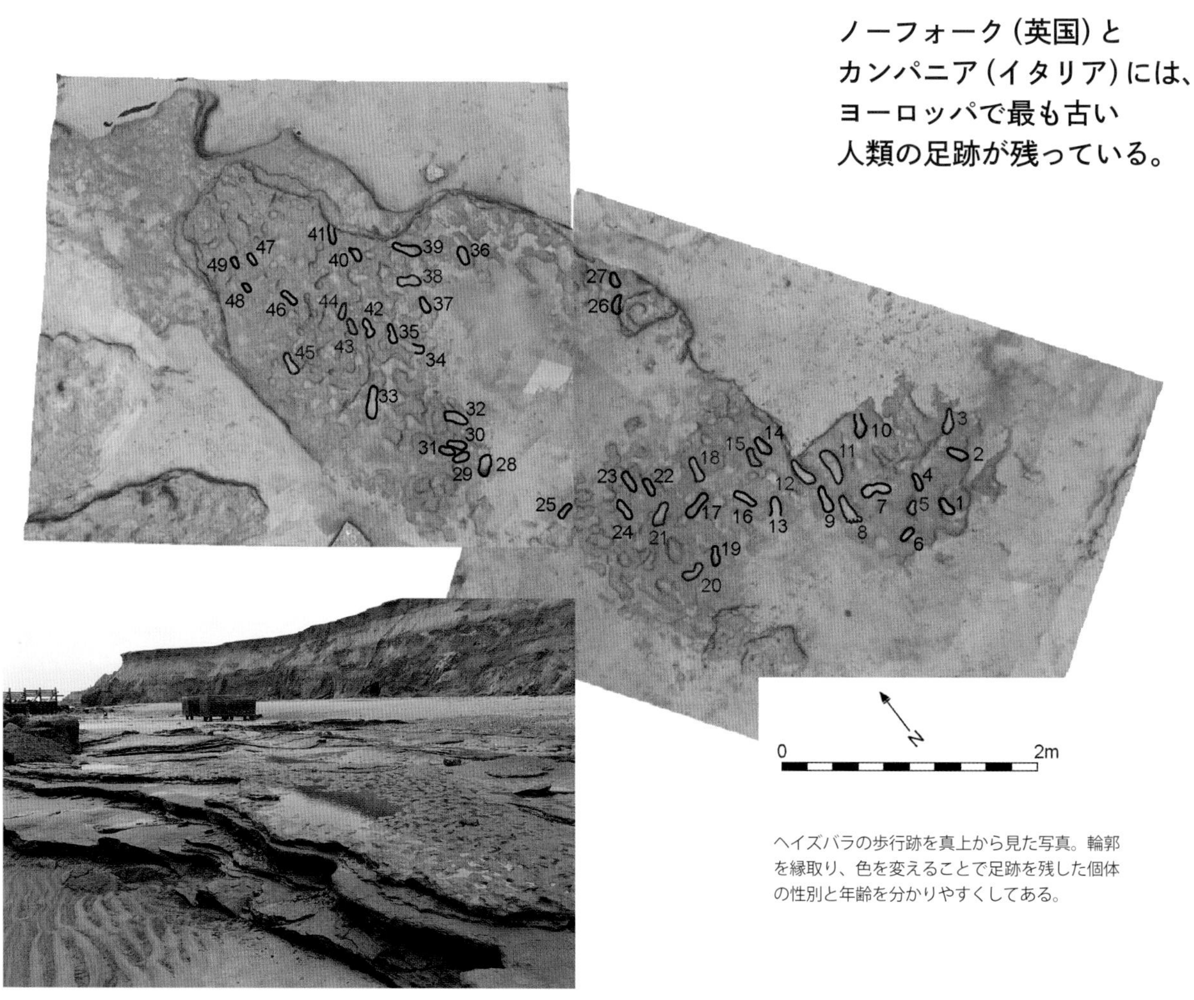

ヘイズバラの歩行跡を真上から見た写真。輪郭を縁取り、色を変えることで足跡を残した個体の性別と年齢を分かりやすくしてある。

化石化した足跡があったヘイズバラの海岸の現在の様子。発見から数週間後、満ち潮によって足跡は完全に消し去られてしまった。

人類最初の渡海者？

2011年にクレタ島南西部の海岸沿いにあるプラキアス近くで、2000を超える石器が発見された。地質年代は暫定的だが13万年以上前のものと考えられている。見たところ、技術的にはアシュール型石器の両面加工の石器のように極めて古いが、どの種が作ったものかは分かっていない。

これは注目すべき発見だ。13万年前の石器の存在は、太古の人類がエーゲ海に浮かぶこの島に海を渡って定住した可能性を示唆している。実は同じような発見が最近、ユーラシア全域で相次いでいる。

フィリピンのルソン島では70万年以上前の石器による傷跡のあるサイの骨が見つかっている。地質学的にスンダ大陸から、パラワン島を除くフィリピン諸島まで陸続きになったことは一度もなく、歩いていけた可能性はない。また、インドネシアのフローレス島でも約80万年前の石器やヒトの化石が発見されており、ホモ属による最古の渡海事例として知られている（→81ページ）。どこの誰か分からない何者かがどのようにして海に隔てられた島まで行けたのか、大きな謎だ。

約13万年前の石器が発見されたクレタ島のプラキアス海岸。

「悪魔の道」と呼ばれる56個の足跡。カンパニア州ロッカモンフィーナの近くの火山の斜面に広がる火山灰が混ざった泥に刻まれている。

ロッカモンフィーナの3筋の足跡の復元図。
足跡の年代は38万5000～32万5000年前とされる。

石器の製作

先史考古学において石器とは、人間が手を加えて形を変えた石の物体全般、特に石を削って作った道具や武器を指す。石の切削技術は時代とともに大きく進化し、石の破片から両面石器や道具を製作する技は次第に高度になっていった。

オルドワン式石器に属する玄武岩の人工遺物（→用語集）：約250万〜50万年前に人類のいくつかの種が製作（タンザニア、オルドバイ峡谷）。

アシュール文化の石器：175万〜約10万年前にかけて人類のいくつかの種が製作（フランス、サント＝ガベル）。

ムスティエ文化（→用語集）の石器：30万〜3万年前に人類のいくつかの種が製作（フランス、ブーズビル）。

左：アフリカで最も重要な先史時代の遺跡の1つであるタンザニアのオルドバイ峡谷。リーキー夫妻（メアリー〈1913〜1996〉とルイス〈1903〜1972〉）は、ホモ・ハビリスが主に製作していた石器の発見につながる重要な研究を行った。この石器の発見により、今から100万年前のホモ属が石器の加工技術を持っていたことが証明された。発見された石器文化は発見場所からオルドワン文化と名づけられ、前期旧石器時代の初め頃の石製道具を示す用語となった。

各地で行われた重要な革新

世界中に生息域を拡大できたホモ属の特性とは具体的に何を指すのか。このことは人類の進化を理解する上で重要なポイントとなる。ホモ属のいくつかの種の居住地の中心で火を自由に使っていた痕跡が相次いで見つかっているが、これは約50万年前のものだ。フランスのニース近くのテラアマタ遺跡で見つかった、ホモ・ハイデルベルゲンシスが器用に枝を組んでこしらえた楕円形構造の人類最古の住居跡は40万年前のものだ。

そこには組織化された社会生活の痕跡も見られる。男たちが暖炉の周りに集まって動物を切り分け、おそらく皮をなめすなど、何かしら共同生活を送っていたのは確かだ。こうした社会行動は彼らに声による意思伝達能力が備わっていたことを示し、それができたのはおそらく言語が本格的に発達していたからだろう。

この進化の段階にあって、ホモ属の脳の容量は大幅に増えた。その反面、技術は長い停滞期に入ったが、時折局所的な革新が起こって断続的ながら進歩したようだ。

石器が使われたことを示す初めての証拠は、動物の骨につけられた傷痕だった。しかしエチオピアで見つかったその石器を誰が使ったのかは、はっきりしていない。傷は300万年以上前につけられたもので、当時はホモ属がまだ出現していなかった。だとすると石器を初めて使った謎の人物は、近くで骨が発見されたアウストラロピテクスと考えるのが妥当だろう。

確実なところを言えば、現在最古とされる道具は330万年前のもので、こちらもエチオピアで発見されている。そしてこれと似たような石の刃先を作るために並べられた小石が、約200万年前のホモ属の化石とともに見つかっている。これが意味するのは、複数の猿人や原人が石器を製作し、使っていた可能性があるということだ。

やがて石器は石の左右両面を対称に打ち割りして刃先を尖らせた両面加工石器へ進化する。これをホモ・エルガステル、ホモ・エレクトス、ホモ・アンテセッサー、さらには初期のホモ・サピエンスさえも使った。その後、石器作製技術はさらに発達してより精巧になり、単に素材の石（石核）を打ち割りして道具として使うだけではなく、打ち割りして剥がした破片を石器として使うようになる。そのためには剥がす破片の最終形状を頭に思い描き、それに合わせて素材を準備する思考力が求められる。こうして石核から似た形状の剥片をいくつも得る方式をルバロワ技法と呼ぶ。文化によっては時代が進むとともに縦長の剥片石器が作られ始め、次第に小さくなっていき、細石器と呼ばれるものへとつながった。

フランスのテラアマタ遺跡で発見された住居の復元図。

**ネオテニーとは、
祖先の幼体の特徴が
子孫の成体の特徴として
残る現象だ**

サルバドール・ルリア、スティーブン・ジェイ・グールド、
サム・シンガー(1983年)

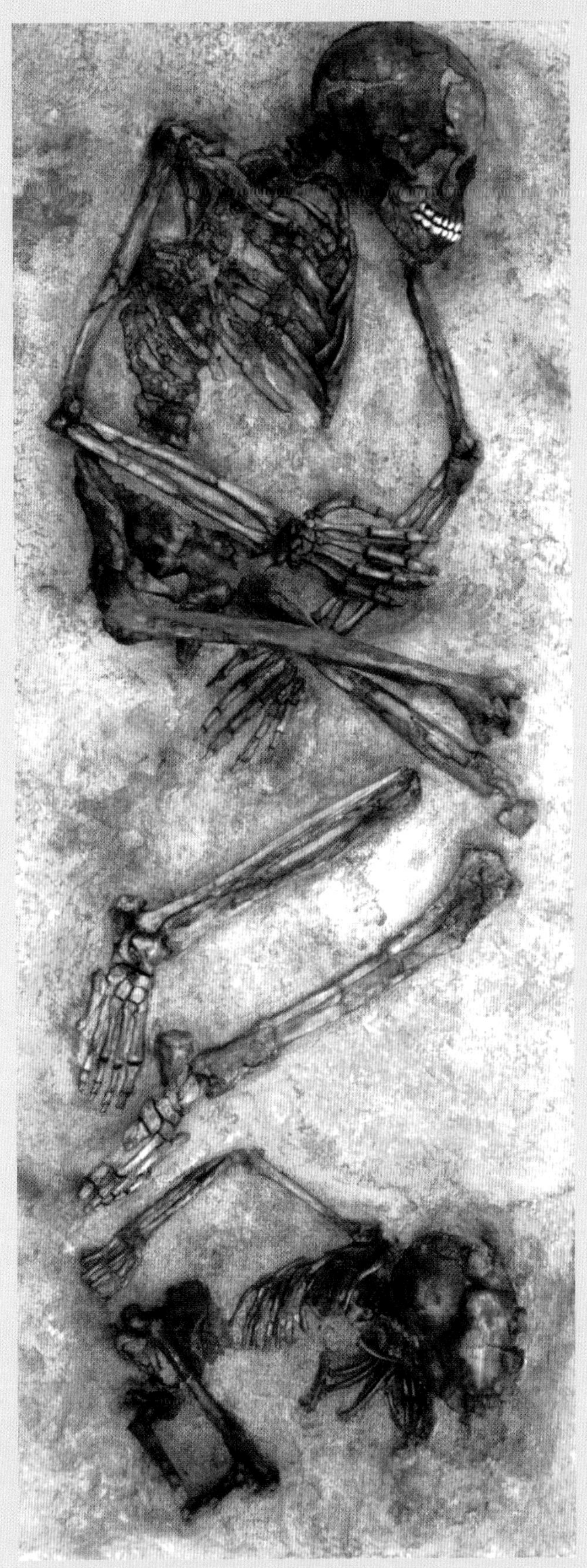

ナザレ(イスラエル)のカフゼー洞窟で発見されたホモ・サピエンス・サピエンスの母子の骨格(9万5000年前)。

ネオテニー

ホモ属が新たに獲得した性質は、その後の人類の進化において重要な役割を果たした。アウストラロピテクスやパラントロプスと比較すると、ホモ属の成長速度はかなり遅くなった。幼児期と青年期が長くなり、成人に達するまでに時間を要する。

こうして発達が抑制され、大人になったあとも子どもの頃の性質が残る現象を「ネオテニー」という。遺伝子構成の劇的な変化によって引き起こされるネオテニーは、脳容量の発達という点ではホモ属に大きな恩恵をもたらした。

子どもにとって親の世話を受けなければならない年月が長くなると、当然デメリットもあるが、親から教わったり、大人を真似たり、大人と遊ぶなど、他人との交流を通して学ぶ、いわゆる社会的学習の期間が長くなるという利点もあったのは間違いない。この発達プロセスはとりわけ母親と子どもとの声による意思伝達能力を上達させ、言語の発達を促したと考えられる。

このように私たちを人間たらしめる多くの特徴の起源がひ弱な幼児期が長くなったことにあるのは興味深い。幼児期が長くなることで、人類は脳の学習能力が高まり、行動様式を柔軟に変えられるようになった。さらに私たちが話す能力を持ち、文化の発展を延々と追求する独特な二足歩行の人類へ進化したのも、突き詰めればネオテニーのおかげだ。

これまでの地図や次ページの図に示すように、こうした人類の変化は変動が激しい特殊な環境や何度も繰り返される生息域の拡大の中で起こった。

年表
600万～10万年前まで

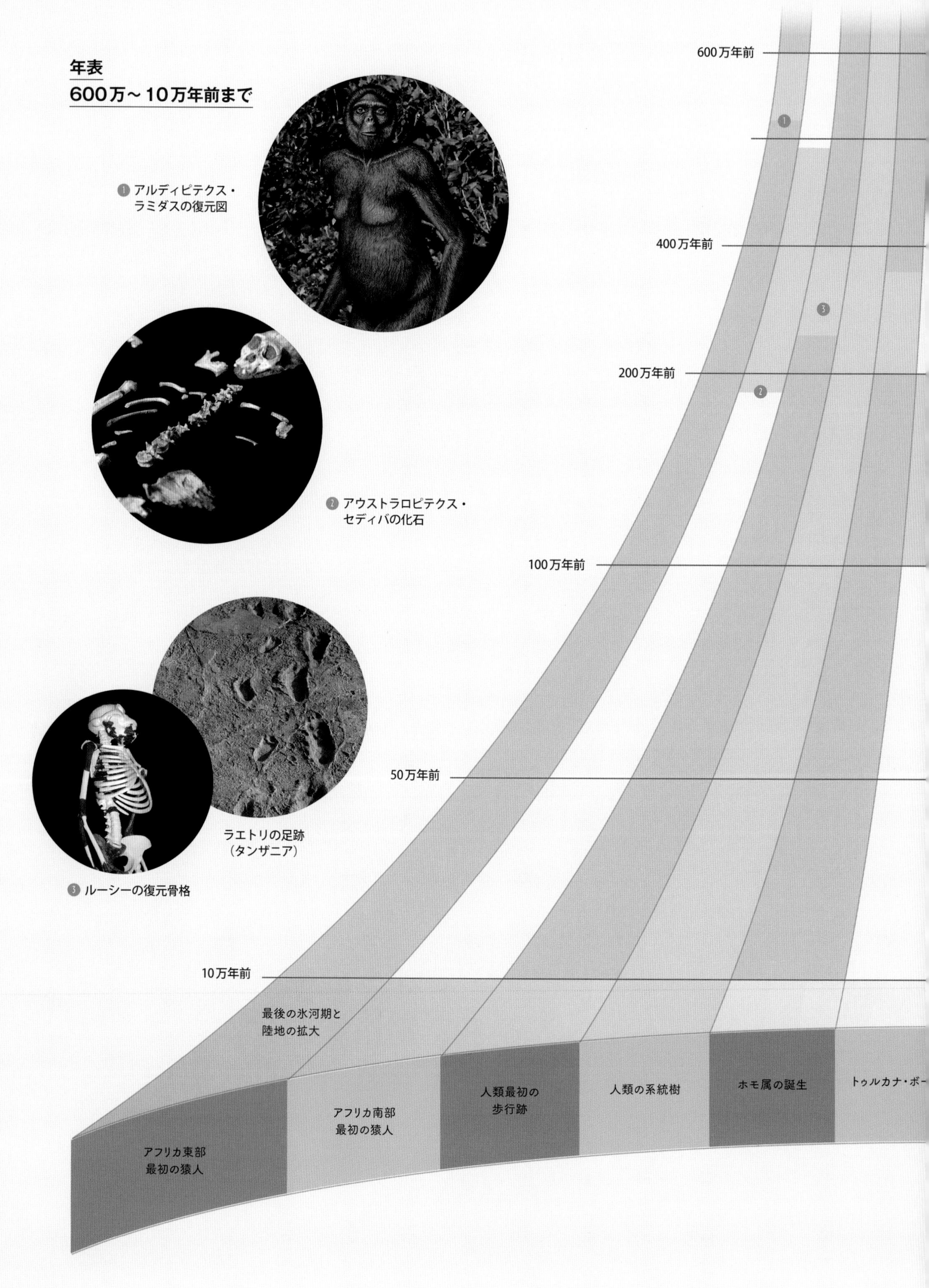

❶ アルディピテクス・ラミダスの復元図

❷ アウストラロピテクス・セディバの化石

ラエトリの足跡（タンザニア）

❸ ルーシーの復元骨格

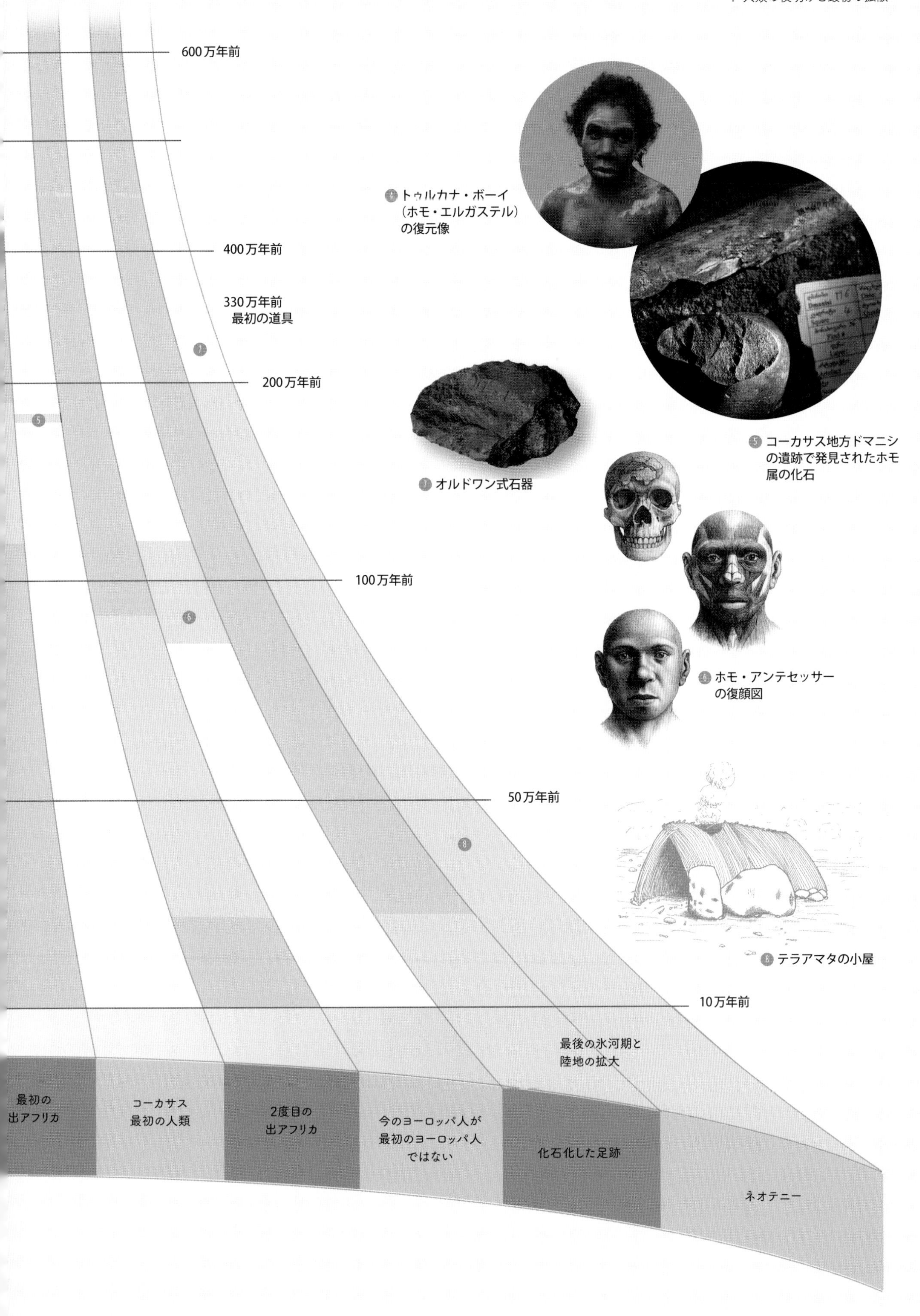

④トゥルカナ・ボーイ（ホモ・エルガステル）の復元像

⑤コーカサス地方ドマニシの遺跡で発見されたホモ属の化石

⑦オルドワン式石器

⑥ホモ・アンテセッサーの復顔図

⑧テラアマタの小屋

2 旧世界のさまざまな人類の形態

最初の現生人類と現在の私たちは頭蓋構造と解剖学的構造が一致する。

アフリカにおける ホモ・サピエンスの誕生

今から約20万年前、第四紀氷河時代の最後から2番目の氷期に起こった干ばつの時代、私たちホモ・サピエンス(*Homo sapiens*)の最初の形態がアフリカのサハラ以南の地域に現れた。彼らはアフリカに留まった最後のホモ・ローデシエンシス（*Homo rhodesiensis*）の末裔であり、1つの孤立した集団から始まった。種の新たな特徴として細身の体、1400cm^{3}を超える頭蓋容量、石器製作（→用語集）技術もさることながら、発達期間を長くする遺伝子の発現（ネオテニー）が挙げられる。

ホモ・サピエンスの中でネオテニーが最も進んでいるのが私たち現代人だ。アフリカで発見された最初期のホモ・サピエンスの化石は、エチオピアのオモ川流域で発見された約30万年前のものだが、これを見るとわずかながら原始的な特徴を残している。それに続いて、年代的には16万〜15万4000年前のホモ・サピエンス・イダルトゥ（*Homo sapiens idaltu*）というホモ・サピエンスの亜種の化石が、同じエチオピアのアファール州アワッシュ川中流域のヘルトで見つかっている。

今のところ南アフリカ最古の現生人類の化石は、クワズールナタール州とスワジランド（現エスワティニ王国）国境のレボンボ山地にあるボーダー洞窟で発見されたものだ。今から19万5000年前のものといわれているが、はっきりした年代は分かっていない。ピナクルポイントで発見された化石は16万4000年前のもので、食事の残骸である貝と石焼きにされた食べ物も一緒に見つかっている。さらにクラシーズ川の河口では13万年前の化石が、ブロンボス洞窟では14万〜10万年前の化石がそれぞれ発見されている。南アフリカの遺跡とアフリカの角の遺跡、そのどちらから解剖学的に現代人と同じホモ・サピエンスの最古の化石が出てくるか、今は競っている状況だ。

アフリカに残る初期のホモ・サピエンスの足跡

（番号は古→新の順）

1 オモ川流域
30万年前

2 ボーダー洞窟
19万5000年前

3 ピナクルポイント
16万4000年前

4 ヘルト
16万～15万4000年前

5 ブロンボス洞窟
14万～10万年前

6 クラシーズ河口洞窟
13万～6万年前

7 アブドゥル
12万5000年前

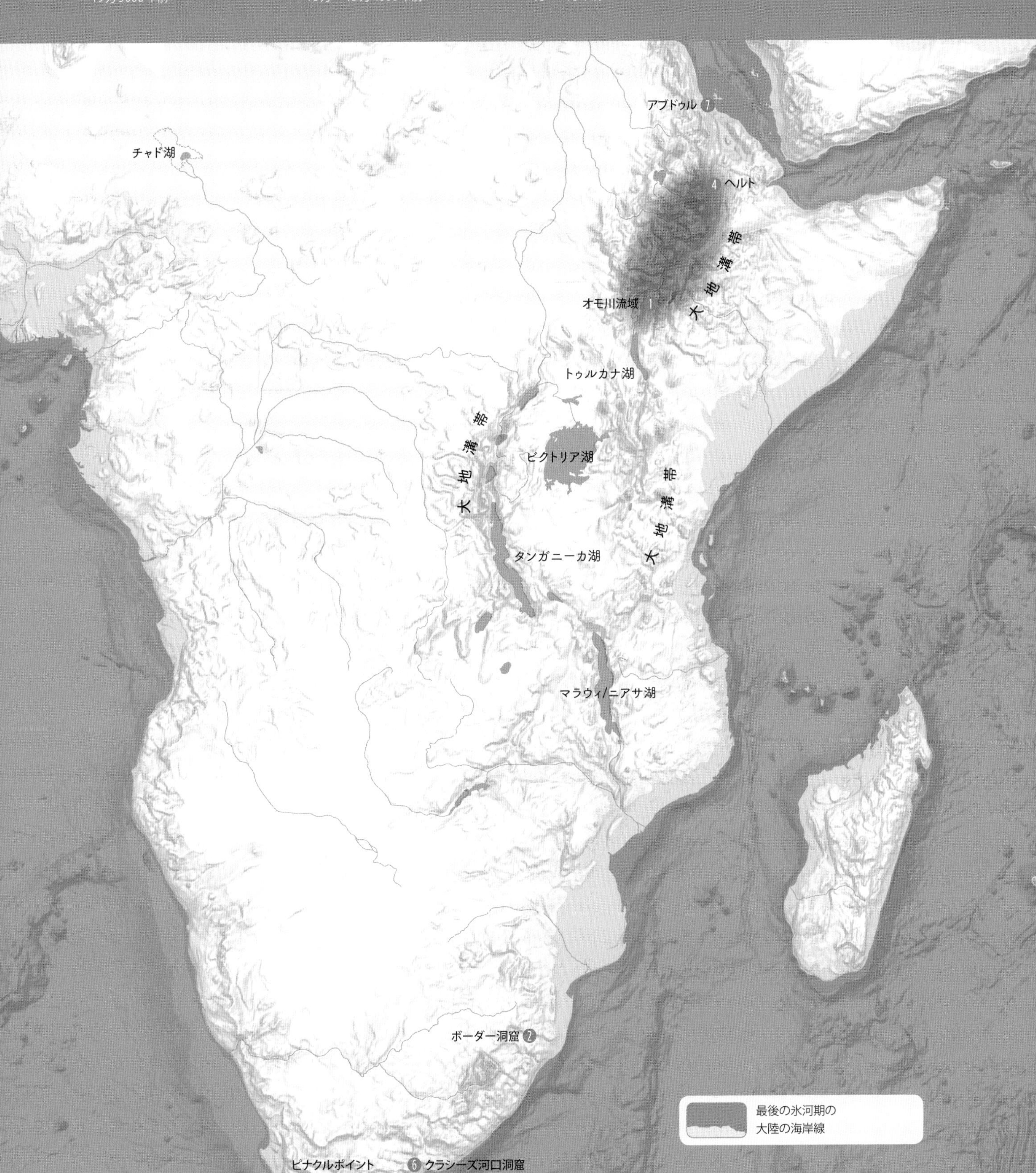

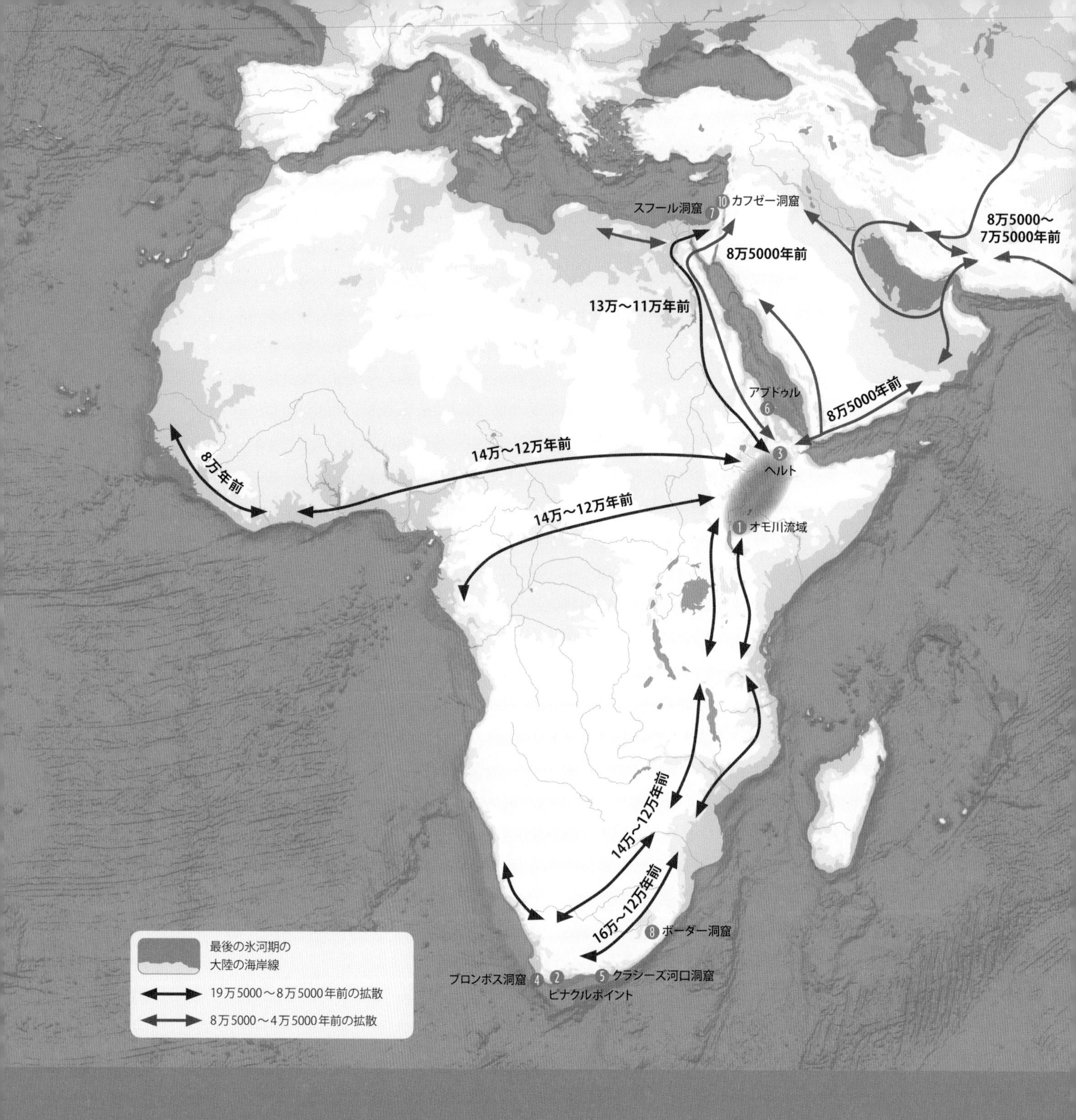

3度目の出アフリカ

私たちの先祖であるホモ・サピエンスはアフリカの外への進出を繰り返した。その起点となったのはおそらくエリトリアのアブドゥル遺跡の近くだろう。今をさかのぼること12万5000年前、そこに現生人類が存在していたことが確認されている。上の地図はホモ属にとって3度目となるアフリカの外への進出を示している。当時は海面が現在よりもずっと低く、その状態が長く続いた。

約13万〜10万年前にかけて、現生人類は初めてアフリカを出た。ルートはアフリカの角からバブ・エル・マンデブ海峡を突っ切ってアラビア半島の沿岸に渡るか、あるいは紅海とナイル回廊沿いを地中海へ北上し、シナイ半島を通って東へ向かうというものだっただろう。

実際にイスラエルのカフゼーとスフール両洞窟の遺跡で、11万〜9万年前の現生人類の化石が発見されている。2度目の拡散は8万5000〜8万年前のことで、この時はアジアまで進出した。

3度目は気候にも恵まれて長く続き、7万〜5万年前に広大な旧世界への進出が完了した。ヨーロッパには5万〜4万5000年前に東から、そしておそらく南西からも入った。そこで極めて高度な行動様式を有する「クロマニョン人」の集落を作った。また遠く離れたオーストラリアでも同じ時期の人骨が発見されている。北東アジアでも中国の柳江にある智人洞窟に10万年前から現生人類がいたことが分かっている。南アフリカからフランス、スペイン、中国まで、旧世界への現生人類の拡散は南北幅広い緯度にわたり、かつてないスピードで進んだ。

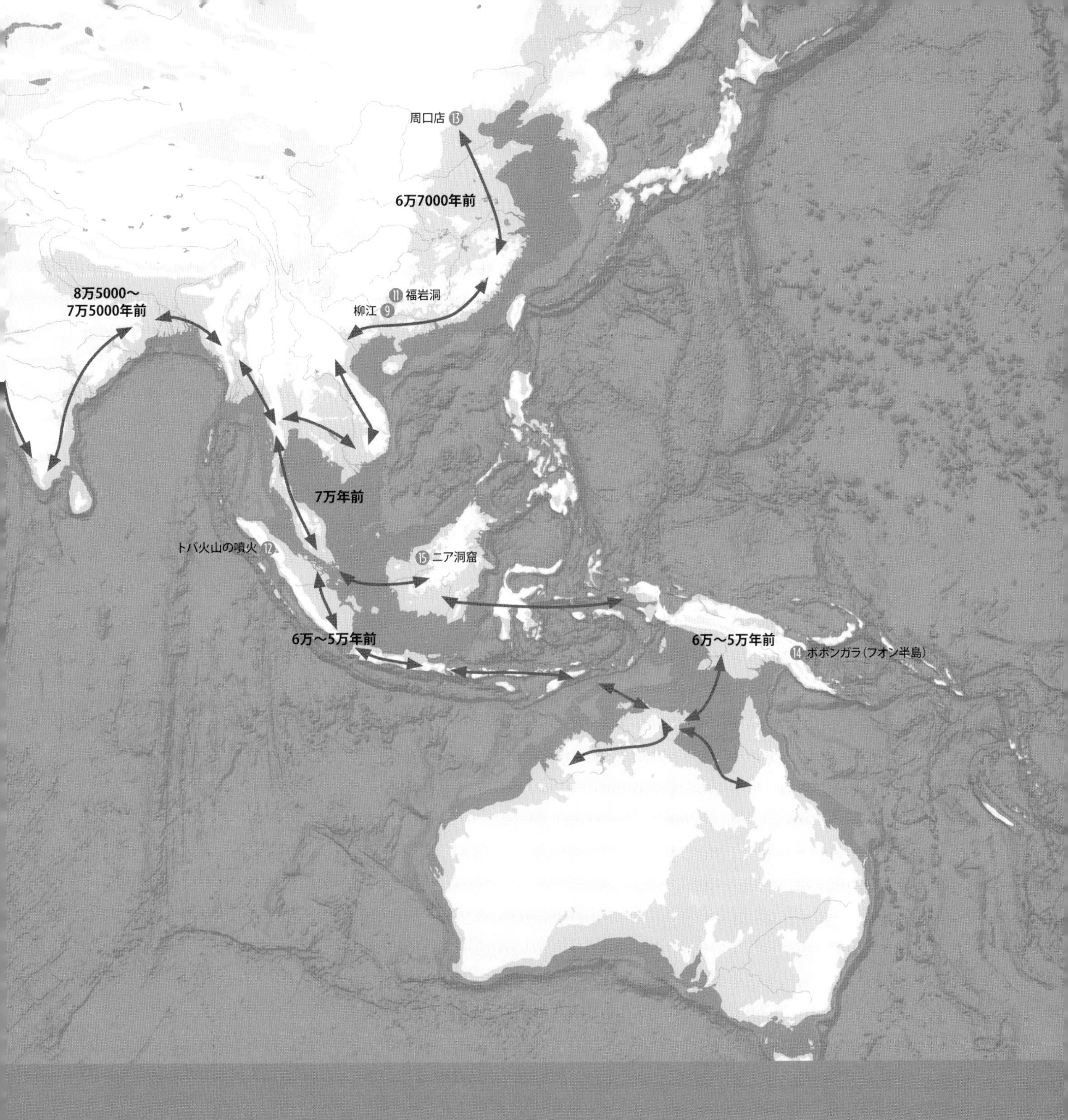

（番号は古→新の順）

① オモ川流域
30万年前

② ピナクルポイント
16万4000年前

③ ヘルト
16万～15万4000年前

④ ブロンボス洞窟
14万～10万年前

⑤ クラシーズ河口洞窟
13万～6万年前

⑥ アブドゥル
12万5000年前

⑦ スフール洞窟
11万年前

⑧ ボーダー洞窟
10万年前

⑨ 柳江
10万年前
智人洞窟

⑩ カフゼー洞窟
9万5000年前

⑪ 福岩洞
8万年前

⑫ トバ火山の噴火
7万4000年前

⑬ 周口店
6万7000年前

⑭ ボボンガラ（フオン半島）
5万8000年前

⑮ ニア洞窟
4万5000年前

1. アルタムーラ
2. アムド
3. アルシー・シュル・キュール
4. バルジロッシ
5. ビアシュ・サン・バ
6. シャテルペロン
7. コンブグルナル
8. デデリエ
9. ディウイェバーベ(スロベニア南西部)
10. フォーブス採石場
11. フマーネ(バルポリチェッラ)
12. ゴーラム洞窟
13. カラマルカ
14. ケバラ
15. キークコバ
16. クラピナ
17. ラボルド
18. ラ・シャペル・オー・サン
19. ラキーナ遺跡
20. ラフェラシー
21. ルムスティエ
22. チルチェ山
23. ネアンデルタール
24. ルグルドゥ
25. サンセゼール
26. サッコパストーレ
27. シャニダール

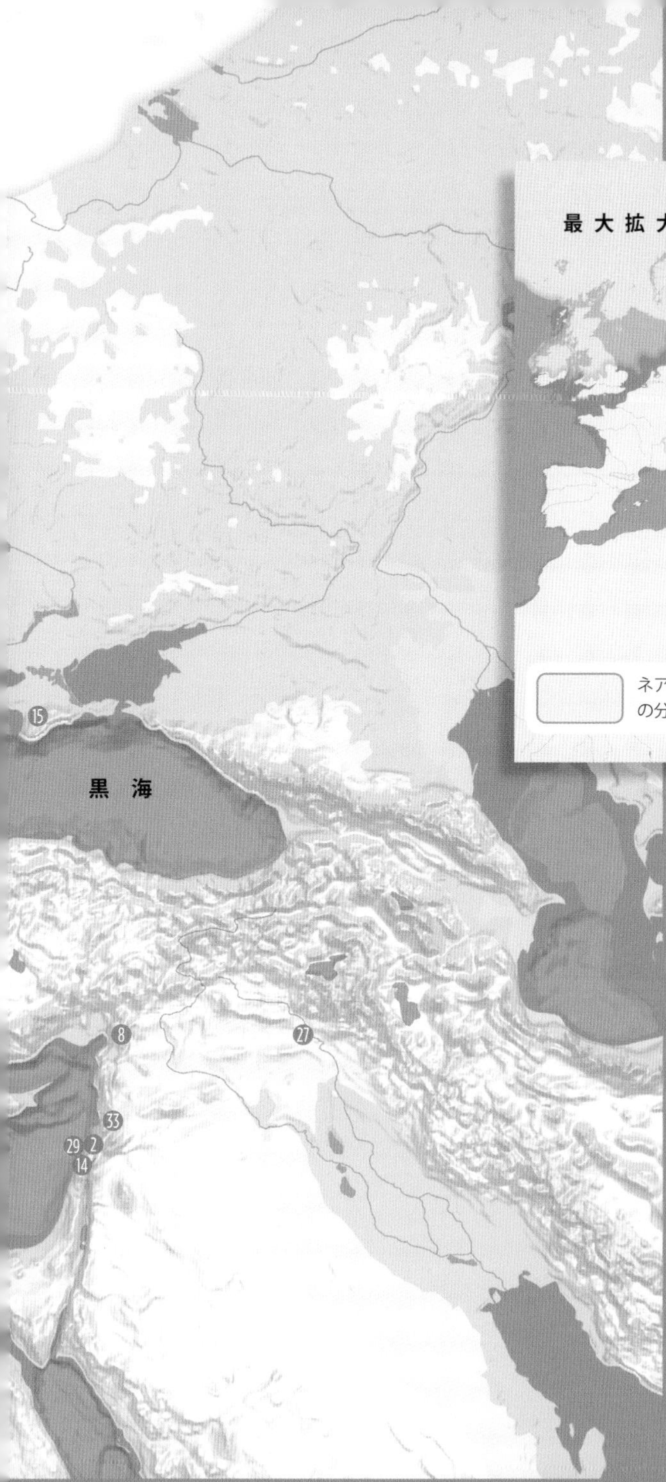

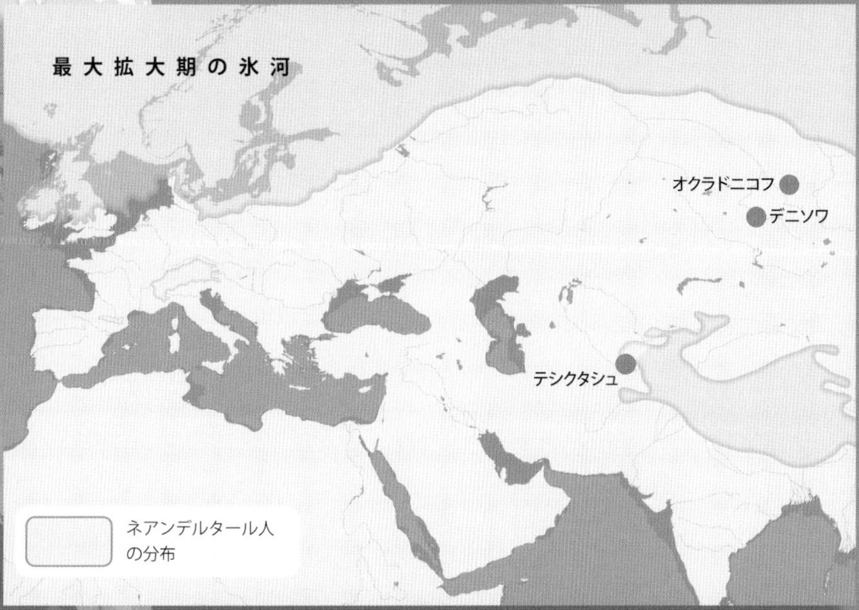

最大拡大期の氷河

オクラドニコフ
デニソワ
テシクタシュ

ネアンデルタール人の分布

黒海

28 スパイ

29 タブン

30 タタ

31 ビンディア

32 ザファララヤ

33 ズッティエ

ネアンデルタール人の世界

最初の現生人類がユーラシアに到達したとき、そこにはすでに別の人類が暮らしていた。彼らはこれまでの地図で説明した過去の拡散の波に乗ってやってきた人類の子孫だ。その中で最も有名なのが、系統的に私たちに近縁で、古くから知られる「ネアンデルタール人」(→用語集)だ。

これまでに調査されたネアンデルタール人の化石遺骸は200体を超える。それらから分かったことは、ネアンデルタール人は、ホモ・ハイデルベルゲンシス(*Homo heidelbergensis*)の子孫であり、私たちに最も近い、同じホモ属の人類ということだ。分布領域は広大で、スペインからウェールズ、フランスからロシア、イタリアからバルカン半島、中東、そして現在のカザフスタンを越えてアルタイまで広がっていた。

彼らは丈夫な体を有し、さまざまな気候に適応し、過酷な気候にも順応した。雑食性の優れたハンターであり、頭蓋容量が現代人をしのぐ場合さえある。大量の脳を守る彼らの頭蓋骨は私たちより大きな場合があるだけでなく、形状そのものが異なっていた。それが25万〜20万年前の化石に見られるネアンデルタール人特有の形質だ。

共通の祖先から生まれ、異なる大陸で進化してきたネアンデルタール人と私たちは、広大な領土でともに暮らしてきた。数万年もの間、アジアのステップから南ヨーロッパまで、人口がかなりまばらな世界において同じ環境を一部共有した。違う時代に同じ場所に住んでいたことさえある。

ネアンデルタール人と私たちは、長期にわたり、使う石器も、捕らえる獲物も一緒だった。共生が同じ地域で長く続いたかどうかを断定するのは難しいが、人類史の視点から重要なのは、最近まで地球上には別の人類が生きていて、知性を持ち、独自の社会を築いていた彼らと私たちが競合していた事実だ。ネアンデルタール人との共生は、今のところ一番有名な事例だが、実際は研究者によって最近発見され、太古の人類の定住地からも分かるたくさんの共存例の1つにすぎない。

ネアンデルタール人は なぜ絶滅したか？

ネアンデルタール人が絶滅した理由はまだ分かっていない。約6万〜4万5000年前にはヨーロッパ、さらにはアジアへと広大な地域に進出したのに、4万2000年前になると一転して生息域がヨーロッパの中でもベルギー、コーカサス、イベリア半島のみとなり、やがて完全に絶滅してしまった。なぜなのか？

彼らは私たちより強かった。
私たちのように頭が良かった。
なぜ私たちはここにいるのに、
彼らは消えたのか？

ジョン・ダーントン著『ネアンデルタール』(1996年)

天変地異による大量死や伝染病の蔓延といったカタストロフ説は、私たち現生人類も中東の同じ地域に長いこと一緒に暮らしていたことから、考えにくい。だとすると環境にうまく適応できなかったのだろうか。それとも、私たち現生人類の個体数が飛躍的に増加し、ネアンデルタール人に対して攻撃的になっていったのだろうか。その可能性が最も高そうだ。

最後のネアンデルタール人として知られているのは、ベルギー、コーカサス、そしてジブラルタルの岩で発見された2万9000年前頃の化石だ。それ以降の彼らの存在を示す痕跡はヨーロッパでは見つかっていない。ネアンデルタール人の絶滅は突然起こったのではない。彼らの土地にライバルとなる人類が足を踏み入れ始め、だんだんと数を減らしていったのだ。

ジブラルタルのゴーハム洞窟。2万9000年前、絶滅に瀕するネアンデルタール人の最後に残った居住地の1つとされる。

右：エリザベト・デイネの手で復元されたネアンデルタール人。フランスのラ・シャペル・オー・サン（コレーズ県）で発見された頭蓋骨を型取りして作られた。

人類史に消えた、進化の選択肢

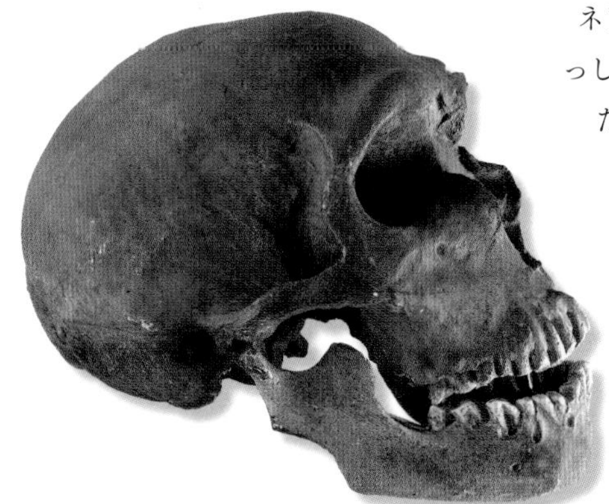

ネアンデルタール人の身体構造は全体として現生人類よりもがっしりしていた。頭蓋骨の形状は平らで、水平方向に発達していた。眉のあたりは眼鏡のブリッジのように分厚く盛り上がり、額は後ろに傾斜し、後頭部はロールパンのように膨らんでいた。脳構造はというと、さまざまな認知プロセスを司る前頭葉はあまり発達していないが、視力関連機能が集中する後頭部はネアンデルタール人のほうが大きかった。

ドルドーニュ県レ・ゼジー・ド・タヤック近くのラフェラシー遺跡で発見された頭蓋骨を型取りして複製されたネアンデルタール人の骨。

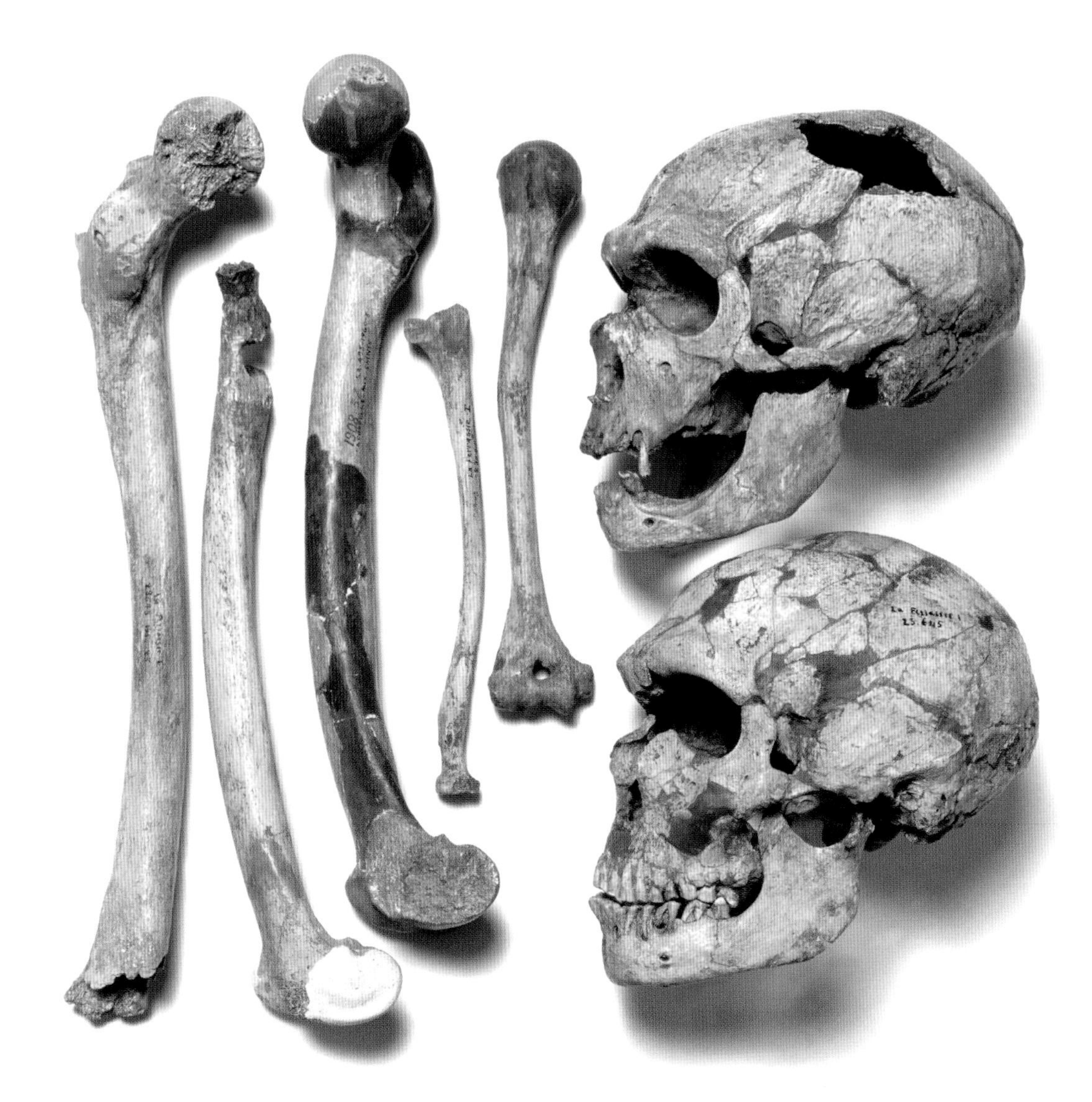

ネアンデルタール人の頭骨と骨。上の頭蓋骨は1908年にラ・シャペル・オー・サン（コレーズ県）で発見され、下の頭蓋骨は1909年にラフェラシー（ドルドーニュ県）で発見された。骨に変形が見られたことから、当初ネアンデルタール人は背中が丸まっていて前かがみにしか立てない、現生人類の劣化型だと思われた。しかしその後の研究から、ひどい関節炎のせいで背中が丸まってしまっていたことが分かった。

共通の技術

例えば、イスラエルのカルメル山のケバラ遺跡で発見された6万5000～4万5000年前の遺物のように、ネアンデルタール人が製作した道具は、同時代に現生人類が製作したものとそっくりで、どちらも両者に共通する祖先の時代に作られた道具と似ている。

現生人類のように、ネアンデルタール人もおそらく小さな集団で生活する遊牧狩猟民だっただろう。火を利用し、住まいや野営地はよく整備されていた。1980年代に新しい発掘技術が生まれ、1990年代にルミネッセンス法という年代測定法で一部の石器の年代測定が可能になったおかげで、近東において現生人類とネアンデルタール人が入れ替わっても、石器の加工技術に顕著な変化がなかったことが明らかになった。

これまでのところ、28万年前のズッティエの遺跡と20万年前頃のミシリヤ遺跡から現生人類の遺骨が発掘される一方、それより新しい20万年前未満のC1と呼ばれるネアンデルタール人の遺骨がタブンの遺跡で見つかっている。さらに新しいスフールとカフゼーの2つの遺跡からは11万年前と9万2000年前の現生人類の遺骨が出てきている。

結局のところ、タブンとケバラには現生人類がやってくる以前からネアンデルタール人がいたのだ。一般論として、ヨーロッパではなく、ネアンデルタール人の「先史時代（→用語集）の拠点」だった近東の3万6000～3万2000年以上前の複数の遺跡においては、現生人類のものに似た、より精巧な石器加工技術が現れ始めている（オーリニャック文化 →用語集）。

ヨーロッパでは、フランス（シャテルペロン文化 →用語集）、イタリア（ウルッツァ文化 →用語集）、またはコーカサス（セレタ文化 →用語集）など、孤立したネアンデルタール人の集団の一部で石器の変遷が見られるが、最後に残ったベルギーやスペインのネアンデルタール人はムスティエ式（→用語集）石器加工技術を手放さなかった。

フランスのオワーズ県ベルシニーで見つかった茶色い火打石の両面加工石器（→用語集）。

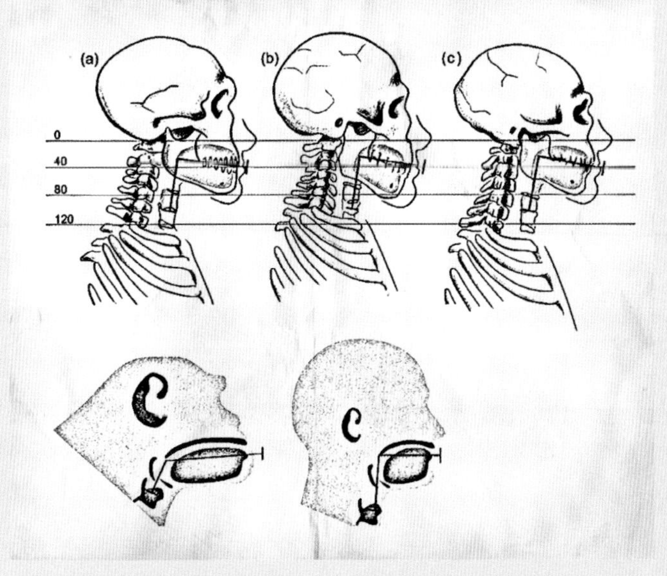

1930年代に描かれた、約7万年前のネアンデルタール人（a)、10万年前のホモ・サピエンス（b)、2万6000年前の別のホモ・サピエンス（c）の声帯構造の比較図。私たちは話すことができるが、チンパンジーは話すことができない解剖学的な理由を示している。サルの喉頭は人間よりも高いところにあるので、言葉などの複雑な音を発声できない。だがこうした解説はネアンデルタール人にはもう当てはまらなくなっている。

ネアンデルタール人は言葉を話せた

ネアンデルタール人と現生人類の人口や社会組織に差ができたのは、言葉による意思疎通能力がネアンデルタール人は劣っていたからという説がある。ただ、言語能力の差は大脳と解剖学的構造の複雑な関係によるため、化石には間接的な痕跡しか残らない。

ネアンデルタール人の遺伝子と舌骨（→用語集）を調べると、ものを飲み込んだり、声を変えたりするのに不可欠な筋肉が喉につくようになっていたことから、ただの鳴き声でなく言葉をきちんと発することができ、私たちと比べても遜色ない言語を持っていたと考えられる。

確かに舌骨の形状がネアンデルタール人と現生人類とでは多少異なるが、これだけで会話能力の有無を判断するのは無理がある。一方、最新のゲノム研究により、発声障害の原因がFOXP2遺伝子の変異だと判明した。ネアンデルタール人と現生人類のFOXP2の遺伝子配列を調べたところ、結果は同じだった。これらの証拠から推測するに、ネアンデルタール人と現生人類の発声能力には大きな違いがなかったと考えられる。

抽象的思考の芽生え

イラクのクルディスタン州ザグロス山脈にあるシャニダール洞窟で、8万～6万年前のネアンデルタール人の墓が見つかった。そこに埋葬された遺体は彼らの社会がいかに高度で、心の中がいかに豊かだったかを物語っている。病人や高齢者の世話も行われていたようで、この遺跡で見つかったシャニダール1号と呼ばれる40～50歳の高齢の個体の骨には、怪我、外傷、骨折を治療した痕跡が残っている。

人類初の葬儀が行われた可能性もある。シャニダール4号と呼ばれる成人男性の骨は胎児のような姿勢で埋葬され、周りにはさまざまな薬用植物の花粉が残っていたことから、遺体の周りに花や種がまかれた可能性がある（もちろん埋葬後に浸透してきた可能性も否定できない）。

ヨーロッパでは、主にフランスだが、ネアンデルタール人が初めて発見されて以来、墓所と確認された遺跡が少なからず発掘されている。ラ・シャペル・オー・サン（コレーズ県）やラフェラシー（ドルドーニュ県）などの重要な遺跡がその典型だ。

墓は、ネアンデルタール人全体で普通に作られていたようだ。このような感受性の発現を前にすると、ネアンデルタール人の知的レベルを評価するのがますます難しくなる。ネアンデルタール人と私たちとはかなり近いといっても、互いに似て非なる存在なのだ。

上：イラクのシャニダール遺跡で発掘されたシャニダール4号と呼ばれるネアンデルタール人の埋葬の復元像。
遺体の周りには薬用植物の花と種子がまかれていた。

右ページ：コレーズ県ラ・シャペル・オー・サンで発見されたネアンデルタール人の墓。

ブルニケル洞窟：
ネアンデルタール人最初の
構造物の跡

1990年、フランス、アベロン峡谷のブルニケル洞窟で発見されたこの遺跡には、ネアンデルタール人の風習の解明につながりそうな活動の証拠が残っていた。それを目にすると、彼らは、私たちホモ・サピエンスとさほど違わないように思えてくる。

2014年にブルニケル洞窟を調査したとき、最も古い部類に入るネアンデルタール人の活動の跡が発見された。何百もの石筍が折られて積み上げられ、動かされ、それが長い間の堆積作用によって洞窟の床面と一体化していた。何カ所か、火を燃やした跡も見られた。年代は今から17万6500年ほど前（中期旧石器時代）とされる。そしてこれらは洞窟の入り口から350m以上も奥に入ったところにあり、このことも謎とされている。

この複雑な構造物はブルゴーニュのアルシー・シュル・キュール洞窟などのほかの古代の居住跡のように、ネアンデルタール人が社会組織と技術を持っていた証拠となるのは確かだが、同時に予想外でもあった。

なぜ彼らはこんな洞窟の奥深くまで、わざわざ足を踏み入れたのか？　考古学者はこの場所でクマが頻繁に通った跡を示す傷が壁にたくさんついていることに気づいた。

この現在のところ最も古い人工の構造物は、霊的な世界とヒトを結ぶ宗教的活動の跡としてみるべきだろうか？　この謎を解明しようと、考古学と先史人類学の両面から研究が続けられている。

ブルニケル洞窟中に積み上げられた石筍の3Dモデルと、そこで火が焚かれていた様子の想像図。これは今から17万6500年ほど前、現生人類に近いネアンデルタール人によって作られた、現在知られている最古の人工構造物だ。

人間の芸術的感性の目覚め

ネアンデルタール人が色を塗り、細工を施した5万～4万5000年前の貝殻がスペインのアビオネス洞窟、同国カルタヘナ近くのアントン洞窟、そしてイタリアのレッシーニ山のフマネ洞窟で発見された。宝飾品やペンダントといった装飾品の登場と鉱物顔料の使用は、私たちの近縁種に象徴を理解する知性と美的感性が、かすかながら現れた可能性を示している。さらに2014年にはジブラルタルのゴーラム洞窟で壁に掘られた幾何学模様が見つかったが、ここに暮らしていた人類もネアンデルタール人だ。

ネアンデルタール人は、おそらく体や顔にペイントを施していたと考えられる。フマネ洞窟の遺跡では、大型の猛禽類の骨や明らかに羽根を抜き取られたキバシトビが発見されている。ワシの羽根と爪には美的価値と象徴としての価値があったらしく、ネアンデルタール人は装飾品に使用していた。この新発見の大事なポイントは、これまで現生人類の狩人だけの風習と考えられてきたものが、実は何万年も前にネアンデルタール人が行っていたと分かったことだ。

ネアンデルタール人が住んでいたスロベニアのディウイェ・バーベ洞窟では、笛のように均等に穴が開いた5万年以上前のホラアナグマの骨が発見された。これは人類最古の楽器と見られ、私たちとは違う系統の人類が使用したと考えられる。

マウロ・クトロナが描いたネアンデルタール人の想像図。最近の発見から、彼らが飾りとして鳥の羽を使用していたことが分かっている。

スロベニアのディウイェ・バーベ洞窟で発見されたネアンデルタール人の笛と考えられる遺物。

この着色して穴を開けた二枚貝（ジェームスホタテガイ）は、ネアンデルタール人の宝飾品と考えられる。

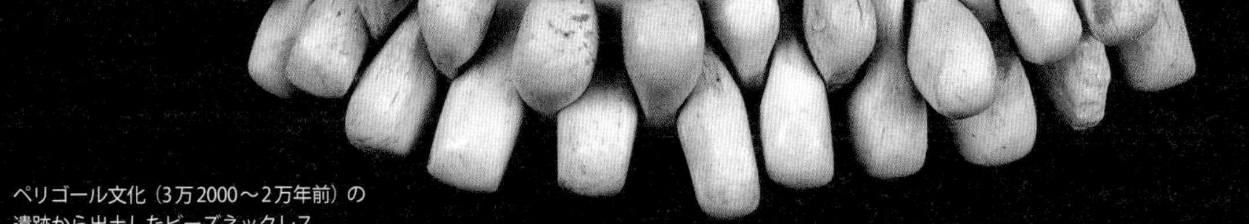

ペリゴール文化（3万2000～2万年前）の遺跡から出土したビーズネックレス。

スロベニアのディウイェ・バーベ洞窟内の発掘現場。ネアンデルタール人が暮らしていた証拠が数多く見つかっている。

ヒトゲノムの多様性を探る

「人種」という概念は遺伝学的に無意味で、多様性の現れだと証明したのが、イタリアの集団遺伝学者ルイジ・ルーカ・カバッリ=スフォルツァ（1922～2018）である。彼は自然淘汰が進化の要因との立場から、全人類に共通する遺伝的なつながりについて長年にわたって研究を続けた。

人間の多様性の歴史を探る研究は、1990年代に行われた国際共同研究の目覚ましい成果により、大きく発展した。その研究こそ、イタリアの遺伝学者ルイジ・ルーカ・カバッリ＝スフォルツァが始めた「ヒトゲノムの多様性に関する研究のための国際プロジェクト」である。

このプロジェクトでは、人類のさまざまな集団が持つ遺伝情報を読み取り、それを考古学、言語学、人口統計学、人類学、古人類学などの科学分野から得られたデータと比較し、地球上の全人類が現在のような多様性を獲得した壮大な冒険を再構築することに成功した。

遺伝子を比較することで全人類の系譜が見えてきた。現生人類で最も古いのはアフリカ人の集団で、そこからアジア人の集団が枝分かれし、続いてアジア人からヨーロッパ人、アジア人とオーストラリア人、そして最後にアメリカ先住民という具合に分かれていった。

右：ホモ・サピエンスはほかの人類よりも成長期が長くなり、幼い頃の特徴を長く保つようになった。こうした成長上の変化は「ネオテニー」と呼ばれ、子どもが弱くて未成熟なことに伴う危険性をもたらしたが、利点もあったと研究者はいう。遊んだり、母親と言語で意思疎通し、真似を通じて学習や社会学習する期間が延びるなど、私たちホモ・サピエンスの素晴らしい文化が進化する素地を築いた。

人類の血縁的つながりを示すカバッリ=スフォルツァの図

調査対象の938人はそれぞれ縦線で表され、色の長さで7つの大きな地域集団のいずれかにどのくらい血縁的に近いかを示している。この調査では個人の祖先の分析を先に行い、あとから集団名を付した。

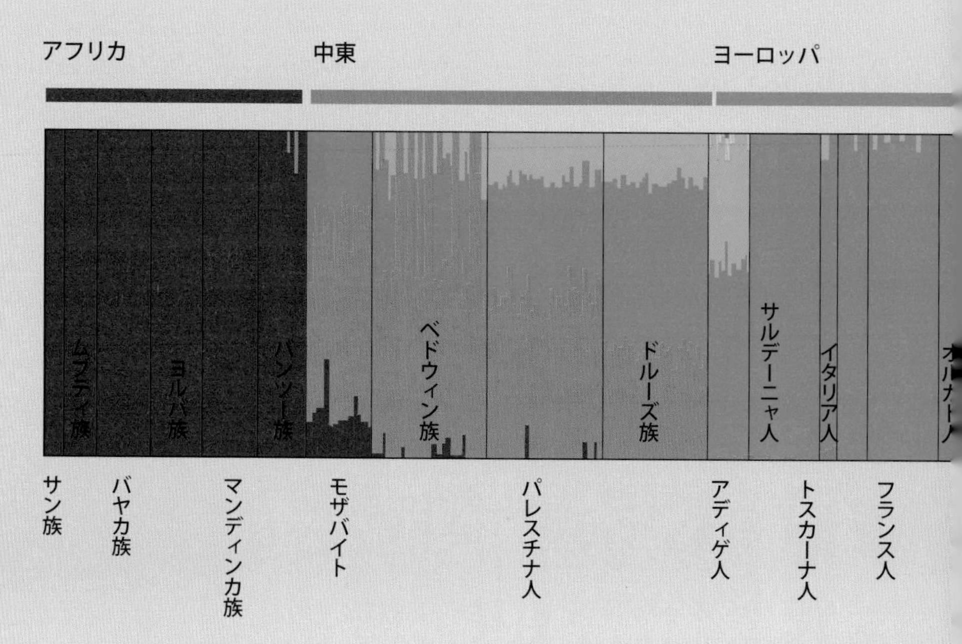

Worldwide Human Relationships Inferred from Genome-Wide Patterns of Variation, Jun Z. Li, et al. Science 319, 1100 (2008)

人類の集団間の遺伝的系譜

2008年、米国のスタンフォード大学で、カバッリ=スフォルツァによる「全ゲノムの変異パターンから推測する世界的規模でのヒト同士の関連性」という遺伝研究が行われた。その際、調査対象となった51の集団に属する938人の正しいと思われる遺伝的なつながりをプロットしたのがこの図だ。系図の枝の色は、調査対象となった世界の7つの地域グループ（アフリカ、中東、ヨーロッパ、中央および南アジア、東アジア、オセアニア、アメリカ）を表している。

系図の左端、先頭にある＊は、系図の祖先、つまり人類の共通の祖先を示している。

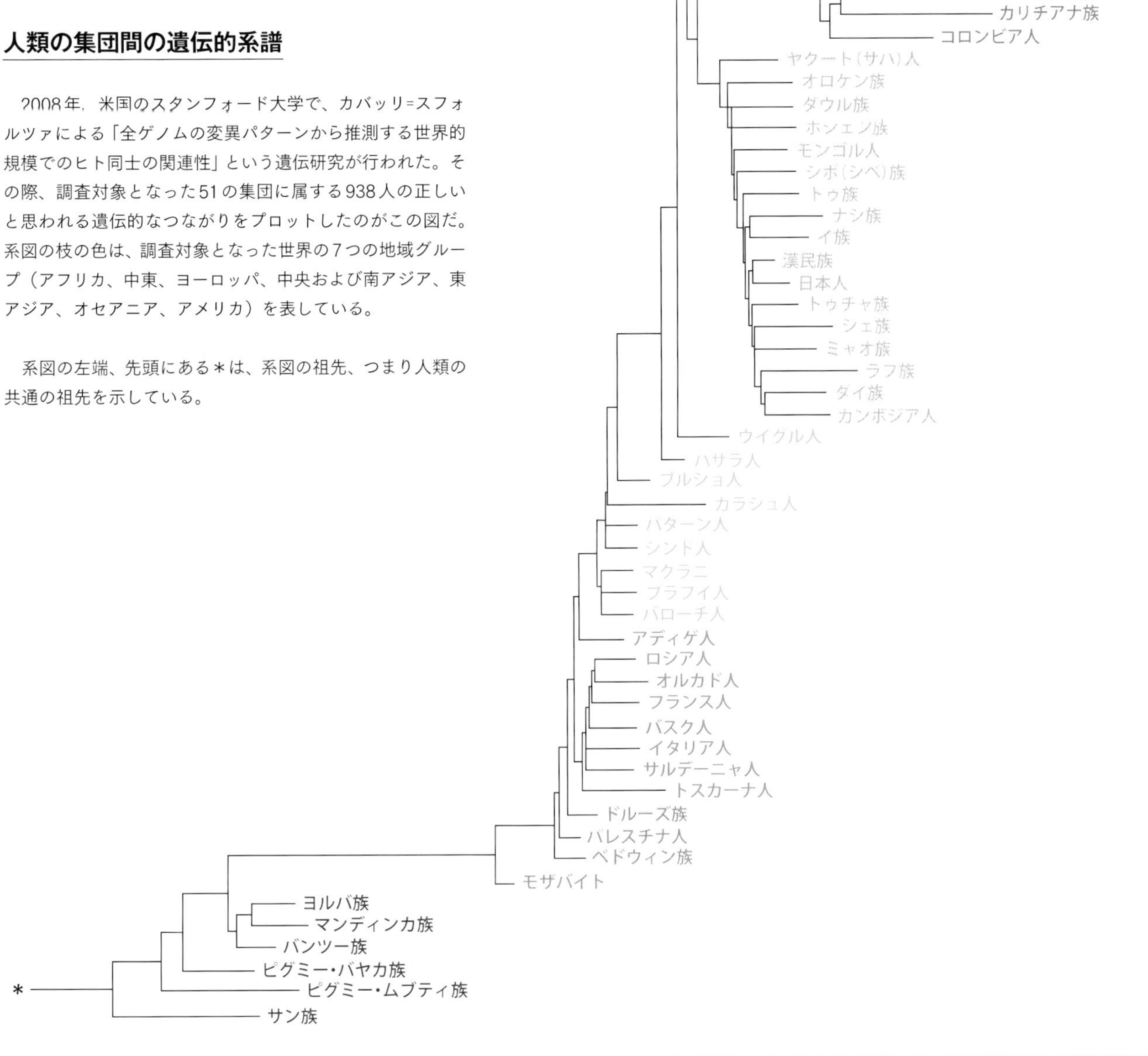

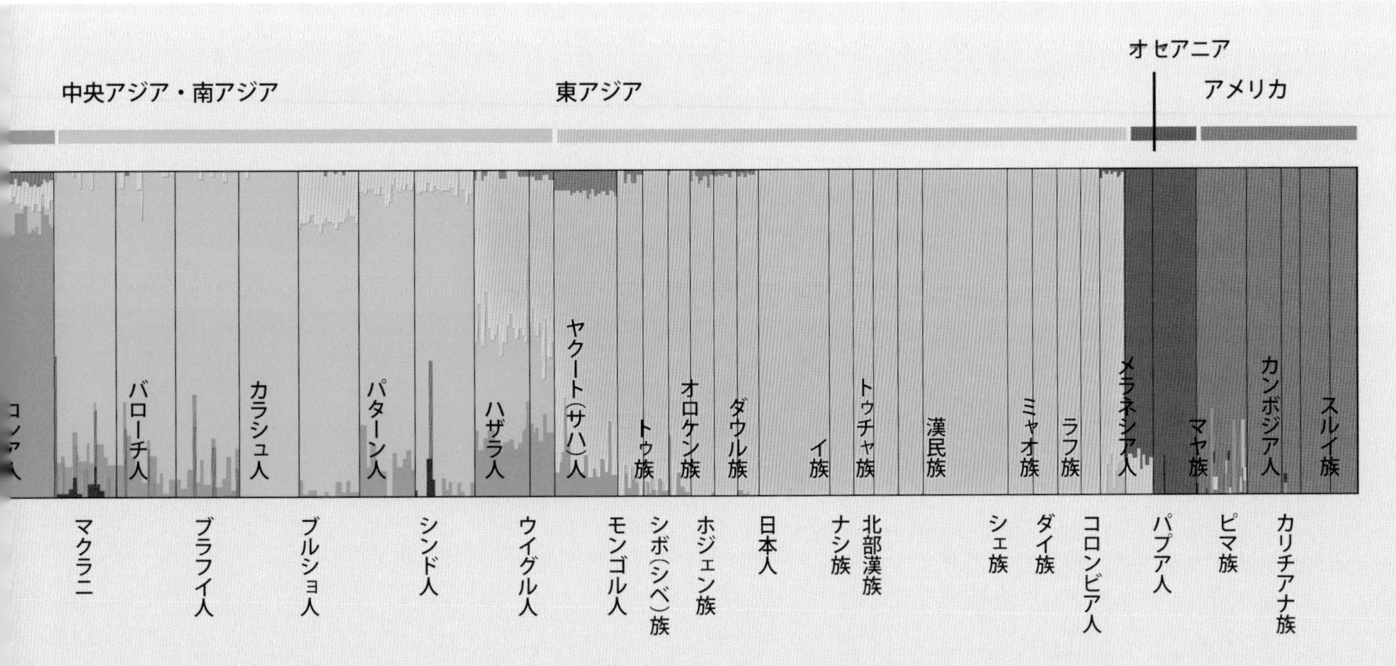

分子を通して見える進化

「ミトコンドリア・イブ」と呼ばれる女性を象徴する像。2011年から2012年にかけてローマのエキシビションセンターで開催された「ホモ・サピエンス」展の一環として展示された。ロレンツォ・ポセンティ作。

地球上の全人類に共通するミトコンドリア（→用語集）のDNA塩基配列が1987年に解析された。ミトコンドリアとは私たちの体を構成する細胞にエネルギーを供給する「細胞内細菌」のことだ。もともと独立した細菌だったが、10億年以上前に真核細胞に取り込まれて共生するようになった。ミトコンドリアの中には今も太古の遺伝物質が受け継がれている。

ミトコンドリアDNAは母親から子へ受け継がれる。つまり女性を通してしか子孫に伝えられない。ということは、種の始まりまで時間をさかのぼれば、この全人類共通のミトコンドリアDNAの塩基配列は、かつてアフリカに暮らしていた「始祖集団」、今に生きるすべてのホモ・サピエンスの始まりとなった集団にいた女性、「ミトコンドリア・イブ」のミトコンドリアDNAと同じということになるはずだ。

しかし実のところ、ミトコンドリア・イブといっても、ただ一人の特定の女性を指すわけではない。「ミトコンドリア・イブ」は集団の一員であり、父親と母親、そして息子と娘がいた。ミトコンドリアのDNAは短く、突然変異がほぼ定期的に起こるため、変異の歴史が大量に蓄積されている。つまり、複数の集団のミトコンドリアDNAを調べれば、集団間の小さな遺伝的差異を見つけられるということになる。

2つの集団に蓄積されたさまざまな変異の数と両集団の地理的分布から、2つの集団の元になったグループが生きていた時代を推測できる。これは「分子時計」と呼ばれる調査手法で、この手法によって、遺伝学の見地から現生人類間の近親性、分岐、拡散に関する仮説を立てられるようになった。こうして現生人類は異なる地域で同時に出現したのではなく、誰もが始祖集団の「分子時計」を受け継いでいる証拠が得られたのである。

ラガール・ベーリョの子ども

ネアンデルタール人と現生人類が頻繁ではないにせよ交雑していた可能性があり、見た目が少々華奢なネアンデルタール人は現生人類との間に生まれた個体かもしれないという説が再び浮上してきた。その証拠とされるもので特に有名なのが、ポルトガルで発見されたわずか2万5000～2万4000年前の「ラガール・ベーリョの子ども」だ。ラガール・ベーリョの子どもには、現生人類の特性とネアンデルタール人を思わせる特性が混じり合っているように見える。ただ幼くして死んだため、生殖能力の有無は定かではないし、そもそもネアンデルタール人と現代人は交雑できない異なる種同士なのか、交雑可能な亜種なのかすら結論は出ていない。

ラガール・ベーリョの子どもがネアンデルタール人と現生人類の交雑を証明する紛れもない最新の証拠かもしれないという主張には興味をそそられるが、成人ではないので断定するのは難しい。

2万4000年前にはこの地域からネアンデルタール人が姿を消しているので、平均よりもがっしりした特徴を備えたホモ・サピエンスの子どもと考えている研究者も多い。

ネアンデルタール人と現生人類の間に生まれた可能性がある「ラガール・ベーリョの子ども」（ポルトガル）の復元。ロレンツォ・ポセンティ作。

ネアンデルタール人と現生人類

(番号は古→新の順)

❶タブン
12万年前

② スフール洞窟
12万〜9万年前

③ カフゼー洞窟
12万〜9万年前
4万5000年前

❹アムド
6万〜5万年前

❺ケバラ
6万〜5万年前

⑥ ペシュテラクワセ
3万8000年前

私たちはネアンデルタール人と交雑したのか？

まず化石の形状、地理的分布、DNA解析の結果からすると、ネアンデルタール人は私たちの祖先でもなければ現生人類の変種でもなく、私たちと完全に異なる近縁種、つまり「私たちとは別の」人間だ。ネアンデルタール人の骨から抽出した核DNAの塩基配列解析が行われ(ミトコンドリアの塩基配列解析も含め)、私たちは絶滅した仲間の完全なゲノムを初めて手にすることとなった。ネアンデルタール人のDNAは私たちと98.84%一致する。そうなると、散発的な交雑(つまり、生殖可能な子孫を生むこと)は可能だったのではないだろうか。

最新の研究によると、アフリカ人を除く現生人類のDNAにはネアンデルタール人由来のDNAが2〜4%の範囲で含まれている。そのことから中東にいた両集団の一部で交雑があったと考えることができる。その時期は現生人類がアフリカを出て、ネアンデルタール人と中近東アジア地域で共生していた頃、少なくとも12万年前だろう。

両者の間に生まれた子どもが生殖可能だとすれば、ネアンデルタール人由来の遺伝子が少ない割合ながらも私たちのDNAに含まれているのも納得がいく。交雑によって子孫が残せたとすれば、私たちとネアンデルタール人は同じ種に属しているということになる。

中近東の遺跡、特にイスラエルのカルメル山周辺の調査から、この地域ではネアンデルタール人と現生人類が出入りを繰り返していたことが分かっている。そうなると共存していた時期があり、2つの種の間で交雑が起こったとしても不思議ではない。

しかしその一方で、これがすべて、現生人類とネアンデルタール人の共通の祖先が生きていたもっと古い時代までさかのぼる遺伝的基盤構造の「思わせぶりな結果」という可能性もある。つまり、ネアンデルタール人の遺伝子と思われるものは、交雑の結果ではなく、ホモ・アンテセッサー(*Homo antecessor*)から両者が受け継いだ遺伝的形質であるということだ。

シベリアのアルタイ山脈に暮らしていた3つの人類

ホモ属の異なる種が共存していた歴史があったとしても、それはネアンデルタール人と現生人類が存在していた初期だけのこととされていた。そうした中、遺伝学者は1本の小指の指骨の分析から、4万8000～3万年前に南シベリアのアルタイ山脈のデニソワ洞窟に住んでいた人類のミトコンドリアDNA配列の復元に成功した。当時、この地域にはネアンデルタール人が暮らしており、あとから現生人類がやって来たのは以前から分かっていた。だがそこにはまだ私たちの知らない驚くべき人類の歴史が隠れていた。

デニソワ洞窟で見つかったDNAは、現生人類およびネアンデルタール人の共通の祖先となる、100万～50万年前に存在していたまったく別の人類のものだったのだ。今から数万年前、現生人類とネアンデルタール人の2つの人類が共存していた時期にまた別の古いヒトがこの洞窟に暮らしていたのだ。

研究者が出した結論は、「デニソワ人」は2回目の出アフリカを実行した人類、ホモ・アンテセッサーから分岐した新たな種で、現代のアフリカ人よりもヨーロッパのネアンデルタール人に近いとしている。

最近発見されたデニソワ人の上顎大臼歯に古い人類の特徴が見つかる一方、わずかな割合ながらデニソワ人のゲノムが現生人類にも存在することが新しい研究から分かった。つまり今から4万年前、現在のシベリアの中心部に位置し、峡谷、ステップ、草原が広がり、マンモスやケブカサイが暮らしていたアルタイ山脈は、少なくとも3つの異なる人類の故郷となっていたのだ。

デニソワ人の核DNAに関するデータが示したのは、ネアンデルタール人、現代ヨーロッパ人と同様、現代のニュー

シベリアのアルタイ山脈にあるデニソワ洞窟の入り口。ここでデニソワ人の骨が発見された。
デニソワ人は2度目の出アフリカを行ったホモ・アンテセッサーから分岐した種とされる。

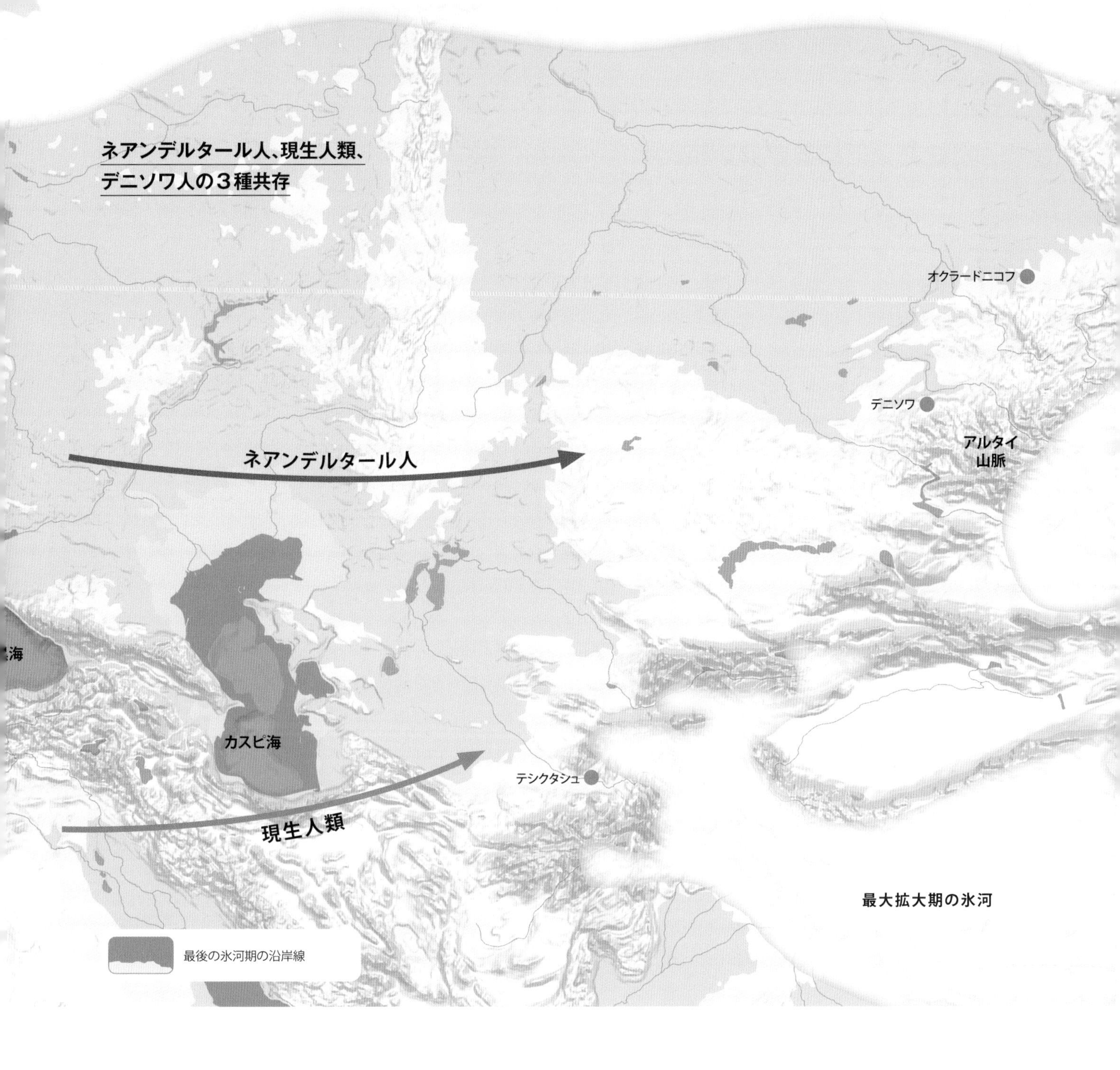

ギニアやメラネシアの人々の一部にも、かつてデニソワ人と交雑した名残が遺伝子に受け継がれている可能性だった。

もし交雑が実際にあり、その痕跡が私たちのゲノムに今も残っているなら、同じ種が複数の異なる亜種に属するという矛盾が生じる。だがチベット自治区夏河の白石崖溶洞で最近見つかった16万年前の下顎骨の断片によって、全人類史におけるデニソワ人の立ち位置が明らかになった。骨構造に残るタンパク質を分析した結果、デニソワ人が東アジアの南から北までの一帯に居住していたことが明確に裏づけられたのだ。

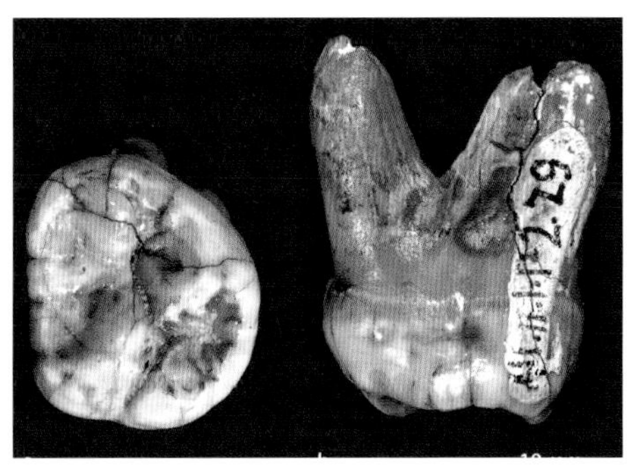

この成人の大臼歯は、2つしか見つかっていないデニソワ人の化石の1つだ。

北東アジアにおける定住

同じユーラシア大陸の反対側に位置するヨーロッパのように、東アジアにもホモ属のさまざまな種が何度も到来して定住した。アフリカの外に最初に出たホモ・エルガステル（*Homo ergaster*）は、少なくとも150万年前に東アジアに到達し、人類の系統樹において特に繁栄した種の1つであるホモ・エレクトス（*Homo erectus*）へと分化した。中国で見つかったホモ・アンテセッサーと同じグループに属する約65万年前の骨は、北京原人の中で最も古い部類だと認められた。おそらく、ゲノムデータと大きな大臼歯しか分かっていないデニソワ人ないしその祖先と関連があると考えられる。

中国の大荔や華竜洞で、デニソワ人と似たような特徴を持つ約30万～20万年前の男性の化石が見つかり、チベットの夏河でも16万年前のデニソワ人の顎が発見されたことで、もっと完全な形の化石がデニソワ人の骨と分類されていないまま博物館に眠っている可能性が高くなってきた。

現代のメラネシアの人々にもデニソワ人由来の遺伝子が見つかっているが、東アジアに暮らしていたのはなにも彼らだけではない。アフリカからやって来た最初の現生人類もいたのだ。最も古い証拠はこれもまた中国で、約15万年前の柳江遺跡のものだが、中でも10万年前の智人洞窟の人の化石とその顎は、現生人類の特徴を備えている。

東アジアの過去の人類の動向は西ヨーロッパほど詳しく分かっていないが、西ヨーロッパの現生人類とネアンデルタール人のように種の共存が見られ、しかも複雑だったようだ。ユーラシアの東西両端で生息する種の変遷が起こっているが、東アジアはヨーロッパよりも多くの種や亜種が共存していた可能性がある。それを考えれば、ジャワ島のソロ川流域や、フローレス島やフィリピンなどの島々でヒトの変種が最近まで生き延びていたとしても不思議はない。

さまざまな種が共存する東アジア

（番号は古→新の順）

ホモ・エレクトス

❶ 人字洞

❷ リワット
190万年前

❸ モジョケルト
180万年前

❹ トリニール
180万年前

❺ サンギラン
160万年前

❻ 藍田
100万～53万年前

❼ 周口店
78万～50万年前

❽ 元謀
70万～50万年前

ホモ・エレクトス

⑨ サンギラン
120万年前

⑩ 藍田
100万年前

⑪ 雲県
90万年前

⑫ トリニール
80万年前

⑬ 周口店
67万～40万年前

⑭ ナルマダ
40万年前

⑮ サンブンマチャン
30万年前

⑯ 大荔
25万年前

⑰ 金牛山
20万年前

ホモ・サピエンス

⑱ 智人洞窟
12万～8万年前

⑲ 福岩洞
8万年前

⑳ 大荔
6万7000年前

㉑ 周口店
6万7000年前

㉒ ボボンガラ（フオン半島）
5万8000年前

㉓ ニア洞窟
4万5000年前

㉔ 縄文遺跡群
1万6000～2700年前

ホモ・ソロエンシス

㉕ モジョケルト
10万～8万年前

㉖ ンガンドン
10万～8万年前

不明な種
おそらくホモ・サピエンス

㉗ タレプ
19万～12万年前

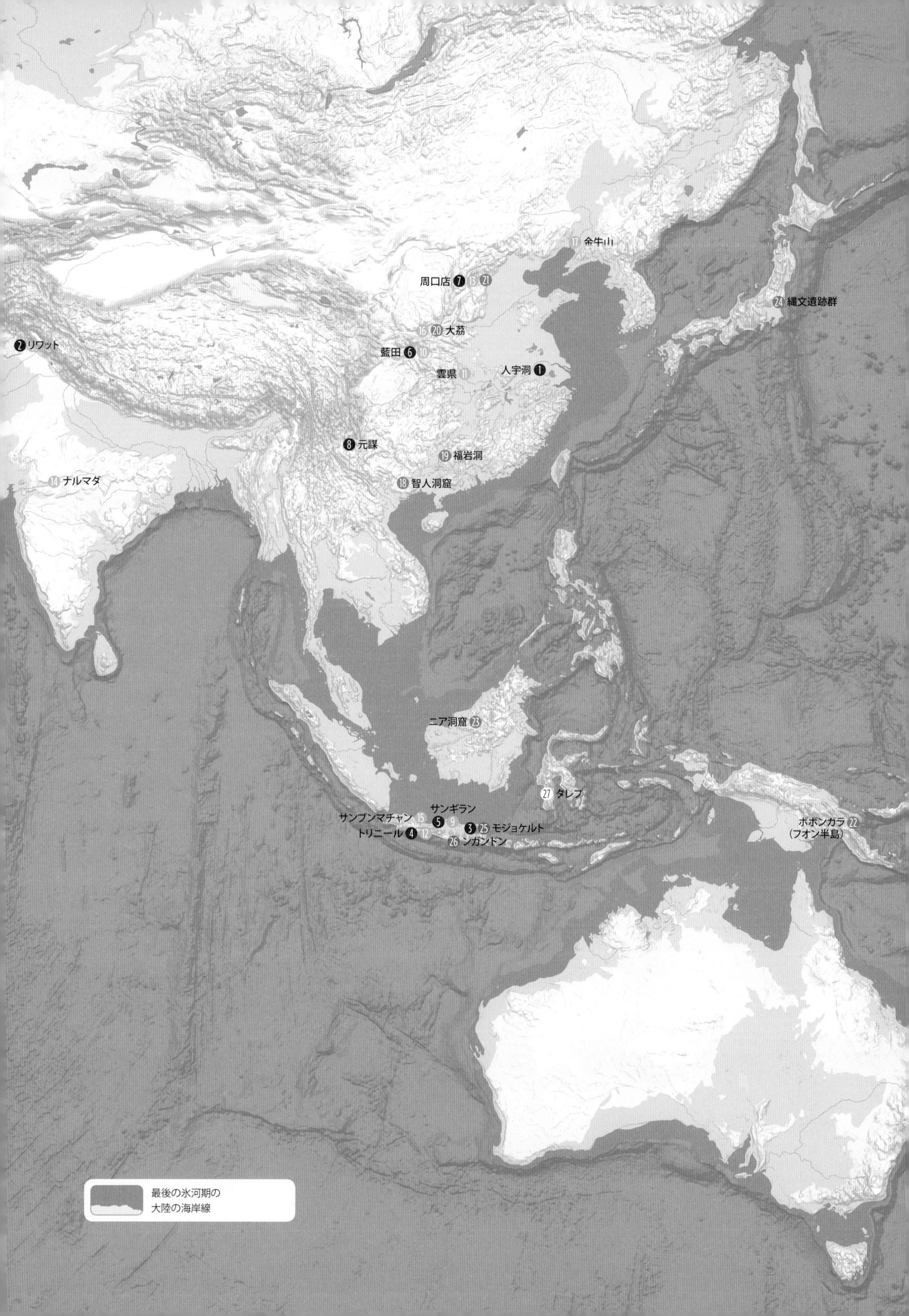
17 金牛山
周口店 7 13 21
24 縄文遺跡群
16 20 大荔
2 リワット
藍田 6 10
雲県 11
人宇洞 1
8 元謀
19 福岩洞
14 ナルマダ
18 智人洞窟
ニア洞窟 23
27 タレプ
サンギラン
サンブンマチャン 15 5 9 3 25 モジョケルト
トリニール 4 12
26 ンガンドン
ボボンガラ 22
（フオン半島）
最後の氷河期の
大陸の海岸線

新種のホモ・フロレシエンシス

1 ソア盆地
100万年前
ホモ・フロレシエンシス

2 リアンブア
10万～6万年前

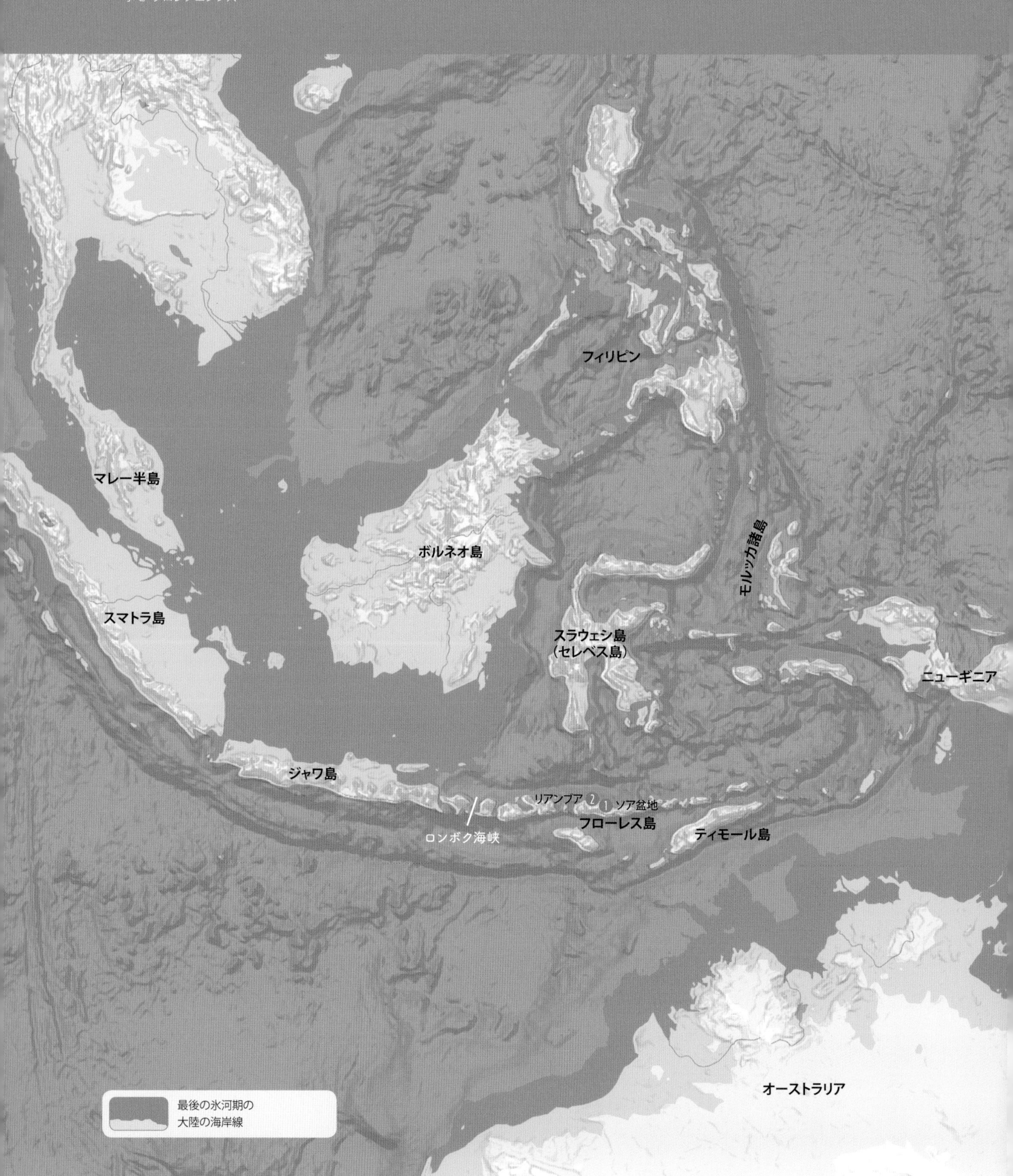

フローレス島の小さな人類

2003年、インドネシアのフローレス島ブア洞窟で、小さなヒトの化石が発見された。当初、この化石は小人症か発育上問題のあった現生人類のものという解釈もあった。しかしその後、ホモ属の多様性を示す、とても興味深い、地域固有の新種ホモ・フロレシエンシス（*Homo floresiensis*）と考えられるようになった。身長は1mを超えることはなく、脳も比較的小さかったが、狩猟の達人で、高度な技術を持っていた。体格こそ小さいが、体の特定の部位のプロポーションと形状がホモ・エレクトスとよく似ている。それは彼らが長い間フローレス島に孤立していた集団であったことを示唆している。

驚くことに、かなり古い時代に出現した種なのに、彼らはわずか10万〜6万年前までフローレス島に暮らしていた。これは年代測定からはっきりしている。なぜ絶滅したのかは分からず、現生人類と接触があった直接的な証拠もない。とはいえ、少なくとも約10万年前にはもう中国に現生人類は存在していた。

この人類の形態的特徴はかなり特殊だ。フローレス島で調査された7体は、「矮小な」ホモ・エレクトスに類似している一方、もっと古い時代のアフリカの人類を起源とする一部の原始的な特徴（特に手首の形と足の大きさ）も備えている。それから推測するに、フローレス島の人類はアフリカから最初に出た人類の子孫かもしれない。知能の面では、これほど脳の小さな種が幅広い技術を用いていた例はほかにない。

2010年にいくつかの道具と頭蓋骨の破片を調べたところ、フローレス島の最初の居住地であるソア盆地は100万年前までさかのぼることが分かった。ということは、ジャワ島のホモ・エレクトスと同じ祖先から派生した古い形態の人類がフローレス島にやって来て、島の限られた資源に合わせて体を小さくする「島嶼矮化」のための時間が十分にあったと考えられる。

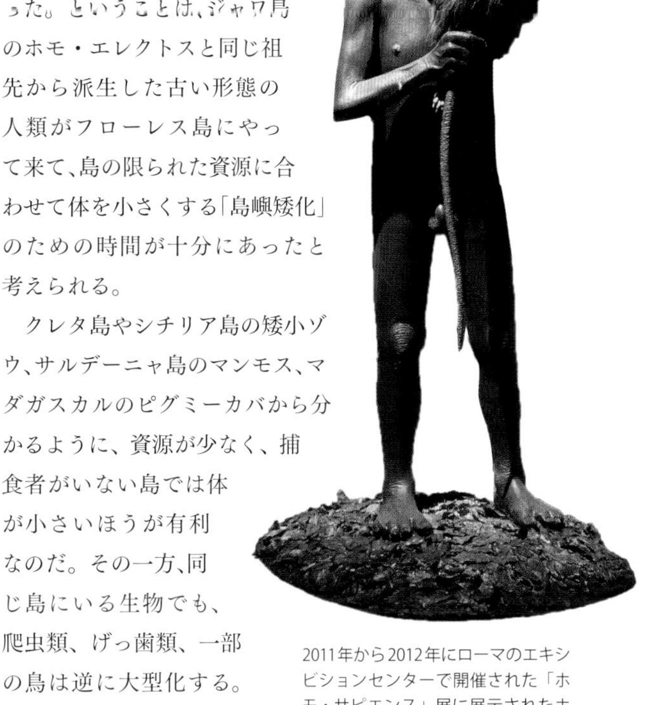

2011年から2012年にローマのエキシビションセンターで開催された「ホモ・サピエンス」展に展示されたホモ・フロレシエンシスの復元像。ロレンツォ・ポセンティ制作。

クレタ島やシチリア島の矮小ゾウ、サルデーニャ島のマンモス、マダガスカルのピグミーカバから分かるように、資源が少なく、捕食者がいない島では体が小さいほうが有利なのだ。その一方、同じ島にいる生物でも、爬虫類、げっ歯類、一部の鳥は逆に大型化する。ホモ・フロレシエンシスによって狩られた巨大なげっ歯類やリアンブア洞窟で発見された体長182cmの巨大鳥がまさにそれだ。

こうした島における小型化や大型化は、進化の最大の原動力である自然淘汰と遺伝的浮動が人類を含めたあらゆる生物にどう影響するかを物語っている。ごく最近まで、地理的な移動や孤立によって人類も多様化が進んでいたのだ。

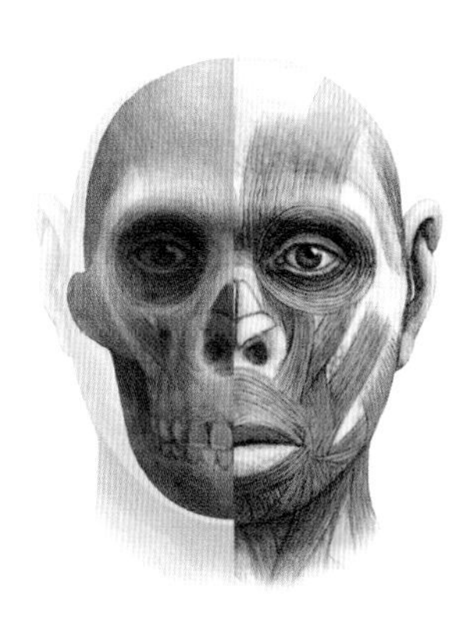

復顔手法によるホモ・フロレシエンシスの復元図。

さまざまなヒト科の復元像：アウストラロピテクス・アファレンシス、ホモ・エレクトス、ホモ・ハビリス、ホモ・フロレシエンシス、サヘラントロプス・チャデンシス、ホモ・エルガステル、ホモ・ネアンデルターレンシス、ホモ・サピエンス、パラントロプス・ボイセイ。制作者エリザベト・デイネ。

人類の群島

更新世期には1つの大陸だった旧世界の東部は海面上昇によって分断され、島々となった。アフリカから最初に出た人類の子孫であるホモ・エレクトスは島の中で有利な生態的地位を見つけて特化していき、さまざまな形態に局所的進化を果たしたようだ。最初のホモ・エレクトスはジャワ島のトリニールで1891年に発見された。ジャワ島のサンギランドームの火山層やその近くで見つかったヒトの化石は保存状態が良く、東アジアで最も重要な化石群の1つとなっている。

インドネシアのソロ川のほとりにあるンガンドン、ンガウィ、サンブンマチャンといった遺跡からは古くても10万年前や8万年前のホモ・ソロエンシス（*Homo soloensis*、ソロ人）が発掘されている。ユーラシア大陸の西側でネアンデルタール人との間にも起こったように、ソロ人、つまりアフリカを最初に出た集団から生まれたインドネシアの華奢な子孫と、第3の出アフリカの子孫である現生人類が出会った可能性がある。

しかも出会ったのはソロ人だけとは限らない。最近別の種であるといわれ始めたホモ・ルゾネンシス（*Homo luzonensis*、ルソン原人）が、フィリピンのルソン島に5万年前または7万年以上前に生息していた。ルソン原人も体が小さいが、10万〜6万年前にもっと南に生息していたフローレス原人よりはやや大きい。

このように大陸から島々に分断された旧世界の最東端部は人類の系統樹における分化の一大中心地となった。北京原人とその子孫だけでなく、デニソワ人、ソロ人、ルソン原人、フローレス原人も理論上現生人類と接触していた可能性がある。この人類の共存は単なる机上の空論ではない。今後ゲノム解析が進み、現在のニューギニアの人々のゲノムにデニソワ人由来の遺伝子が以前調べたよりも多く含まれていると明らかになれば、そのことがはっきりするだろう。

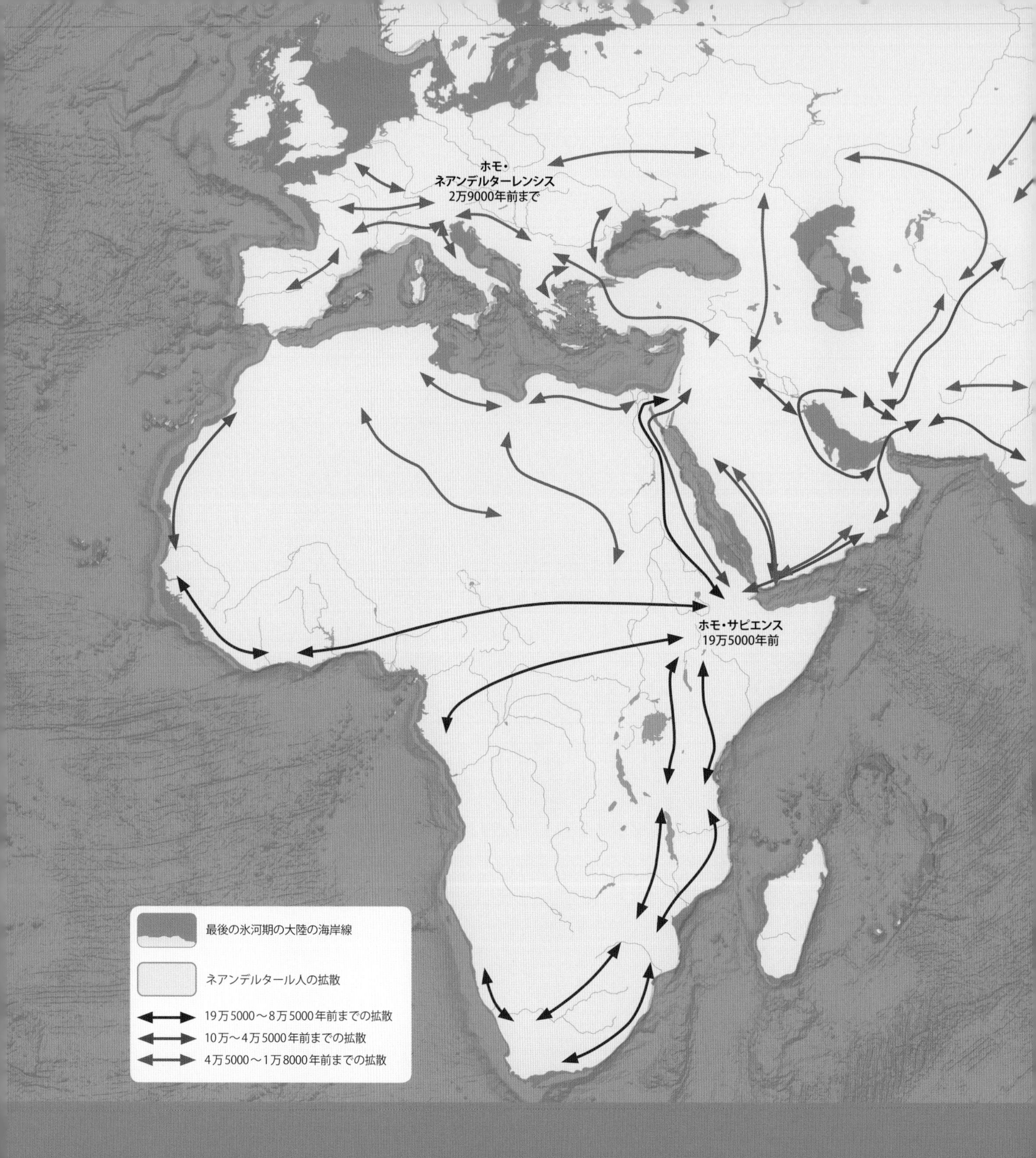

現生人類が出会った別の人類

この地図を見ると、現生人類が唯一の人類となったのは人類進化の歴史において異例なことだったのが分かる。しかもそれはかなり最近の出来事だった。私たちの感覚からすると、4万年前は非常に昔だが、最初の都市が現れる1600世代前、年数としては320世紀前でしかない。それよりもはるか昔、12万年前にアフリカを出てユーラシアへ向かった現生人類は、広大な領域がネアンデルタール人をはじめとする当時生息していた自分たち以外のさまざまな人類に占有された光景を目の当たりにしたはずだ。

4万年前にはまだデニソワ人がアルタイ山脈に、16万年ほど前にはチベットに生息し、10万～4万年前、インドネシアにはまた別の人類であるソロ人が分布していた。6万年前までインドネシアの小さな島にフローレス原人が暮らし、7万～5万年前のフィリピンにはルソン原人が住んでいた。さらに10万年前、あるいは8万年前まで東アジアにはホモ・エレクトスの最後の集団さえ

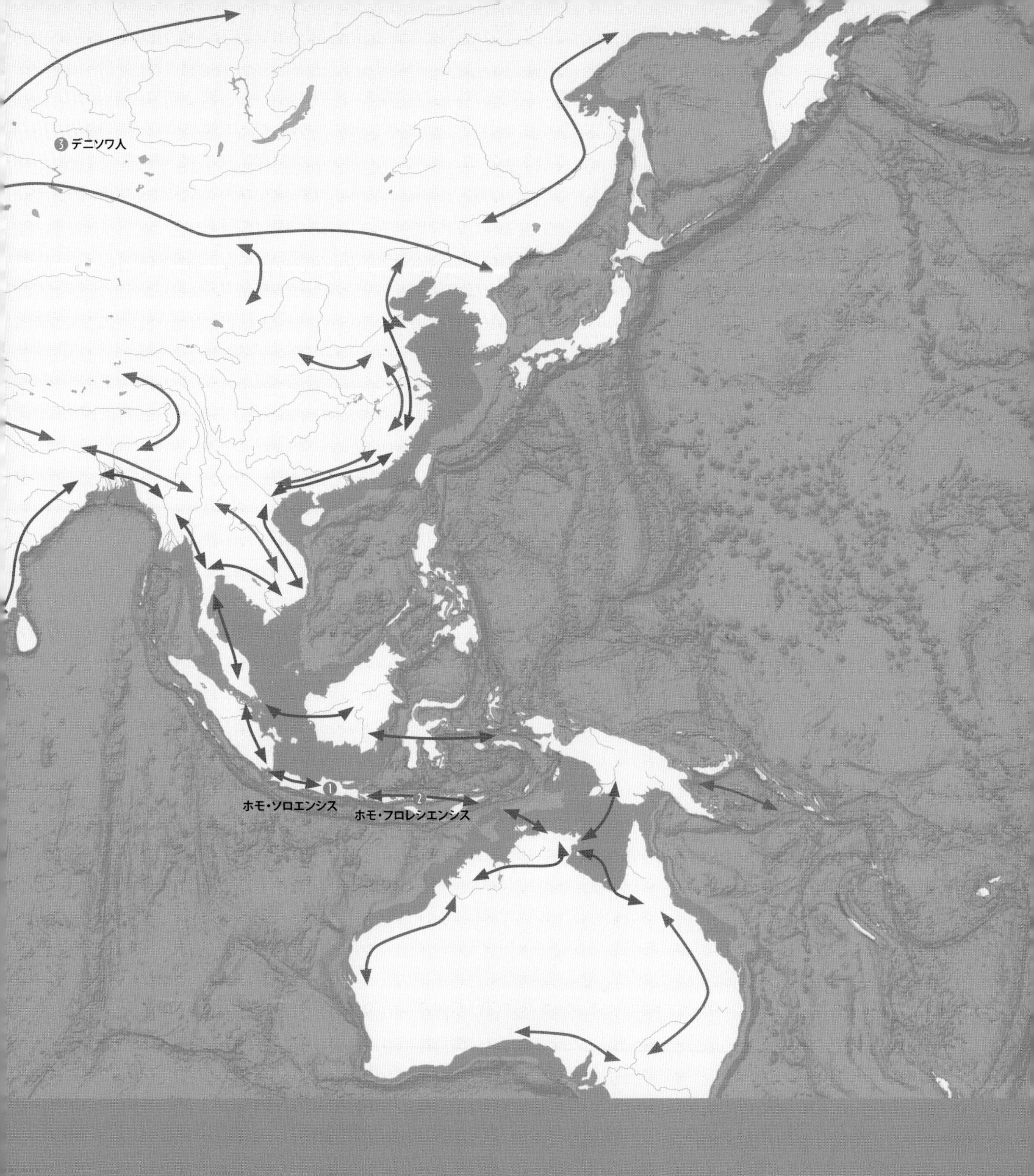

存在していた。

ホモ属の系統樹には時代とともにさまざまな種が現れ、どれも種ごとに拡散した地域は異なっていた。時間と空間の2つの側面を抜きにして人類の進化を理解することはできない。現生人類は人類の種で唯一世界中に拡散し、今では、最後の近縁種とされるネアンデルタール人が3万年前頃に絶滅したことで唯一の人類となった。

① ホモ・ソロエンシス
10万年前まで

② ホモ・フロレシエンシス
10万～6万年前

③ デニソワ人
4万年前まで

ホモ・サピエンスとほかのヒト科の復元像。ホモ・サピエンスは北朝鮮のマンダルリで発見されたマンダルマンの頭蓋骨を型取りして作られた。制作者エリザベト・デイネ。

さまざまな「サピエンス」たち

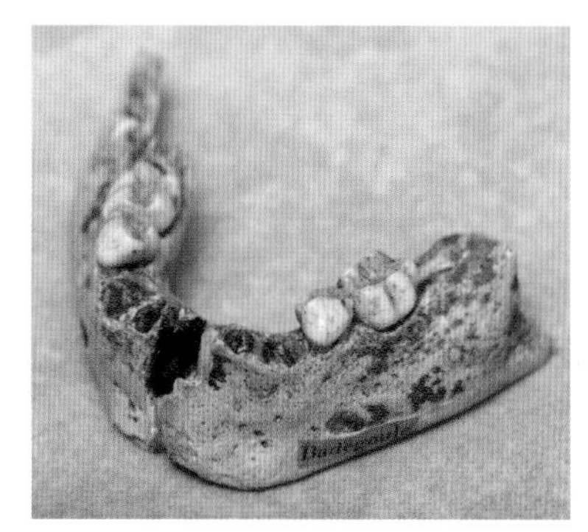

フランスのバドゥグールで出土した現生人類の顎。

現在「人類」といえば1種のみだが、過去においてはさまざまなタイプ（形態）がいた。実際、地球上に私たちだけしか人類がいないのは、地球の長い歴史の中では最近だけの例外であり、説明のつかない出来事なのだ。人類の進化からすれば、同じ時代にさまざまな種がいるほうがむしろ普通だ。

特定の地域で、アフリカを出た現生人類とほかの人類の一部が短期間ながら交雑していた可能性がある。それは互いの遺伝的障壁がまだ完全でなかったことを意味し、彼らと私たちが同じ種であるということになる。しかし彼らのほうは絶滅してしまった。原因はほとんど謎だ。

ネアンデルタール人の場合、現生人類との緩やかな人口競争に負けてユーラシア大陸の西部に追いやられた可能性がある。ネアンデルタール人、ソロ人、フローレス原人などが絶滅した年代から考えると、彼らと現生人類は長いこと共存していてもおかしくない。

そのどれもが知性を持つ人類だった。環境に適応し、狩猟を得意とし、社会集団を形成していた。使用する石器の製作方法は共通の祖先が生み出して以来ほぼ変わることがなかった。だが7万年前ないし6万年前になって現生人類の文化が急速に発達し、行動に大きな変化が見られるようになる。

いわゆる現生人類であるホモ・サピエンスが初めて出現し、それから数度にわたってアフリカから世界に拡散し、約3万年前までに現生人類以外のすべての人類が立て続けに絶滅した。この3つの出来事の間には何か関係があるかもしれない。

こうして私たちが地球で唯一の人類となった。その過程で顎は前へ伸び、顔は平らに、脚は長くなった。脳も前頭葉および頭頂葉が飛躍的に発達し、ネアンデルタール人にも見られる「象徴を理解する知性」を特徴とする創造性が発達した。

フローレス島のリアンブア洞窟で発見されたホモ・フロレシエンシスの骨や石器とステゴドンの化石。この洞窟からは10万～6万年前に生きていた7人の個体の化石化した骨や石器、先史時代のゾウの一種であるステゴドンの歯が発見された。

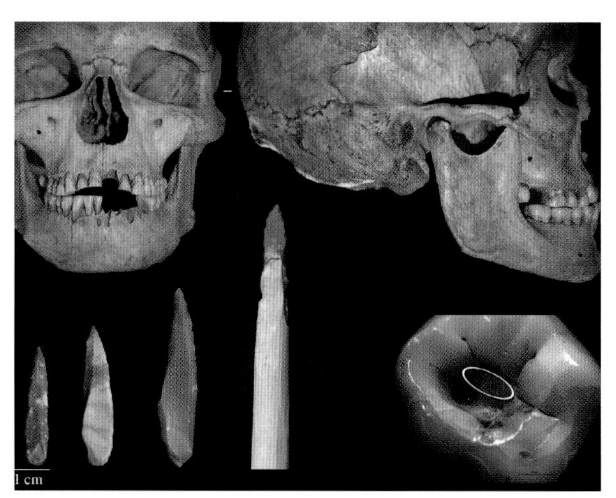

英国のゴフ洞窟で発見された人間の頭蓋骨。この洞窟は1890年に発見されて調査が行われた。それ以降、石、象牙、角から作られた道具が見つかっている。大半が1万2000年ほど前のものだ。

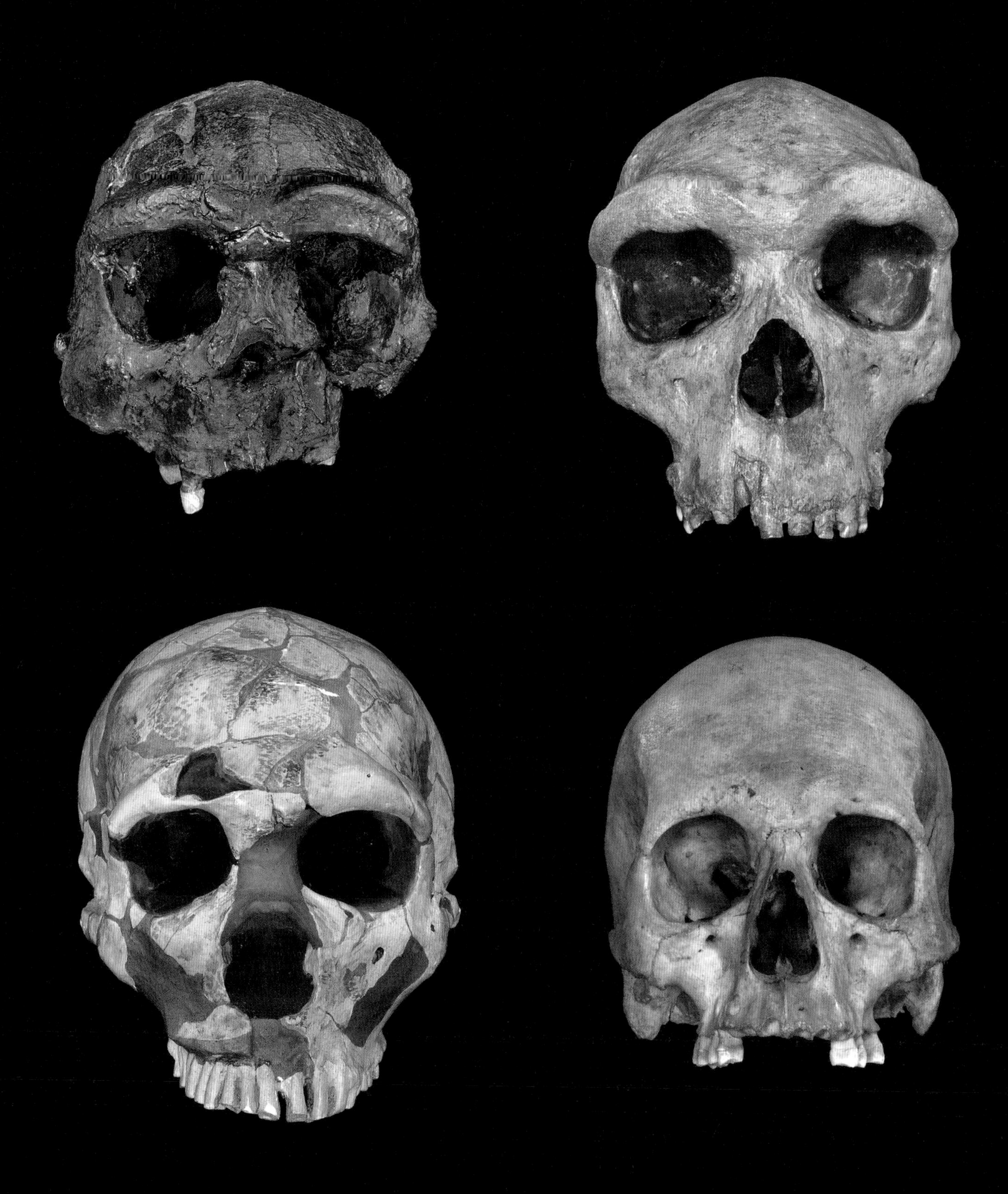

さまざまなホモ属の頭蓋骨
左上：約120万年前のホモ・エレクトス「サンギラン17」。1969年にジャワ島で発見された。
右上：ブロークンヒル（カブウェ）のホモ・ローデシエンシスの標本。1921年にザンビアで発見された。30万年前のものと推測される。
左下：約7万年前のネアンデルタール人「ラ・フェラシー1」の標本。1909年にフランスで発見された。
右下：ポリネシアに住んでいる現生人類の頭蓋骨。

地理的距離（想定される移動ルートと集団の場所を含む）と遺伝的距離の相関図。いわゆる創始者効果によって、アフリカ大陸から遠ざかるにつれて遺伝的多様性がどの程度失われていくかが分かる。

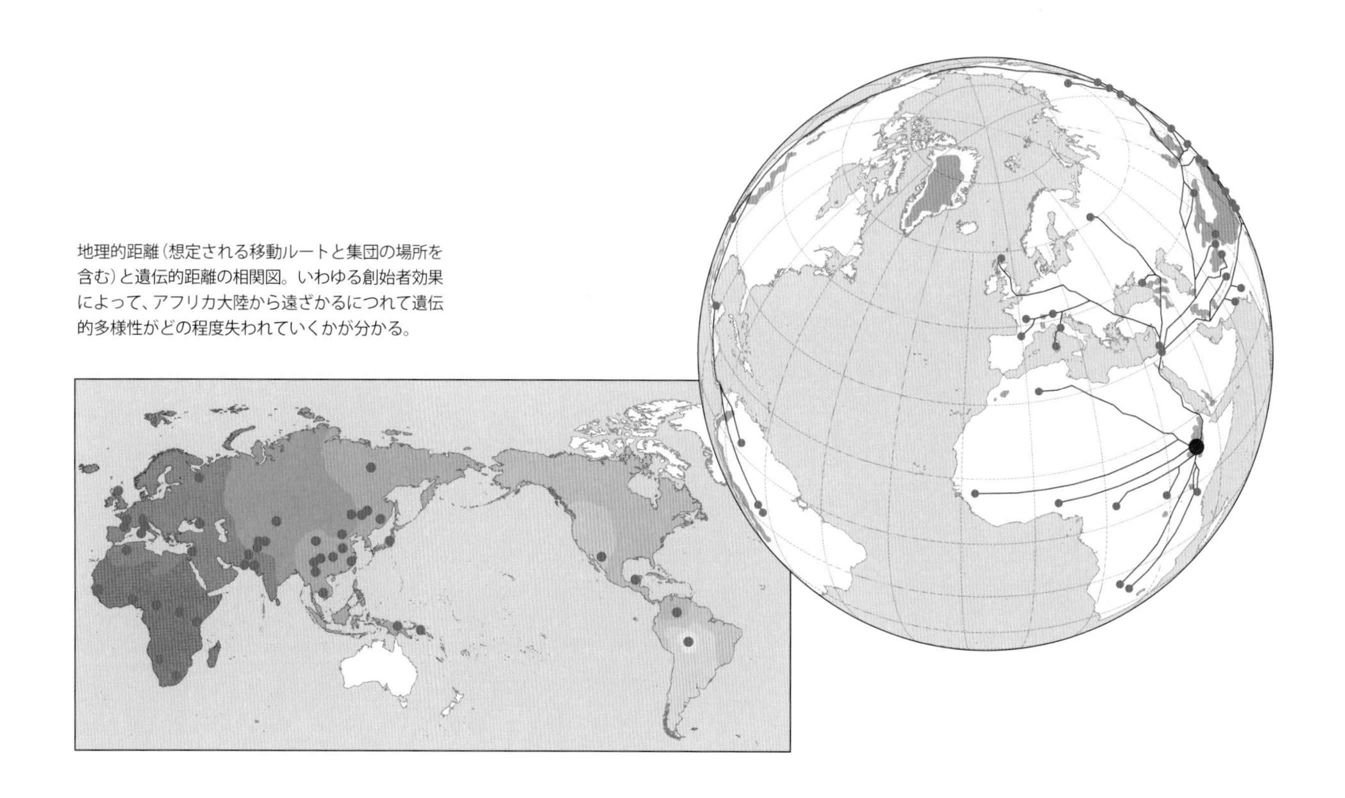

連続する創始者効果

現生人類が拡散した軌跡は遺伝子にわずかだがしっかりと残っている。今日、地球に暮らす人類は80億人近くに達するのに遺伝子の多様性は極めて少ない。しかもアフリカ大陸から遠く離れた地域ではアフリカ大陸に比べて遺伝的変異の割合が低くなる。

この事実は、全人類がごく小さな集団から数を増やしていったことを示唆している。一部の古生物学者は集団の規模は数千人にも満たなかったと考えている。

この開拓心旺盛なアフリカの集団は数を増やして拡散した。12万年前から小さな創始者集団が次々と生まれて拡散が始まり、7万年前頃にはさらに拍車がかかり、4万年前までにまずは旧世界、続いてオーストラリアとアメリカ大陸へ瞬く間に進出した。

母集団から小集団が分かれてその周辺に移動するというこの分裂と移動の繰り返しによる拡散が、一連の「遺伝的浮動」を引き起こした。これがアフリカから離れるにつれて人類の多様性が失われていった進化現象だ。

確かに、ある集団が分裂して「浮動」する際、母集団の突然変異のすべてでなく一部しか受け継がれない。そのため、遺伝子の多様性がやや乏しくなり、特定の変異が現れる確率が以前よりも高くなる。例えば、生存に有利に働く遺伝的特性（血液型など）や特定の遺伝性疾患が高頻度で見られたりする。これは最初の者たち（創始者）がこうした遺伝的な変異を持っていたが、別の変異は持っていなかったために起こる。

この「連続する創始者効果」により、現生人類の遺伝的多様性は、アフリカ大陸、厳密にいえばコイサン諸語を話す狩猟採集民の発祥の地に当たる中央アフリカおよび南アフリカから遠ざかるほど失われている。遺伝子の場合、地理的距離は直線で測るのではなく、海や主な地理的障壁を迂回する形で計算されるが、ホモ・サピエンスが途中途中に居住地を築きながら旅した距離は、最大2万5000kmにもなる。これはエチオピアのアディスアベバから南アメリカの南端までの距離にほぼ等しい。

なお、この計算モデルは、個体は習慣的に短距離を移動して子をなし、近隣の個体群間の遺伝的交換は遺伝的浮動の影響を弱めないという前提に基づいている。遠心的な拡散と人口の全体的な増加に相関関係がある一方、人類の移動は決して一方向でなく、さまざまな方向へ行ったり来たりしていた。

人類の進化に起こった災害とボトルネック効果

私たちホモ・サピエンスの遺伝的多様性は、アフリカから遠ざかるにつれて減少するだけでなく、そもそも霊長類の中で最も少ない。なぜホモ・サピエンスだけがそうなのか、これには説明が必要だ。遺伝子の多様性が狭まる現象に「ボトルネック」と呼ばれるものがある。ボトルネック現象は集団の個体数が環境危機などにより突然激減した場合に発生する。そしてわずかに生き残った個体から集団は再び数を増やし始めるが、失われた多様性は回復しない。

約7万年前か7万5000年前に現生人類は大きく数を減らした。これはスマトラ島トバ火山の一連の大噴火から始まった数千年にわたる地球規模の寒冷化、「火山の冬」の到来と一致する。トバの噴火は凄まじく、直径100kmを超える噴火口から2800km^{3}の火山灰が（インド洋に向かって）大気中に放出され、数百km^{3}のマグマが流れ出した。

こうした地球規模の生態的大変動は、地球上で平均10万年に1回の頻度で発生する現象だ。現在のヒトの遺伝的変異が少ないということは、そもそも始まりとなった集団の規模が小さかったところに、こうした環境危機がやってきて個体群がさらに激減したことによると考えられる。トバ山の大噴火の際、現生人類とフローレス原人をはじめとするほかの人類の生息地域はかなり近かったが、どちらも消滅を免れた。

研究者は、トバ山の大噴火以前、19万～12万3000年前の長い氷河期にすでにアフリカでボトルネックが発生したと考えている。地球規模の寒冷化によって風向きと降水量が変わり、アフリカは乾燥化した。砂漠化した環境を辛くも生き延びたわずかな現生人類は大地溝帯の南端にある南アフリカのケープタウン地域に待避したのかもしれない。少なくとも先史時代に一度大きく数を減らして絶滅の危機に瀕したのは確かだ。環境と生態系の不安定化は、現生人類のみならず全人類の歴史に大きな影響を与えた。

遺伝的距離とアフリカからの地理的距離には強い相関性がある。

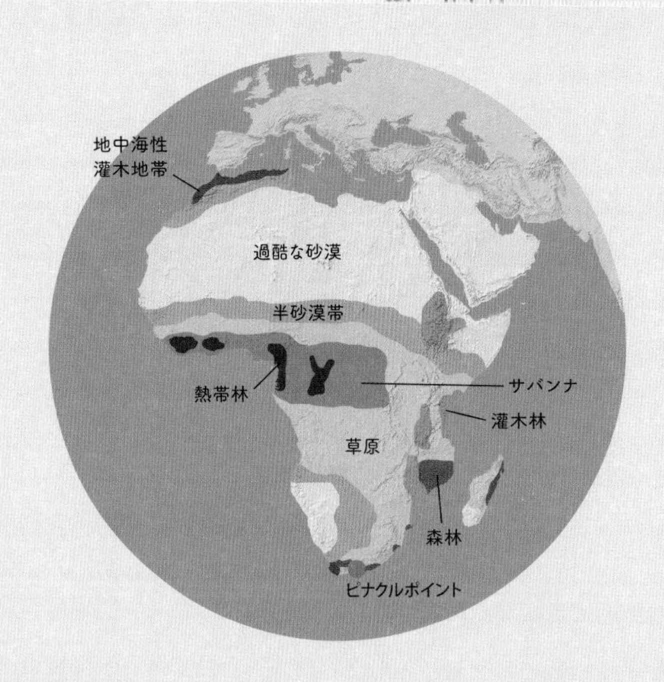

19万～12万3000年前の氷河期のアフリカの植生帯。南アフリカのピナクルポイント洞窟からこの時代の化石が発見され、砂漠化を免れた地域でのホモ・サピエンスの存在を証明している。このような場所は「氷河期待避地」と呼ばれる。

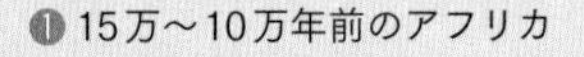

❶ 15万～10万年前のアフリカ

❷ 約12万年前に中東、そして中国まで定住。創始者集団はアフリカの遺伝子変異（色つきの丸で表示）の一部のみを受け継いで拡散した。

❸ ほかの集団は4万年前にヨーロッパとアジアに定住。同じ頃オーストラリアにも到達していた。遺伝的変異はアフリカから離れるほど少ない。

❹ 拡散の最終段階、オーストラリアおよび南北アメリカへの拡散。新しい突然変異（色のついた丸）が現れるものの、アフリカから遠ざかるにつれて平均遺伝的変異は絶えず減少していく。

トバ山の噴火

7万4000年前にスマトラ島で起こったトバ山の噴火は、人類、特にホモ・フロレシエンシスとデニソワ人が現在でいう東南アジアに広く生息していた時期と重なる。

一部の古生物学者によると、この噴火は第四紀に起こったものとしては最大で、当時の地球の動植物相全体に深刻な影響を与え、多くの種を絶滅に追いやり、人類の存続を脅かした。

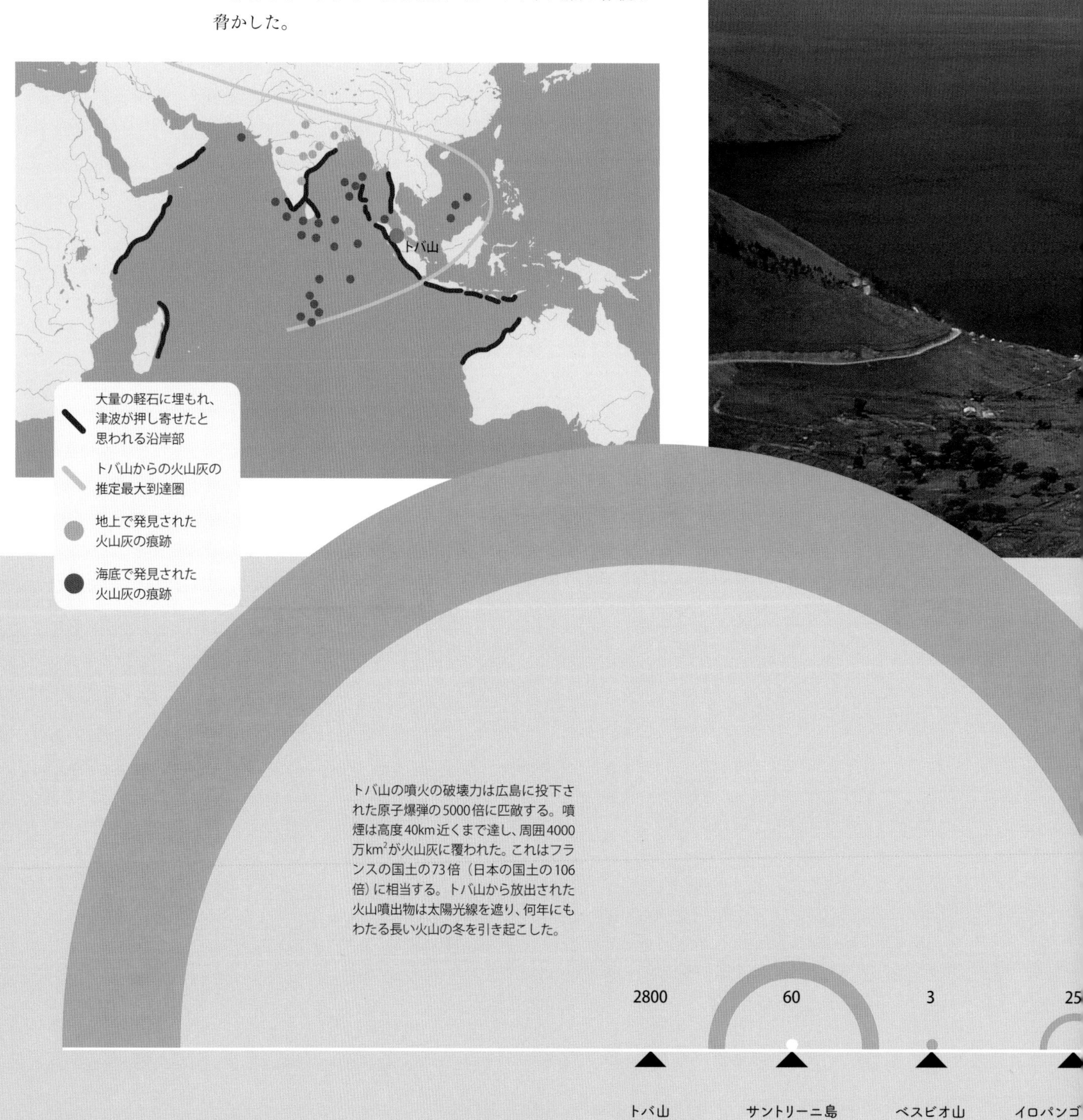

トバ山の噴火の破壊力は広島に投下された原子爆弾の5000倍に匹敵する。噴煙は高度40km近くまで達し、周囲4000万km^2が火山灰に覆われた。これはフランスの国土の73倍（日本の国土の106倍）に相当する。トバ山から放出された火山噴出物は太陽光線を遮り、何年にもわたる長い火山の冬を引き起こした。

インドネシアのスマトラ島にあるトバ湖。7万4000年前に起こった大噴火の跡で、爆発の規模は1980年のセントヘレンズ山（米国）の噴火の2800倍に及ぶ。

過去7万5000年間に世界で発生した大噴火の規模

規模と破壊力において史上最大級とされるいくつかの噴火とトバ山の噴火を、大気中に放出された火山灰量（km^3）で比較した。1815年に起きたインドネシアのサンガー島にある成層火山タンボラ山の噴火は近代最大の噴火とされるが、トバ山の噴火はその35倍に達する。

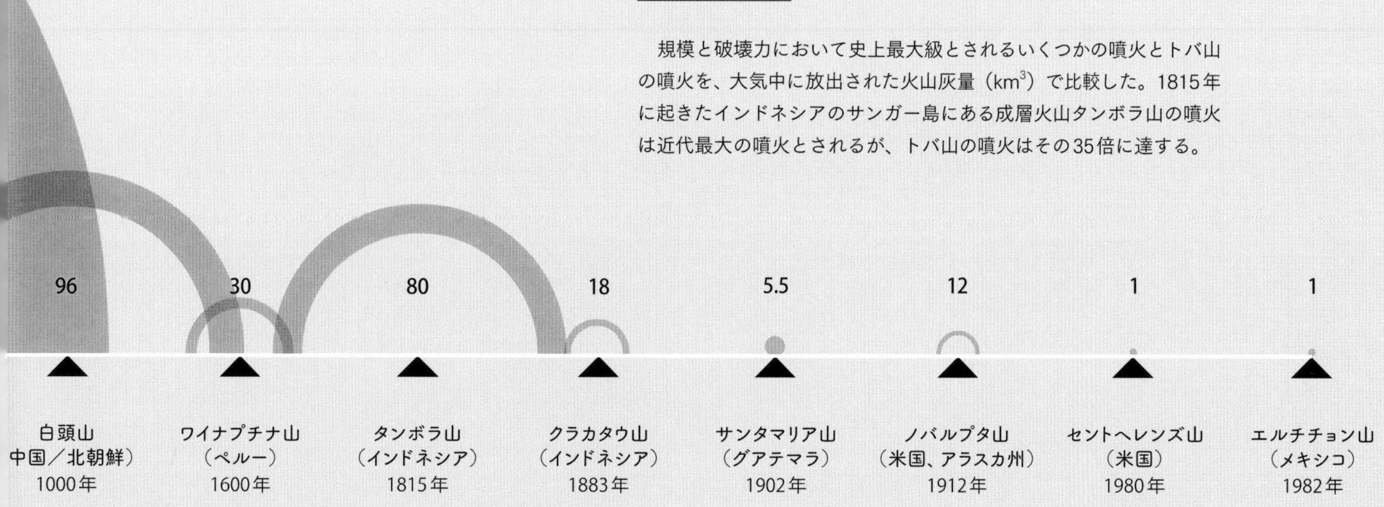

荒ぶる地球

人類が直面した強烈な「ボトルネック」と呼ばれる個体数の急激な減少と、それに伴う多様性の低下もまた、生物の進化と地球の物理的進化の密接な関係を物語る証拠だ。押しては返す氷河期の波は熱帯および赤道帯の降雨量に影響を及ぼし、長い乾燥期をもたらした。それに伴って人類の数は減少し、生き延びた者たちは散り散りになり、小さな集団に分かれた。

気温が低下して氷河が拡大すると、海面が下がり、新たな陸橋が生まれ（現在は海の下に沈んでいる北米と北東アジアを結ぶベーリング地峡など）、広大な陸地が出現した。時代によっては、海に阻まれることなく南アフリカから北回りで南アメリカの南端まで歩いていくことができた。

プレートテクトニクスもまた巨大噴火という形で地球環境に影響を与える。突発的に起きる火山活動は地球の気候と大気の組成を乱し、気温を下げ、動植物は激変した世界への適応を長期間にわたって強いられる。

振り返ってみると、歴史上の出来事が最も記録されている現代は、今のところ、気候および地学的に比較的安定した状態が続いているといえる。もう少し過去に視野を広げれば、現代の穏やかな時期はちょっとした幸運でしかないと気がつくだろう。数百万年単位の進化の長いスケールで見れば、地球は壊滅

火山活動

- ▲ 前世紀の主な活火山
- ▲ それ以外の活火山
- ● ホットスポット
- ● 海底火山
- ○ 過去の噴火

地震活動

活動レベル

- 微弱またはなし
- 低
- 中
- 高
- 海洋地震帯と津波の影響を受けやすい海岸

（番号は古→新の順）

1. イエローストーンカルデラ　64万年前
2. タウポ　25万4000年前、2万6000年前
3. トバ山　7万4000年前
4. ティラ　3500年前頃
5. ベスビオ山　79年
6. タンボラ山　1815年
7. クラカタウ　1883年
8. ノバルプタ　1912年
9. セントヘレンズ山　1980年
10. エルチチョン山　1982年
11. ピナトゥボ山　1991年
12. ブルカンおよびタブルブル山　1994年
13. スーフリエールヒルズ　1997年

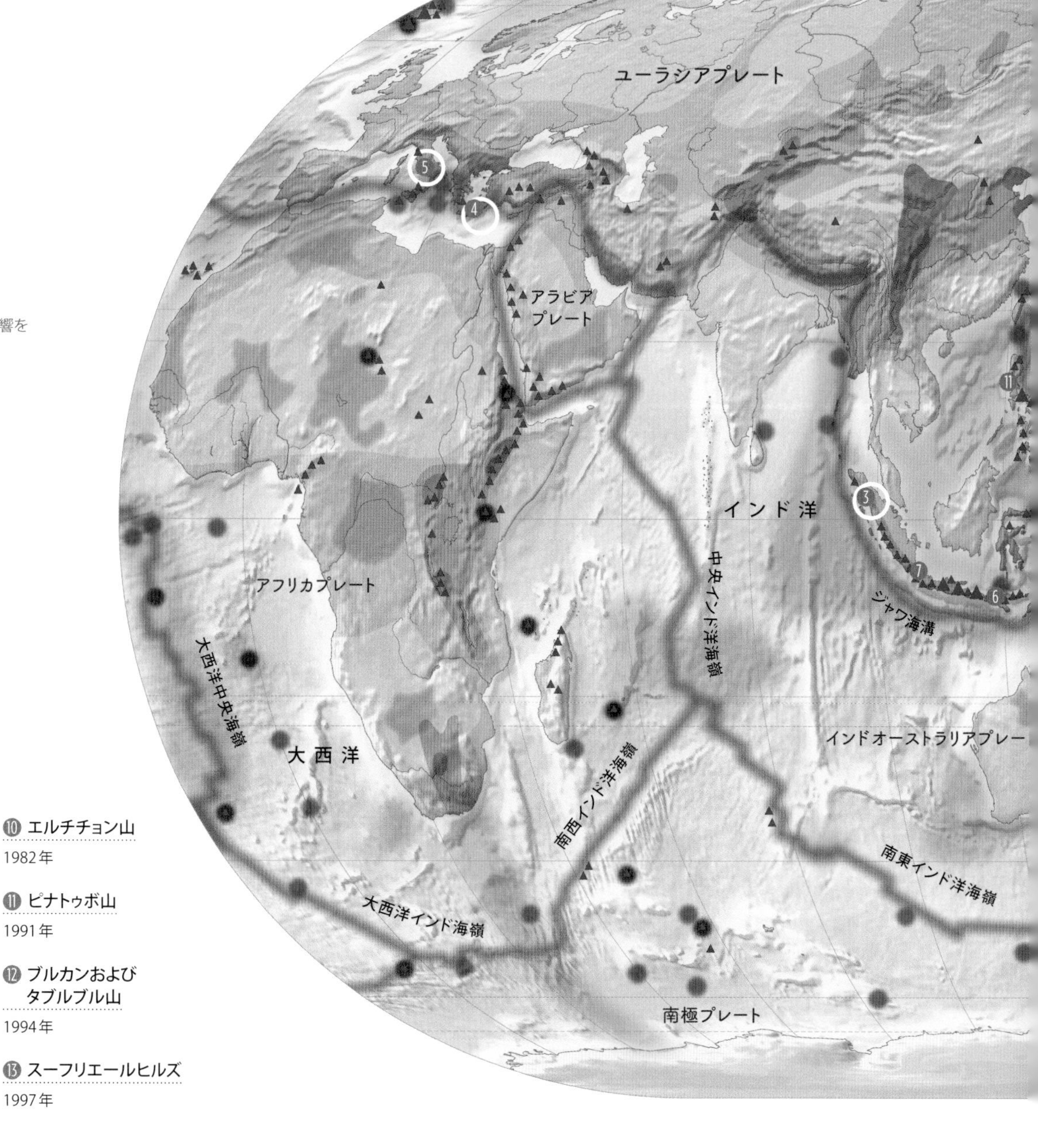

的な小惑星の衝突やとてつもない超噴火などの天変地異を経験してきた。

有史時代に入ると、中東地域と南東ヨーロッパが3000年前頃に連鎖的に起こった地震によって壊滅な被害を受けたと考えられる。3500年前頃にはエーゲ海のティラ島で火山爆発が発生し、地中海文明の1つが滅んでいる。近代に入って最大の噴火はインドネシアのスンバワ島にて1815年に起こったタンボラ山の噴火だ。噴火によって、硫黄を含む2億トンの大量のガスが大気中に放出された結果、地球の気温が0.7℃下がり、翌年は夏が訪れなかった。これに対して、クラカタウ（インドネシア、1883年）の噴火は、近年のピナトゥボ山（フィリピン、1991年）、ブルカン山、タブルブル山（パプアニューギニア、1994年）、スーフリエールヒルズ（英国領モントセラト島、1997年）とともに極地的な大災害だ。

地球はとてつもない破壊をもたらす破局的大噴火に定期的に襲われているが、周囲に暮らす生き物たちにはどうすることもできない。最も新しい破局噴火は、7万4000年前にスマトラ島のトバ山で起こった。人間の進化に大きな影響を与えた巨大噴火は1つではない。ほぼ1万年にわたって大きな噴火が連続して続き、人類の進化の流れを大きく変えたのだ。

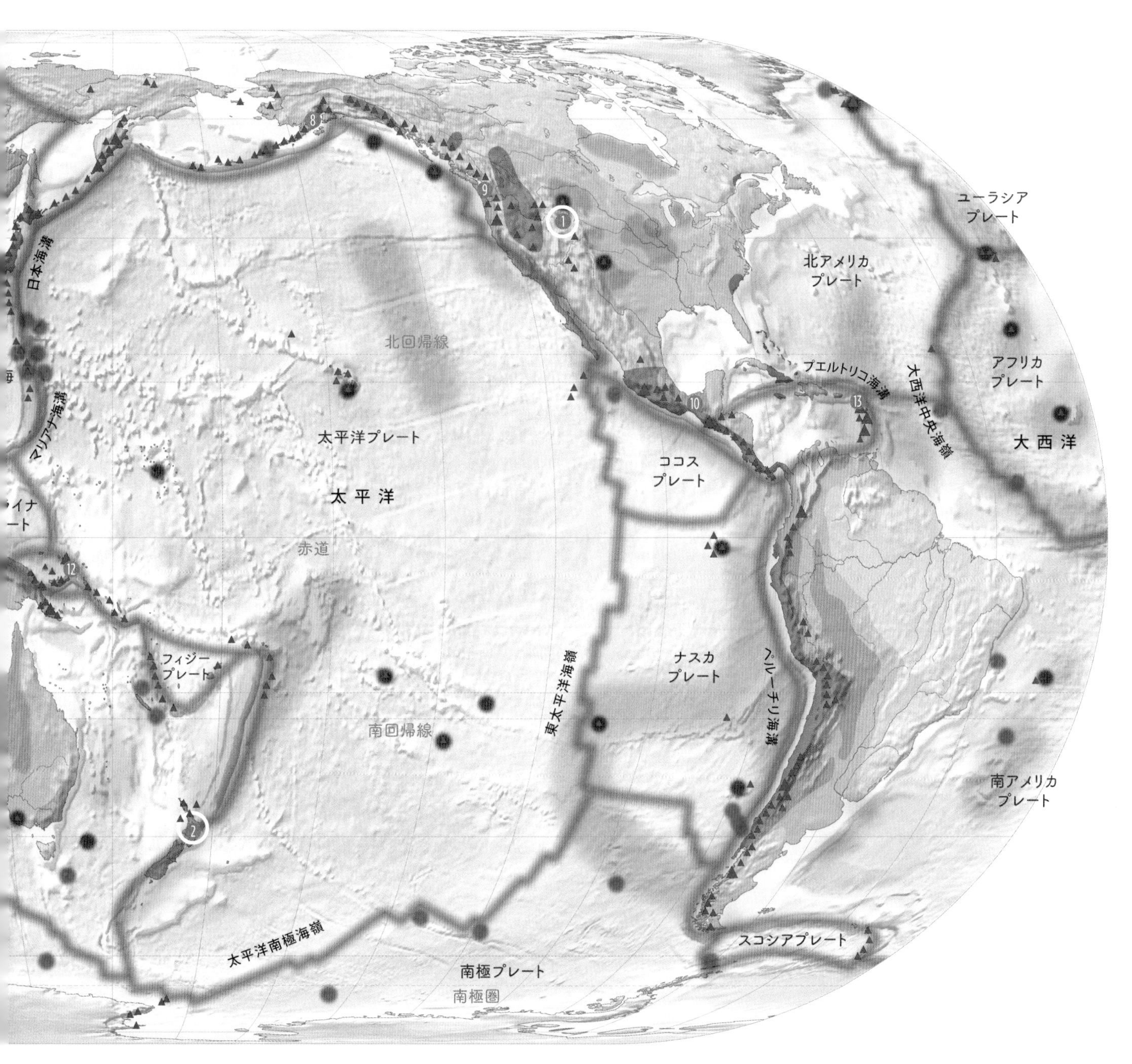

年表
50万～2万5000年前

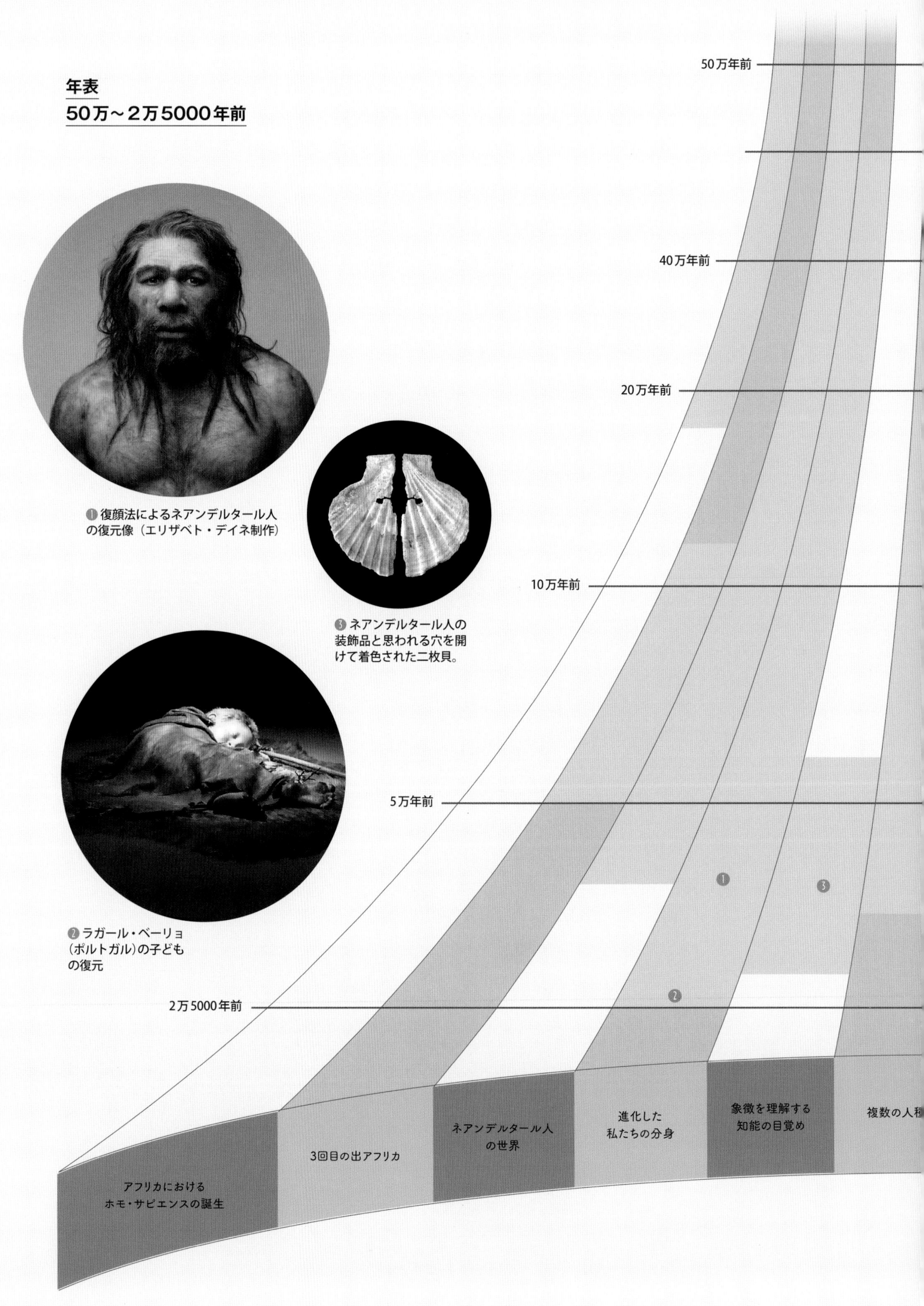

❶復顔法によるネアンデルタール人の復元像（エリザベト・デイネ制作）

❸ネアンデルタール人の装飾品と思われる穴を開けて着色された二枚貝。

❷ラガール・ベーリョ（ポルトガル）の子どもの復元

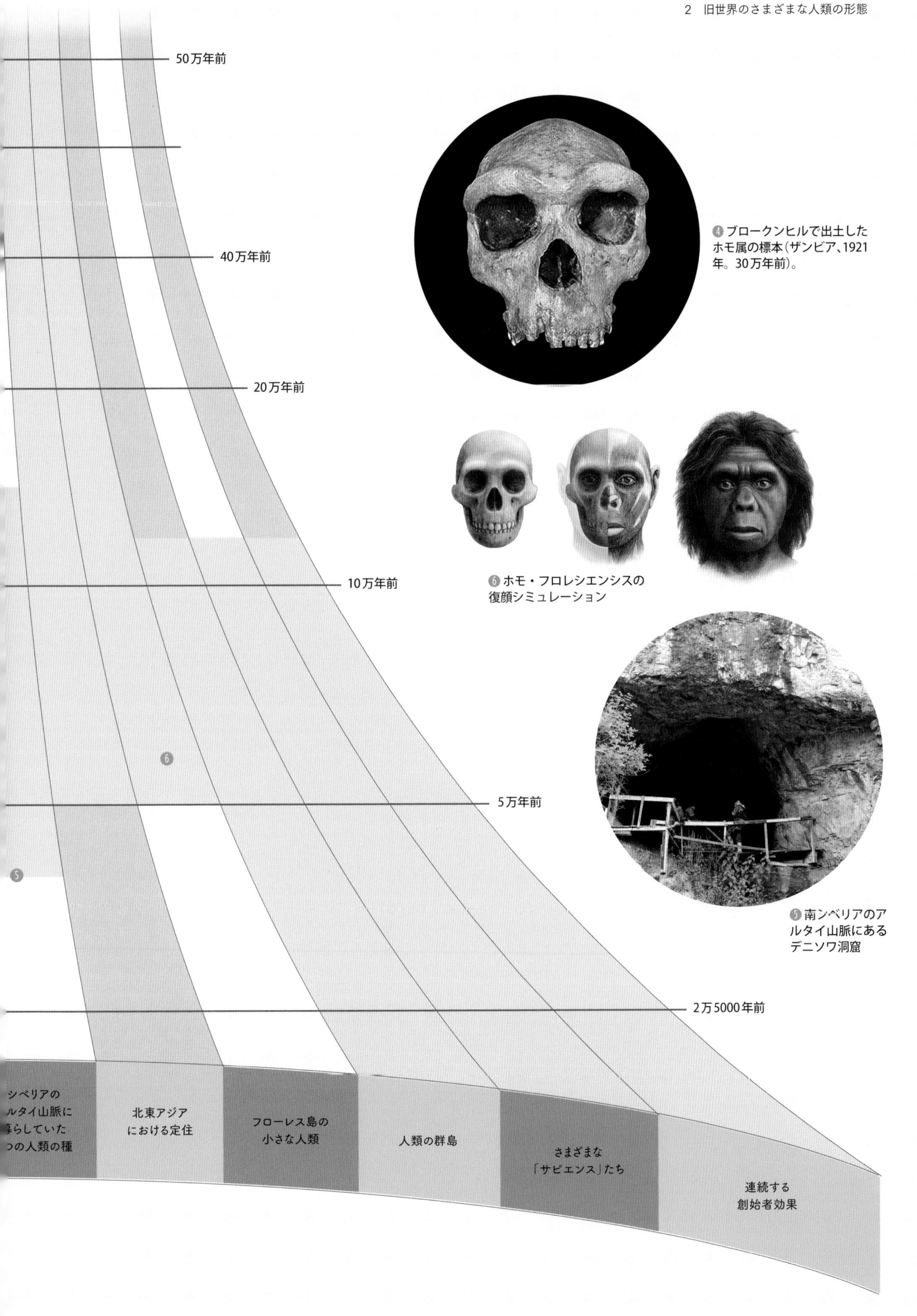

❹ブロークンヒルで出土したホモ属の標本(ザンビア、1921年。30万年前)。

❻ホモ・フロレシエンシスの復顔シミュレーション

❺南シベリアのアルタイ山脈にあるデニソワ洞窟

3　ホモ・サピエンスの第２の誕生

旧世界における、象徴を理解できる知性の目覚め

私たちホモ・サピエンス（*Homo sapiens*）の最も古い形態は約60万年前にアフリカに出現した。だが私たちが一般的に知性と考えるものに関連した活動が見られるようになるまでには、出現から50万年以上待たなければならなかった。最も古い知性の痕跡は中東で見つかった10万年前の現生人類の墓と埋葬品、そこに使われるオーカー（塗料などに使う黄土色の粘土）だ。それより新しいケープタウンの南にあるブロンボス洞窟で出土した7万5000年前のオーカーには、何か意図を持った規則的な刻印が施されている。

4万5000～4万年前頃、象徴を理解し、抽象的思考ができるようになった人類の知性が具体的な形となって開花する。その始まりは見事な洞窟壁画（→用語集）だ。洞窟壁画は最初から写実的な狩猟の光景や様式化ないし記号化された人物や動物を使って生き生きと描かれた。ほかにも骨を削って精巧に作られた装飾品、高度な儀式的埋葬、ビーズやブレスレットなどの装飾品、初期の楽器などの芸術品が生まれた。

石器製作（→用語集）技術は最初のうちはどこでも「オーリニャック文化（→用語集）」様式だったが、やがて地域ごとの文化が誕生して新しい形式が現れ始め、みるみる多様化していった。

私たちが目の当たりにしているのは、物事を想像し、周りの環境にさまざまな方法で働きかけ、周囲の自然、自然の中にある規則性、すなわち季節、潮の満ち引き、月の周期、毎年の植物のサイクルに思いを巡らせる人類の出現だ。同時期のほかの人類にも創造力の兆候がちらほら見られるが、現生人類ほど爆発的ではなかった。現生人類は、厳しい自然の現実をそのまま漫然と受け入れるのをやめ、頭の中に思い描いた世界を実際に作り出す術を会得したかのようだった。

（番号は古→新の順）

1 スフール
（12万～10万年前）
6万年前以降：穴の空いた二枚貝、意図した埋葬、新しい石器技術

2 カフゼー
（9万5000年前）
6万年前以降：穴の空いた二枚貝、意図的な埋葬、新しい石器技術

3 ブロンボス洞窟
（7万5000年前）
オーカーの規則的な彫刻、装飾品

4 ホーレフェルス
（4万～3万5000年前以降）
骨で作られたフルート、女性像、形象美術

5 ショーベポンダルク（ショーベ洞窟）
（3万6000年前以降）
絵画と版画

6 フォーゲルヘルト
（3万3000年前以降）
象牙製の動物の彫像

7 スンギール
（3万～2万8000年前）
儀式的埋葬、装飾品、象牙の像

8 ブラッサンプイ
（2万5000年前以降）
象牙の女性像

9 アレネカンディデ
（2万4000年前）
埋葬儀礼

10 パリッチ
（2万4000年前）
儀式的埋葬、芸術

11 アルタミラ
（1万9000年前以降）
洞窟壁画および彫刻

12 ラスコー
（1万8000年前以降）
洞窟壁画

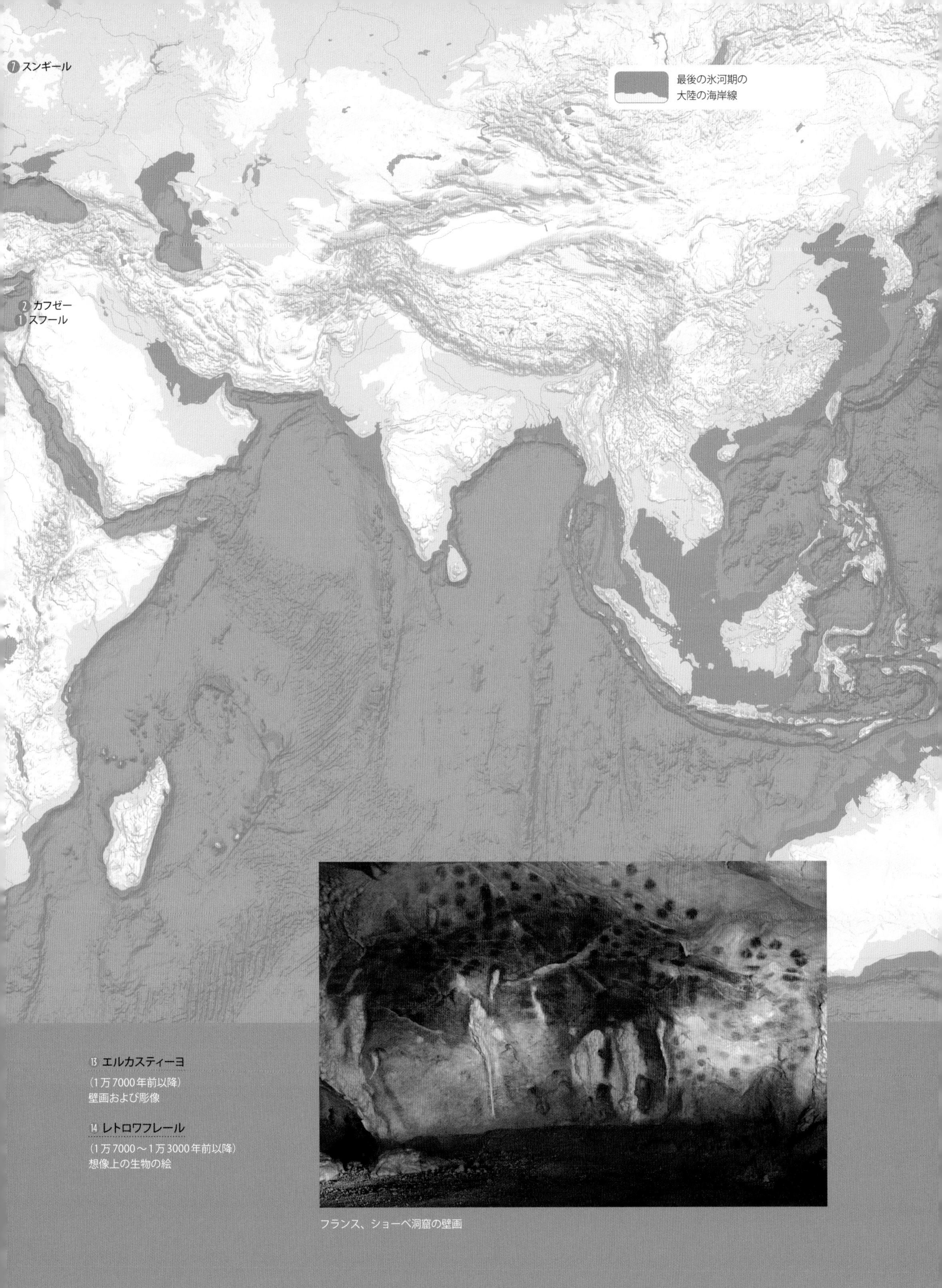

13 エルカスティーヨ

（1万7000年前以降）
壁画および彫像

14 レトロワフレール

（1万7000～1万3000年前以降）
想像上の生物の絵

フランス、ショーベ洞窟の壁画

ホモ・サピエンス・イダルトゥの肖像画。「イダルトゥ」とはアファル語で「最古」または「最年長」という意味だ。

ホモ・サピエンスの認知能力の発現

思考し、創造する能力を持つ人類が自然界に初めて現れた。この能力は過去のほかの人類のみならず、ほかのどんな生物にも見られなかったものだ。私たちは人類の系統に生まれた唯一思考する存在であり、それが今では私たちのアイデンティティとなっている。そこで、こんな疑問が湧いてくる。「私たちはどうして思考する人類になったのか」。しかしその前に、どんな証拠があって、そういえるのだろうか。

人類の歴史において私たちはまったく新しい種として登場したが、当初はさほど革命的な存在ではなかった。だが何かが起こった。

人類の歴史において私たちはまったく新しい種として登場したが、当初はさほど革命的な存在ではなかった。今から20万〜15万年前、まだ私たちの祖先がアフリカに暮らしていた黎明期において、ほかの人類との違いといえば、すらりとした体格、平らな顔、上に広い額、ネアンデルタール人（→用語集）がもともと用いていた技術にそっくりな「ルバロワ技法」という優れた石器製作技法、ネアンデルタール人と同じように埋葬を行う発達した社会構造だった。

確かに人類の歴史の中では異彩を放っていたが、革命的というわけではなかった。しかし何かが起こった。15万〜5万年前、まずはアフリカ、おそらく南アフリカで、それから間もなくヨーロッパ、そしてほかの旧世界地域で、新しい扉が開いたのだ。恐らくその鍵は、明確な言語の完成と、言語によって抽象的な概念の無限の組み合わせが可能になったことだろう。

この大きな変化には何かほかの進化には見られない起源があったはずであり、それこそが現生人類が瞬く間に地球全体に進出できた理由と考えられる。こうして現代人と同じ精神性が芽生え、芸術、音楽、舞踊を生み出し高めていく準備が整った。

体と知性はなぜ同時に進化しなかったのか。現生人類の誕生と認知能力の爆発の間には、はっきりとした時間的な隔たりが見られる。これは私たちの進化にまつわる最も興味深い、まだ答えの出ていない謎だ。なぜ「旧石器時代の革命」が少なくとも体系的に現れるのがこれほど遅かったのか。それは文字による記録がなかったり、氷河期に長期にわたって人口が減少したりしたためにそう見えるだけなのかもしれない。

その一方で、私たちの祖先には、知的活動を表現できる能力が肉体的にも頭脳的にも最初から備わっていたと考える研究者もいる。過去の何らかの変化に対応する必要に迫られて発達した能力がのちに知性として解放されたというのだ。実際、ヨーロッパ以外に目を移せば、こうした進化に世界共通のパターンが存在しないことが分かる。

地理学の視点からすると、技術と文化が進化するスピードや方向は同じではなく、不意に訪れる機会と歴史の偶然が流れを変えてきた。予期せず必要に迫られ、既存の形質を「機能転用」したということだ。これを進化論者は「外適応」と呼ぶ。特定の機能のためやほかの機能に付随して進化した身体構造をまったく別の新しい使い方をする現象だ（例えばクロコサギは翼を傘のように広げて水面に影を作り、水中の獲物を捕食する）。私たちの脳は本来読み書きをしたり、宇宙の秘密を解き明かすために進化したのではない。進化の結果をそうした目的に使えただけなのだ。

人類の創造の歴史の始まりを讃える「記念碑」のように、ショーベの洞窟内には、3万年前のクロマニョン人が頻繁に訪れたフランスやスペインのほかの洞窟と同じく、アーティストたちの手形（ポジティブハンドとネガティブハンド→用語集）が残っている。そこには子どもの手形も見られる。幼い現生人類も自分たちが存在した証を残したかったのだ。写真はネガティブハンド。

南アフリカに起こった文化革新の波

南アフリカにあるブロンボス洞窟の入り口。

最近の研究によると、南アフリカでは急速な文化革新の時期が2度あった。それが7万1000～7万年前に栄えたスティルベイの尖頭器の文化と、6万5000～6万年前のホイスンズプールトの文化だ。この文化の革新期は人口の増加だけでなく、おそらく象徴的知性を持つ人類集団のアフリカからの進出ともつながりがある。ちょうどこの時期は気候変動（→用語集）によって人口密度が揺れ動いていたとされる。人類集団の拡散と収縮は社会的な交流ネットワークの形成に作用し、文化革新の誕生を助け、文化の拡散を後押しした。誕生間もない文化の進化は環境や集団の人口に左右される。

南アフリカ地域は環境や地理的条件が変化し、たくさんの現生人類の小集団が分裂と結合を繰り返した。今から7万～6万年前、このような集団のうちの1つがアフリカ全土に広がり始め、やがてアフリカ以外の旧世界へ広がっていった。彼らはフランスのショーベ洞窟よりも先に、4万年前にはもうアジアのスラウェシ島（セレベス島）にまで象徴を生み出す活動をもたらし、その痕跡を残している。

この集団に属する人だけがL3というミトコンドリア（→用語集）DNAマーカーを持ち、アフリカ人を除く現代人の誰もがこのL3グループの子孫に属する遺伝子的特徴を持っている。このことからアフリカから世界へ広がった現生人類最後の拡散の波は、おそらく明確な言語を巧みに操る集団による6万年前のものと考えられる。

私たちは皆、このアフリカをあとにした開拓者の末裔で、意思伝達を行える言語は地球全体に生存圏を拡大する彼らの秘密兵器だったのかもしれない。言語こそ文化革新の中心であり、そのおかげで現生人類の行動様式や象徴的知性が芽生え、見知らぬ土地へ進出して定住できる能力が養われたのだ。

最も古い痕跡は大概アフリカで見つかっている。世界最古の象徴的オブジェクトもブロンボス洞窟にある。

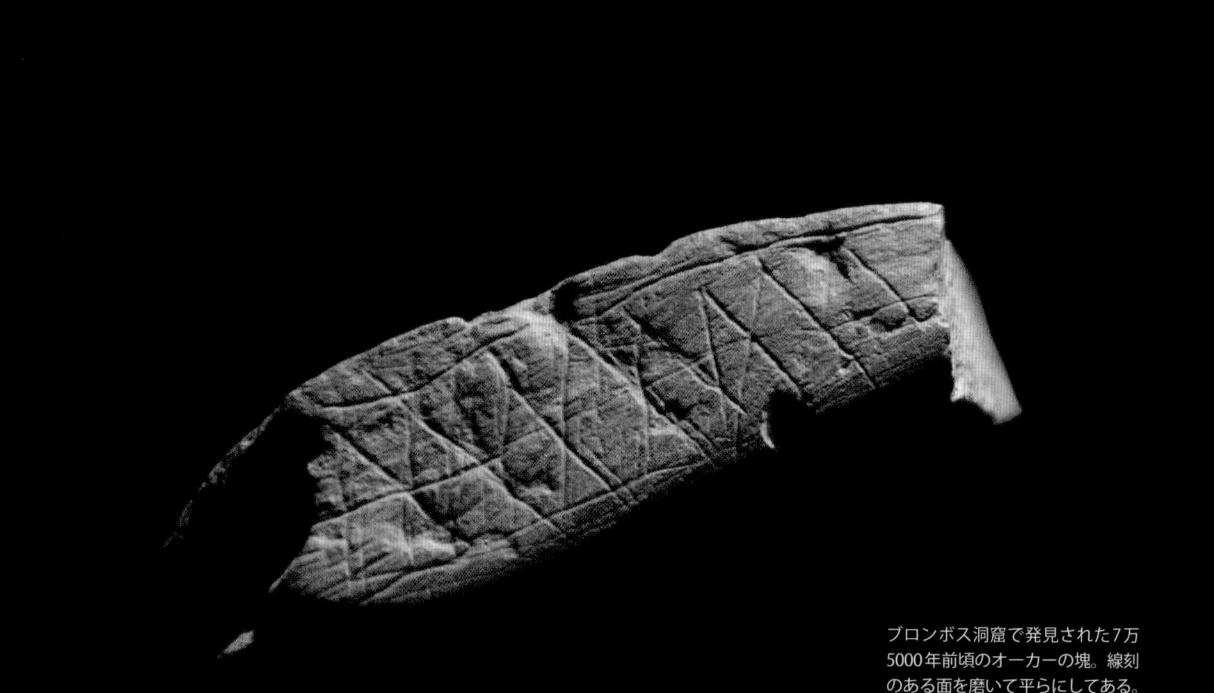

ブロンボス洞窟で発見された7万5000年前頃のオーカーの塊。線刻のある面を磨いて平らにしてある。

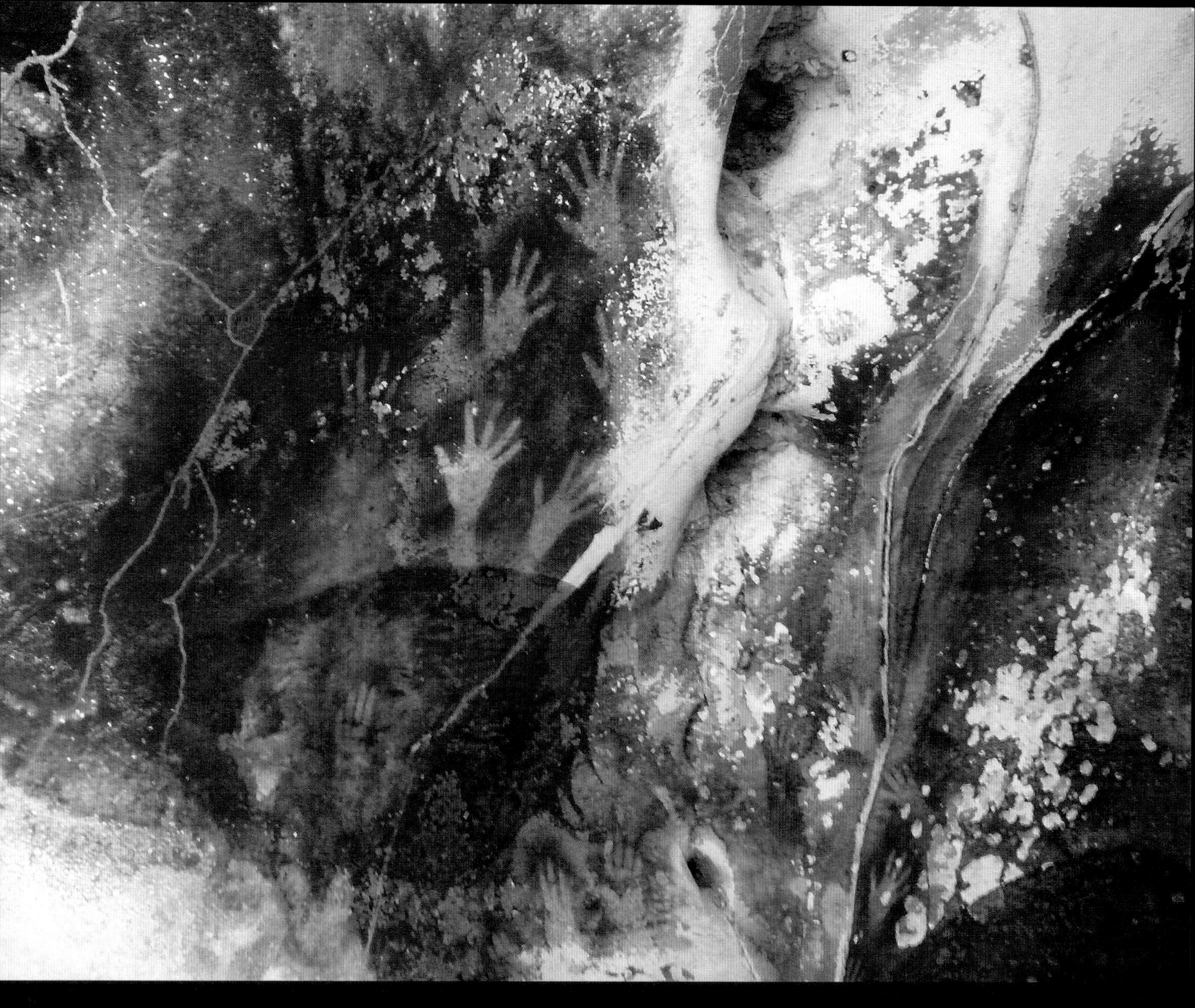

インドネシアのリアンリアン洞窟にある赤色と黄土色の手形（ネガティブハンド）。

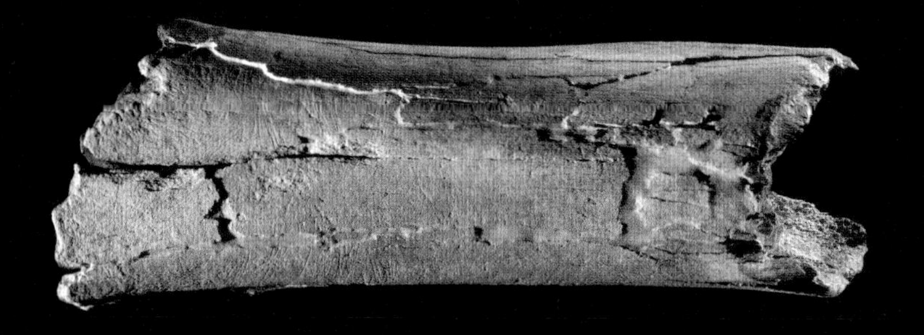

細かな傷だらけのマンモスの骨幹。これを台にして肉や柔らかい有機物（皮、腱、樹皮など）を切断していたに違いない。ルンヌ洞窟にて出土（後期旧石器時代）。

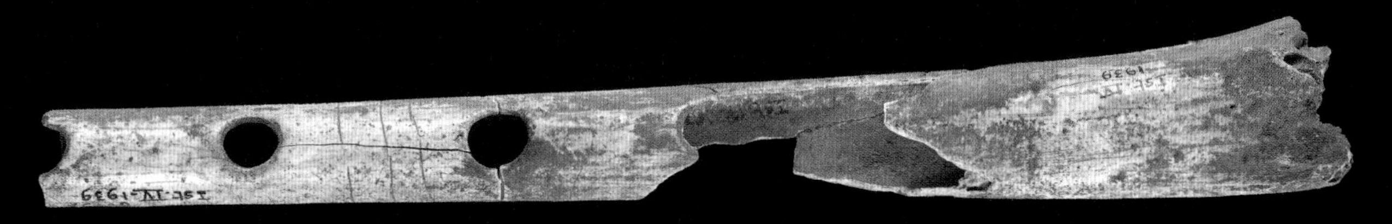

骨の破片に4つの穴を開けて作られた笛。ピレネー=アトランティックのイストゥリッツ洞窟で出土。

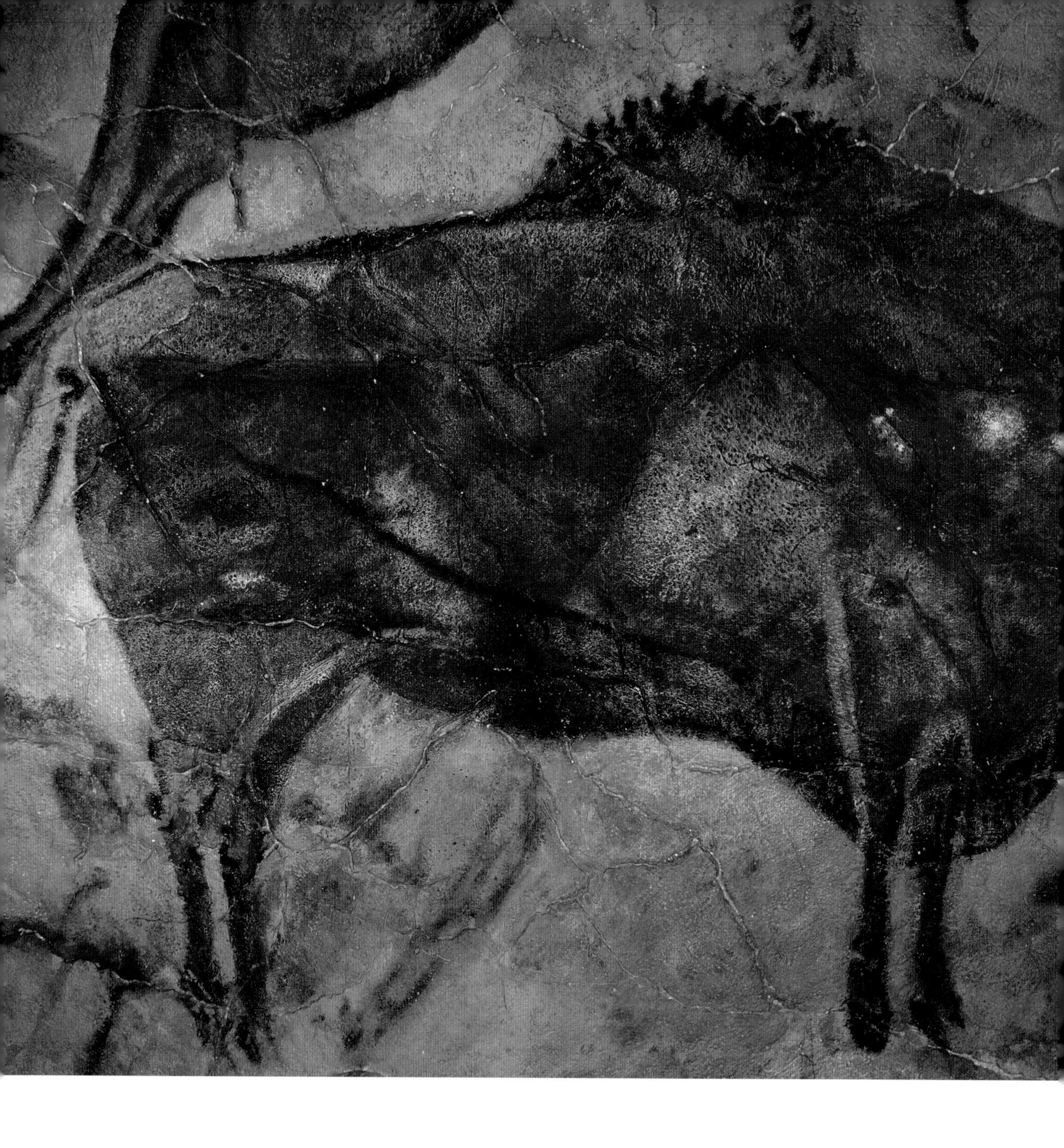

壁画の繁栄

ショーベ（3万6000年前）、ラスコー、カップブラン、エルカスティーヨ、アルタミラのような壁画で飾られた洞窟は何世代にもわたって研究者を魅了し続けている。というのも洞窟内の壁画や彫刻の美しさの裏にある意味はまだ完全に解明されていないのだ。実のところ最もよく登場する動物は、必ずしもその地域で日常的に最もよく狩られていたものではない。

おそらく一部の動物には、象徴的ないし神話的な意味が与えられ、特別視されていたのだろう。壁画の描かれたところまで行くのは必ずしも容易ではなく、進入路が必要な場合もある。岩の配置からすると、揺らめくたいまつの明かりに照らされたとき、壁画の動物はまるで生きているよ

スペインのアルタミラ洞窟に描かれたバイソン（左）とシカ（上）（1万5500～1万3500年前）。

上：ナミビアのトゥウェイフルフォンテーンの洞窟壁画（6000年前）。

うに見えたかもしれない。

なぜ洞窟に壁画を描いたのか。最も有力な説は、そこが人類最初の「神聖な場所」であるというものだ。そこは神話の世界で、シャーマンが自然界の精霊を呼び出して対話する儀式が行われた。壁画に人間はほぼ登場しないが、フランスのアリエージュのレトロワフレール洞窟では1万3000年前に描かれた見事な空想の生き物が見られる。この岩壁に刻まれ、着色された架空の生き物は複数の動物を混ぜ合わせたような姿をしている。おそらく儀式用の服を身にまとった呪術師かシャーマンだろう。

ラスコー洞窟（ドルドーニュ）の「雄牛の間」に描かれた壁画の複製。1万7000年前頃、旧石器時代（→用語集）のマドレーヌ期に描かれた。この洞窟の動物の壁画には神秘的なユニコーンのほか、目を見張るほど多種多様な動物が登場する。ラスコー洞窟は劣化を防ぐために1963年以降一般公開されていないが、現在はラスコーII（1983年）などのレプリカが公開されており、本物さながらの壁画の豊かさと美しさに触れることができる。

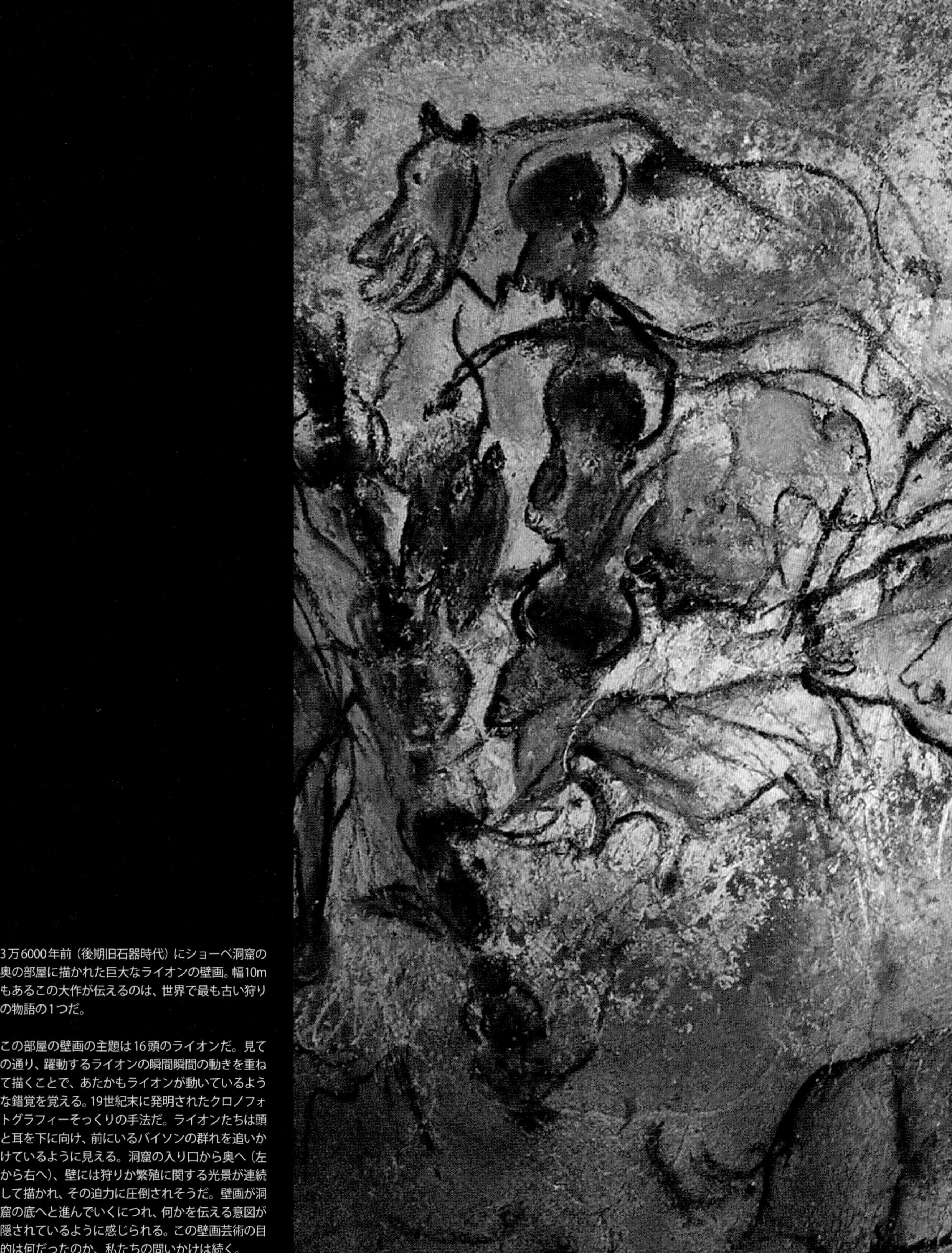

3万6000年前（後期旧石器時代）にショーベ洞窟の奥の部屋に描かれた巨大なライオンの壁画。幅10mもあるこの大作が伝えるのは、世界で最も古い狩りの物語の1つだ。

この部屋の壁画の主題は16頭のライオンだ。見ての通り、躍動するライオンの瞬間瞬間の動きを重ねて描くことで、あたかもライオンが動いているような錯覚を覚える。19世紀末に発明されたクロノフォトグラフィーそっくりの手法だ。ライオンたちは頭と耳を下に向け、前にいるバイソンの群れを追いかけているように見える。洞窟の入り口から奥へ（左から右へ）、壁には狩りか繁殖に関する光景が連続して描かれ、その迫力に圧倒されそうだ。壁画が洞窟の底へと進んでいくにつれ、何かを伝える意図が隠されているように感じられる。この壁画芸術の目的は何だったのか、私たちの問いかけは続く。

彫刻の最初の形態

後期旧石器時代に入ると石器製作技術が飛躍的に進歩した。進歩の過程は数段階に分かれ、最初はただの石のかけらだったものが、次に左右対称に両面加工された優美なアーモンド型をしたものになり、その後、下準備をしておいた石の塊から器用に多種多様な道具を切り出すようになる。石器製作技術の発達によって、スクレーパー（掻器）、尖頭器、ナイフ、木と石を組み合わせた道具、投槍器、槍なども作られるようになった。これらを作るためには技術、正確さ、記憶力が不可欠だ。それがなければ、最適な材料を見つけ、作る段取りを決め、準備を整え、作る対象や道具が完成した形を頭の中に描くことはできないし、作り方を知らない者に教えることもできない。

革命的と思えるほど極めて斬新な活動の出現を目の当たりにしている。

刻み目で装飾されたライオン、小型の馬、マンモスなど、動物をかたどった3万5000〜2万2000年前のとても美しい小さな象牙の彫刻がドイツ南西部のフォーゲルヘルト洞窟で見つかっている。その小ささたるや、人間の高度な知性がなければ作れないものだ。これほど審美性に優れ、精緻なものを作る能力は、生存には直接関係ないが、現代の人間社会に見られる象徴的行動が当時すでにあったことを示している。質と表現力の両面において、当時の人類の手先の器用さには計り知れないものがある。

音楽はそれを聞いて純粋に楽しむ場合もあれば、祭りや儀式の伴奏ということもある。ドイツ南西部ウルム近く、バーデン=ビュルテンベルク地方にあるホーレフェルス遺跡で発見された極めて繊細な骨の笛にも、音楽の喜びはしっかりと刻み込まれている。作られたのは3万5000年前で、現在のところ現生人類最古の楽器だ。ただ70ページで説明したように楽器の使用はネアンデルタール人のほうが古く、5万年以上前の笛がスロベニアのディウイェバーベ洞窟で見つかっている。

現生人類最古の笛は心地よいメロディーを奏でることを、ドイツの研究者たちが復元してよみがえった音色が実証している。私たちホモ・サピエンスを取り囲む生態学的環境は当時から大きく変化し、今では文化的な品々に満ちあふれている。

イタリアのリグーリア州アレネカンディデ洞窟のオーカーで覆われた埋葬やガルガーノのパグリッチ洞窟で見つかった女性と子どもの埋葬など、ヨーロッパに最初に現れた現生人類の人間性が感動的な形で残されている。

3万5000年前頃にマンモスの象牙を削って作ったバイソン像。フォーゲルヘルト洞窟にて出土。

マンモスの象牙を使ったライオンの彫刻。3万3000年前頃のもので、ドイツのフォーゲルヘルト洞窟で発見された。

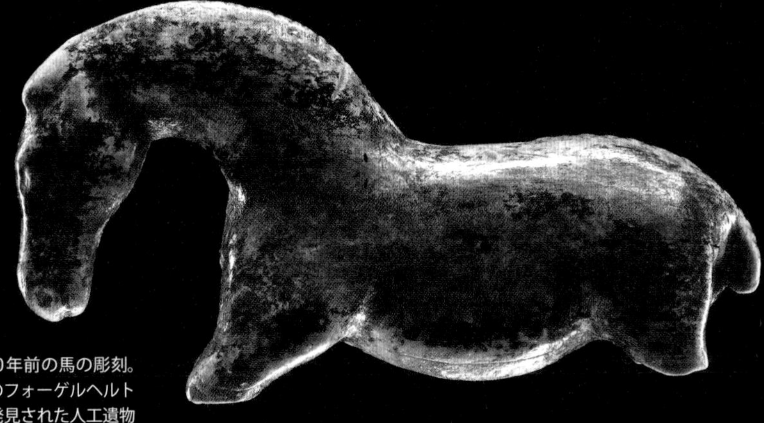

3万2000年前の馬の彫刻。ドイツのフォーゲルヘルト洞窟で発見された人工遺物（→用語集）だ。

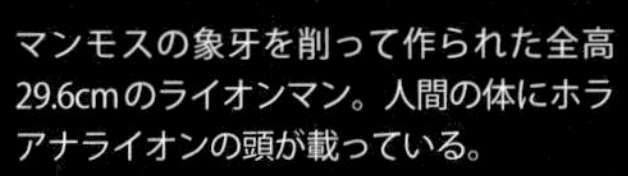

マンモスの象牙を削って作られた全高29.6cmのライオンマン。人間の体にホラアナライオンの頭が載っている。

馬の頭の彫刻の一部。サン=ジェルマン=アン=レー国立考古学博物館所蔵。

2万3000年前のグラベット期にマンモスの象牙を削って作られたブラッサンプイの女性頭部像。「頭巾の女性」とも呼ばれる。

最初の埋葬儀礼

最愛の人や村の長を身の回りのものとともに埋葬する。これは従来見られなかった知性、共感能力、抽象概念（死後の世界へ行くという想像）、推移性（自分に起こったことは、すべての人に起こるという思考）の現れを示す新たな兆候だ。

モスクワから東へ200km離れたスンギールで現生人類の豪華な墓が発見された。この墓の年代は3万年前か2万8000年前とされ、旧石器革命のあらゆる創造性と信仰の共有が見て取れる。

墓には55～65歳の男性、若者、女の子の遺体が並べて埋葬され、死後の旅への支度として、小型の馬をはじめとする動物の彫像、象牙の玉で刺繍した服、まっすぐに削られたマンモスの牙も一緒に埋められていた。これらを用意するには、どれも大変な手間と時間がかかったことだろう。

これほど価値があり、凝った工芸品を生み出せるのは、高度に組織化された狩猟採集民の社会だけだ。スンギールの文化は厳しい風土に適応し、マンモス狩りを生活の糧としてロシアの平原に栄えたが、マンモスがいなくなると同時に消滅したと考えられる。

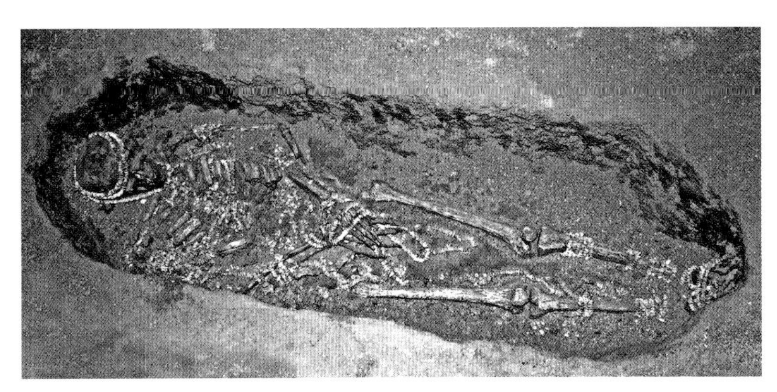

ロシアのスンギール遺跡で発掘された墓の1つ。この墓の注目すべきところは象牙などの装飾品の荘厳さと洗練されたデザインだ。

イタリアのアレネカンディデ洞窟で発見された「若き王子」の墓。貝を並べた頭飾りと鹿の角に穴を開けた棒が一緒に埋葬されていた。

左ページ：2万4000年前に亡くなった若い男性の墓。埋葬品から、この男性が社会の重要人物だったことが分かる。アレネカンディデ洞窟（イタリア）

オーストラリアへの進出

ヨーロッパで旧石器革命が起こる直前、同じ現生人類ながら異なる文化を発達させた人類が、6万年前の最後の出アフリカの波に乗り、アフリカを出て地球の陸地の大半に進出し定住していた可能性がある。その頃にはもう旧世界は現生人類にとっても狭くなりすぎていた。

6万〜5万年前は海面が低く、現在のインドネシア諸島西部はスンダランドという1つの平野を形成し、遠くバリ島まで陸続きになっていた。だが現在のオーストラリア、ニューギニア、タスマニア島で構成されるサフルと呼ばれる超大陸にはつながっていなかった。サフル大陸へ行くには、当時も島々からなる海域世界を形成していたウォーレシアに位置するスラウェシ島やティモール島などを経由し、70〜100kmもある海峡を渡らねばならなかった。なおスンダランドとウォーレシアの境界は、動物分布の違いに基づいてひかれたウォーレス線が基準となっている。サフル大陸の一部を目にするには、まずウォーレシアの最東端に位置する島々にたどり着く必要があったろう。

それでも現生人類の中に、6万〜5万年前に海峡を越えた部族がいくつかあったのだ。このことはのちに、パプアニューギニア東部のボボンガラ沿岸の遺跡やオーストラリアのニューサウスウェールズ州マンゴ湖の遺跡から遺体が見つかって判明した。そこは「マンゴレディ」と「マンゴマン」と呼ばれる埋葬人骨が見つかった場所でもある。

最初の移住者は未発達の技術による航海を試みたのかもしれない。おそらく丸太やイカダに乗ってニューギニアやオーストラリア北部アーネムランドの海岸にたどり着いたのだろう。実際そこには非常に古いアボリジニの壁画やペトログリフ（岩面彫刻 →用語集）が残っている。

インドネシアに暮らしていた集団が魚を捕るために航海しているときに水平線の向こうに岸を発見し、探検したのかもしれない。留まることを知らない現生人類の台頭は、新しい大陸への到達によってさらに拍車がかかった。これがオーストラリアの大叙事詩、人類拡散の歴史の中でもひときわ興奮に満ちた物語の始まりだ。

オーストラリアのカカドゥ国立公園で発見された洞窟壁画。

オーストラリアの現生人類

（番号は西→東の順）

1 ニア洞窟
4万5000年前

2 マロス
4万年前

3 ボボンガラ（フオン半島）
5万8000年前

4 マラクナニャ
5万2000年前

5 カーペンターズギャップの岩窟住居1号
4万年前

6 スワン川上流
4万年前に居住

7 クーナルダ洞窟
2万年前

8 マンゴ湖
4万5000年前

9 キーロー
4万年前

10 ビギナーズラック洞窟
4万～3万年前

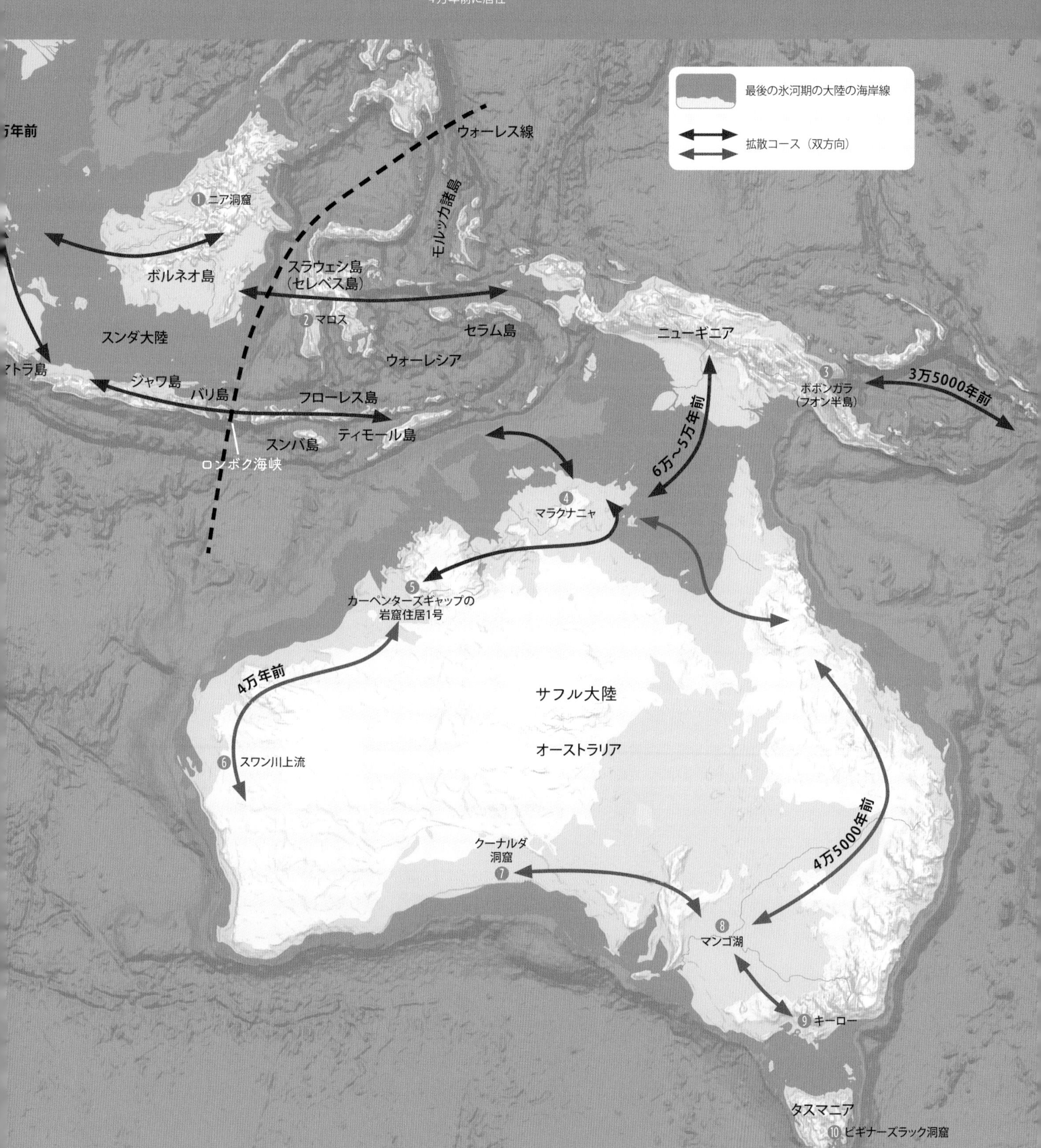

ボルネオ南東部のマンカリハット半島には、フランス人考古学者リュック=アンリ・ファージュによって発見された装飾洞窟が30あまりある。その1つ、グアハム洞窟には、365個を超える手形（ネガティブハンド）とともにヒトの姿のようなものや動物の壁画が残されている。

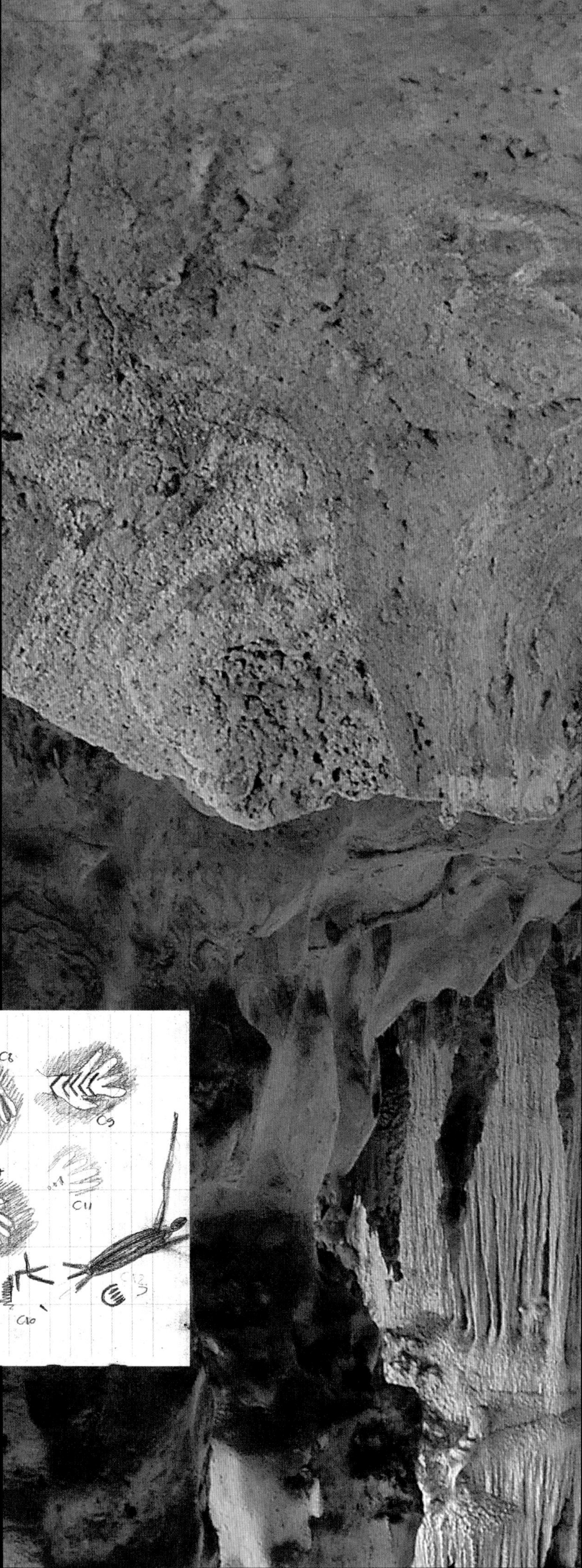

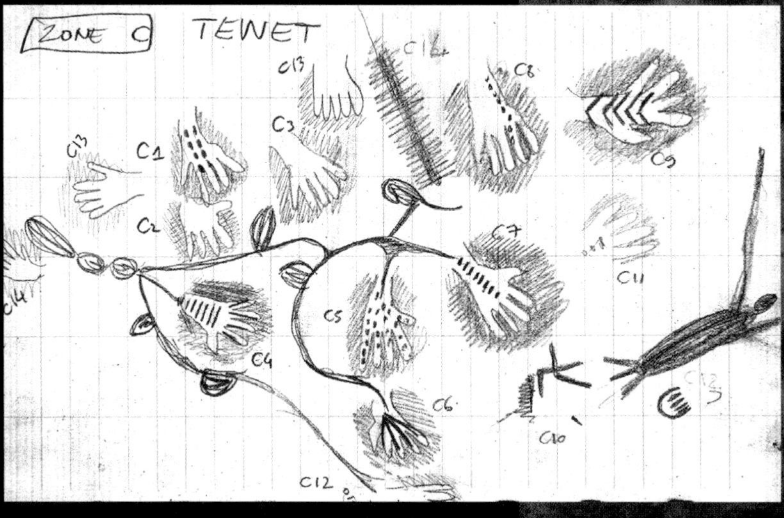

上：ボルネオ島のカリマンタンにある、素晴らしいグアテウェットの「生命の樹」。

オーストラリアのアボリジニの祖先

人類が海を渡ってサフル大陸へ進出した時期は、地中海で現在のところ最も古い船が作られた年代より少なくとも3万年ほど早い。南太平洋のビスマルク諸島やソロモン諸島で見つかった最古の人類の遺跡は今から3万年ほど前のもので、サフル大陸への進出よりも新しい。となるとオーストラリアのアボリジニの祖先は誰だろうか。出土した品々の豊富さやその年代から、初期のオーストラリアの狩猟採集民はマンゴ湖周辺に暮らしやすくて資源が豊富な環境を発見したと推測される。そこに早ければ5万8000年前から、確実なところでは4万年前には居住していた。大量の獲物の残骸が出土するだけでなく、2万6000年前までさかのぼる最初の火葬の証拠さえある。それよりわずか数千年新しい居住地跡の多くが、見事なペトログリフや彫刻に彩られている。どれもオーストラリアに最初に到達した人々の素晴らしい創造力と表現力の証明だ。

現生人類がオーストラリアに到着して数千年後、その裏側のクロマニョン人が暮らすヨーロッパでも、象徴を用いた活発な芸術的活動の証拠が見つかっている。動物が連綿と描かれた3万年前のペトログリフ、4万年前と推定される素晴らしい洞窟壁画、バオバブの実に彫られた動物のモチーフなど、どれも最初に移り住んだ者たちがすでに現生人類の芸術的、象徴的な表現手法を完全に身につけていたことの紛れもない証だ。これは全地球規模の現象で、同じ時代の絵画がスンダ大陸とサフル大陸の間にあるスラウェシ島（セレベス島）でも発見されている。

オーストラリアのニューサウスウェールズ州イェンゴ国立公園で発見された洞窟壁画。

右ページ：オーストラリアのニューサウスウェールズ州スウィントンズシェルターの壁面には800を超える手形が残されている。

解き明かされた数千年の歴史

1960年代前半にオーストラリア北東部クイーンズランド州のケニフ洞窟を発掘したところ、1万9000年にわたる長い期間の人工遺物が2万点発見され、オーストラリアの歴史が数千年遡ることが初めて明らかとなった。さらに5000年前以降は鋭い細石器を使った槍先の製作など、オーストラリア独自の革新の形跡も見られる。発見された人工遺物は、刃物、掻器、柄つきナイフ、斧、尖頭器、幾何学的細石器、砥石、レッドオーカーのかけらなど種類が豊富なことから、それまで想像するしかなかった太古のアボリジニたちの世界の実際の姿を考古学的に復元することができた。一連の口承文化もその頃に生まれた。人類文化は万華鏡のような多様性を誇るが、その中でもアボリジニの口承文化は一際独特だ。その大きな目的は彼らの始まりの物語を伝え、自分たちが暮らす土地への愛着を歌うことだった。

上：精霊ウォンジナを描いた壁画。もともとの絵は古いが、アボリジニにはウォンジナの霊を生かし続けるために塗り直す習慣があったのだろうと研究者は推測している。西オーストラリア、キンバリーのウンヌムラ渓谷。

左ページ：カカドゥ国立公園で発見された洞窟壁画。X線画法というその名の通り、体の内部を透かしたように描かれていることで有名だ。

その頃には旧世界ですら
手狭になっていた。
現在地中海で最も古いとされる船より
少なくとも3万年古い時代に、
早くもインドネシアの人々は
水平線の向こうにある大陸を
探索していたのだ。

上：オーストラリアのアーネムランドにあるナワルラ・ガバルンマン洞窟で発見された壁画。

壮大なアメリカ進出史の始まり

氷河期の間、北東アジアの東端に突き出たチュクチ半島からアラスカまでの地域は、2000kmにわたり陸続きになっていた。この陸地をベーリンジア（ベーリング地峡）といい、北極からの風が吹きすさぶ荒野に毛深いマンモスが生息していた。だが今は、かつて暮らしていた人類の遺跡とともに海へと沈んでしまっている。

その前の数千年間、モンゴルとカザフスタンの中央草原を支配する南アジア系の一派がいた。彼らはマリタ文化やアフォントバ・ガラ＝オシュルコボ文化を形成し、東西へ勢力を拡大した。一方は東ヨーロッパへ下り、もう一方はカムチャツカ半島へ近づいていった。さらに彼らとは別の集団が太平洋東岸から朝鮮と満州を通って北上してきた。

現在のところ東シベリアで発見された最古の狩猟採集民の社会は、3万5000年以上前のジュクタイのものだ。この時期、北東回廊はおそらく通行可能だったと考えられる。早ければおそらく約2万5000年前、何度かの波に分かれてシベリアの狩人たちはベーリング地峡を渡り、そこに腰を落ち着けたと思われる。その後、マンモスやカリブーの群れを追って北アメリカへ入り、一時的に氷河が溶けて通れるようになったカナダのセントローレンス川沿いか、魚が豊富で入り組んだ北太平洋の海岸伝いに南下した。

2万2000年～1万8000年前にまたも気候が寒冷化すると拡散にブレーキがかかり、北アメリカ大陸中西部のグレートプレーンズまで到達していた最初の移住者は孤立した。たぶん1万8000年前のペンシルベニア州メドウクロフトや1万6000年前のバージニア州カクタスヒルの遺跡で見つかる人類の痕跡は彼らが残したものだろう。

現在は絶滅しているゾウ科に属するケナガマンモスの骨格。その骨と牙を使って狩猟採集民は道具や装飾用品を作っていた。ケナガマンモスは食料としても狩られていた。

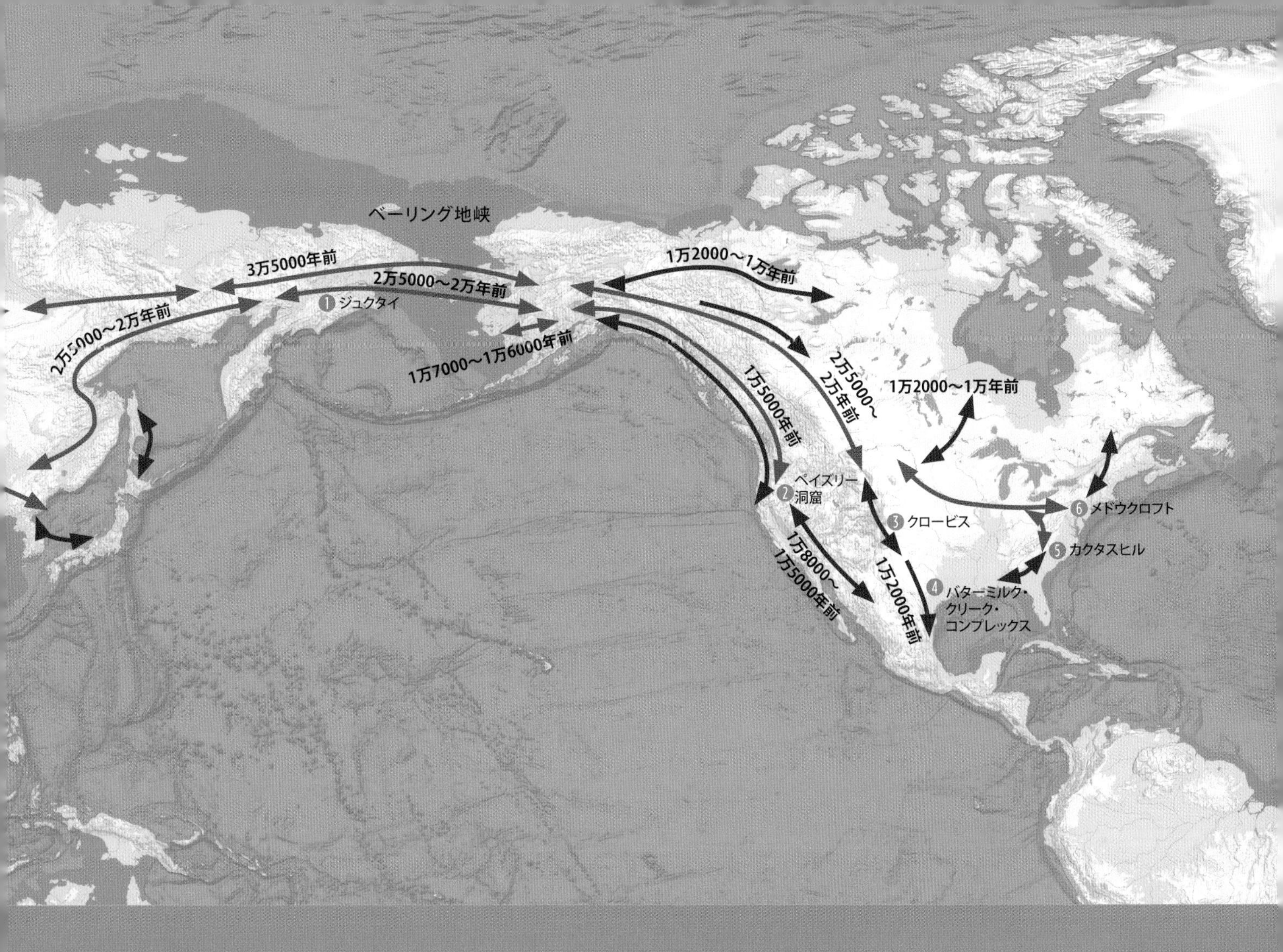

北東回廊

（番号は西→東の順）

1 ジュクタイ
3万～2万5000年前

2 ペイズリー洞窟
1万4000～1万2000年前

3 クロービス
1万1500年前

4 バターミルク・クリーク・コンプレックス
1万5000年前

5 カクタスヒル
2万～1万7000年前

6 メドウクロフト
1万9000～1万6000年前

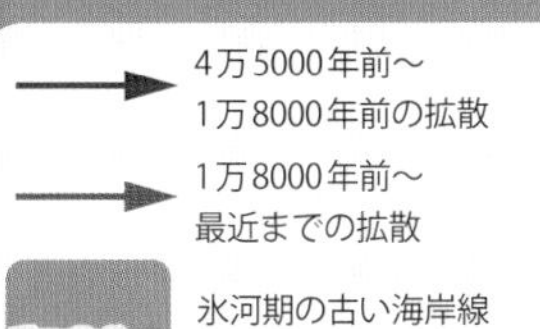

クロービス尖頭器

1万3300～1万2800年前の北アメリカ大陸ではパレオ・インディアンと呼ばれる狩猟民の文化が栄え、約1万2000年前にはその跡を継ぐフォルサムという狩猟文化が現在のニューメキシコ州に現れた。

この2つの文化の特徴は、同文化の主要な遺跡から名づけられたクロービス尖頭器と呼ばれる固有の石器と高度な社会組織だ。

生物学的に現在のアメリカ先住民の血液型はO型の割合が極めて高い。これは最初のアジアからの移住者の数が少なかったことと遺伝子浮動によるもので、大陸規模での創始者効果が起こったことを物語っている。

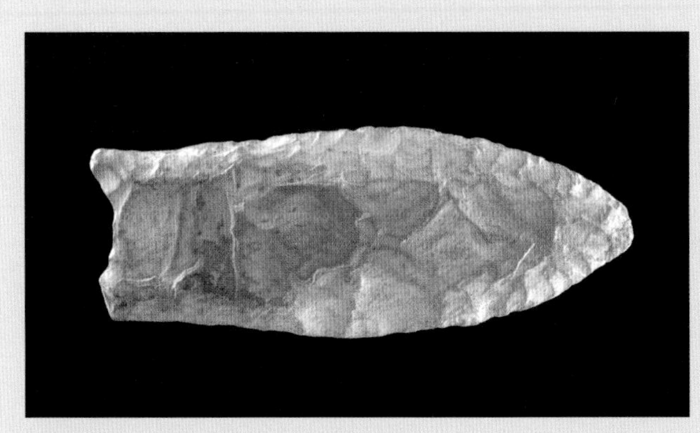

典型的なクロービス尖頭器。北アメリカに暮らしていた旧石器時代の集団が槍先として用いた。

南北アメリカへの進出

（番号は北→南の順）

1 タイマ＝タイマ
1万4000～1万年前

2 ウアカプリエタ
1万4000年前

3 ボケイラン・ダ・ペドラ・フラダ
1万5000～1万4000年前

4 モンテベルデ
1万3000年前

5 ミロドンの洞窟
1万5000～1万4000年前

6 ヤマナ
8000年前

アメリカ全域への定住

1万6000〜1万5000年前にかけてアメリカ先住民の祖先は小さな集団に分かれて南下を続け、ミシシッピ川流域、現在のフロリダ州、カリフォルニア州に住み着いた。その後南アメリカに進出し、1万3000年前にはベネズエラ沿岸のタイマ=タイマに狩猟民が定住した。ブラジルには1万2000〜1万年前（おそらくブラジルのピアウイ州のボケイラン・ダ・ペドラ・フラダはそれ以前）から定住が始まった。特にチリ南部のモンテベルデでは、早くも1万3000年頃には人々が暮らしていたことが遺跡から分かっている。アジア起源の人々は太平洋海嶺沿いにベーリング地峡を伝って繰り返しアメリカに到来し、そこからハイダ、ナバホ、アパッチをはじめとするナデネ文化の北西諸部族が誕生した。

それより遅れてシベリアの別の集団がアメリカ最北部へ進出し、イヌイットやアリューシャンの集団を形成した。一方、川を伝ってアマゾンに進出した一団は多様化し、グアラニー族やアラワク族、ヒバロ族といった集団が何百も生まれた。

カリブ諸島へは4000年前頃に進出し、さまざまな文化と土地利用の方法が現れた。南アメリカの南端に向けた拡散はカリブ海よりも先に進み、人類はアンデス山脈の谷間や大西洋沿岸を伝ってティエラデフエゴに達し、9000〜8000年前頃にヤマナ文化が誕生した。

南アフリカの洞窟やエチオピアの谷から拡散を始めた人類は、長い年月の果てにとうとう南アメリカの南端まで到達したのだ。

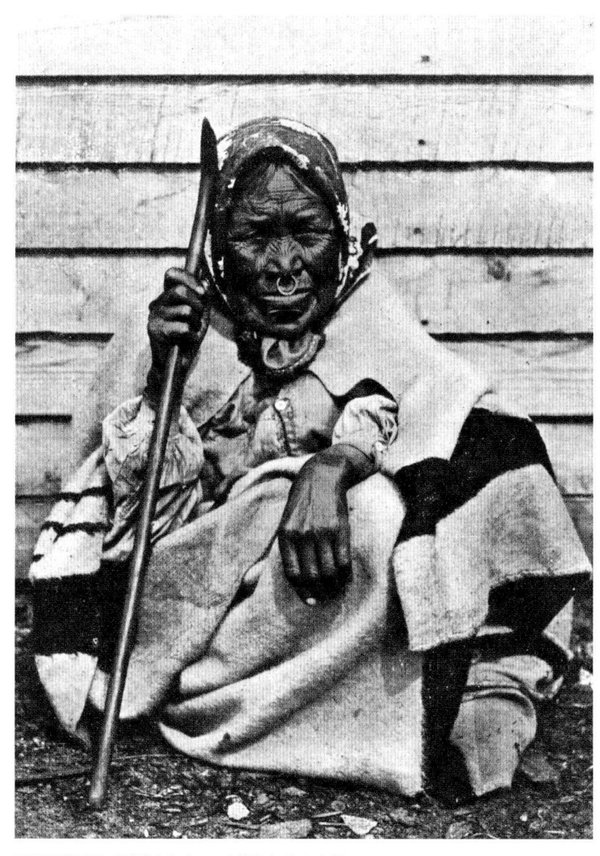

20世紀初頭に撮影されたハイダ族出身の女性。

チャールズ・ダーウィンが英国の軍艦ビーグル号で航海したのちに制作された、フエゴの先住民族（ヤマナ族）を描いた版画（1839年）。

オーストラリアとアメリカで起こった大型動物の絶滅

サフル大陸やアメリカ大陸など、人類が未踏の「新世界」に到達すると、それまでの生態系に大きな変化が起こった。アボリジニの先祖はニューギニアからタスマニアまで進出する際、沿岸部からオーストラリア大陸内部へ至る道すがら、火を積極的に用いて環境を変えていった。優れた狩人だったことから、大型有袋動物（ディプロトドン、ジャイアントカンガルー、フクロライオン、ウォンバット、パロルケステス）と大型走鳥類で構成されるオーストラリアの「大型動物相」が絶滅する大きな要因となった（気候が絶滅に拍車をかけた可能性もある）。

はじめに現生人類の狩りの犠牲となったのは、飛べない大型鳥類だった。人類は彼らの肉と卵を食べ、絶滅へと追いやった。こうした大型鳥類はオーストラリアだけでなく太平洋やインド洋の多くの島に生息していたが、これほどの規模の捕食者に遭遇したことはなかった。

こうした経験豊富な狩りの達人と無防備な捕食性の野生動物との遭遇はアメリカでも起こった。まだ古代の人類が足を踏み入れる前の広大な草原には、多種多様な肉食および草食の哺乳類（マストドン、ホモテリウム、ミロドン、ミユビナマケモノ、グリプトドン〈強力な鎧を着た大型のアルマジロの一種〉、大型のバク、スミロドン、ライオン、ジャイアントショートフェイスベア、ジャイアントビーバーなど）がバランスを保って生息していた。

それが約1万2000年前、最後の氷河期の終わりと最初のクロービスの狩猟民の到来と時を同じくして、北アメリカで57種類の大型哺乳類が数千年の間に絶滅し、南アメリカではさらに多くの哺乳類が絶滅した。そうした動物の中にはウマもいる。ウマは、かつてアメリカに生息していたが、絶滅に追いやられ、数千年後にスペイン人によって再び持ち込まれたのだ。狩猟採集民だった最初の人類の集団はカリブ諸島でも侵略行為を行った。進出した土地の獲物を取り尽くすと別の土地に移動して同じことを繰り返した。

ゲニオルニスは体重200kg、背丈が2mを超え、短くてしっかりした脚ととても硬いくちばしを持つオーストラリアの大型鳥類で、現在のアヒルやガチョウに近い絶滅種だ。最近になって卵を調べたところ、ゲニオルニスの絶滅と狩猟を行う人類の到来とオーストラリアで人類が火を積極的に用いたこととの関係が明らかになった。実際、気候の変化だけが絶滅の原因であれば、それ以前に起こった環境危機をなぜ生き延びられたのか説明がつかない。

かつてオーストラリアに生息していた大型動物のイラスト。奥からディプロトドンのつがい、パロルケステス、一番前がジゴマトゥルス。これらの大型有袋哺乳類は更新世のオーストラリアに生息していたが、1万年前頃に姿を消した。

アメリカの大型動物の代表格だったサーベルタイガーも約1万年前に絶滅した。体重は400kgにもなり、草原で生息し、顎は120度開くことができた（現生肉食性哺乳類の顎は65度程度）。大型の獲物にも襲いかかり、その強力な顎で頸動脈や気管を噛み切った。だが人類の進出を前にしては、自慢の顎を持ってしても絶滅を逃れることはできなかった。

人間によって絶滅に追いやられた大型動物たち

オーストラリアに生息していた最大級の大型有袋類ディプロトドン。

南アメリカに生息していたアルマジロの仲間、グリプトドン。巨大で、硬い鎧をまとっていた。

最後の氷河期の終わりと時を同じくして、北アメリカだけでも57種の大型哺乳類が絶滅した。

オーストラリアに生息していた大型鳥類ゲニオルニス・ニュートニ。短くてしっかりした脚と非常に硬いくちばしを持つ。体重が200kg近くあり、背丈は2mを超えていた。

大きく口を開けた勇猛なサーベルタイガーの一種、スミロドンの復元像。ロレンツォ・ポセンティ制作。

年表
6万～1万2000年前

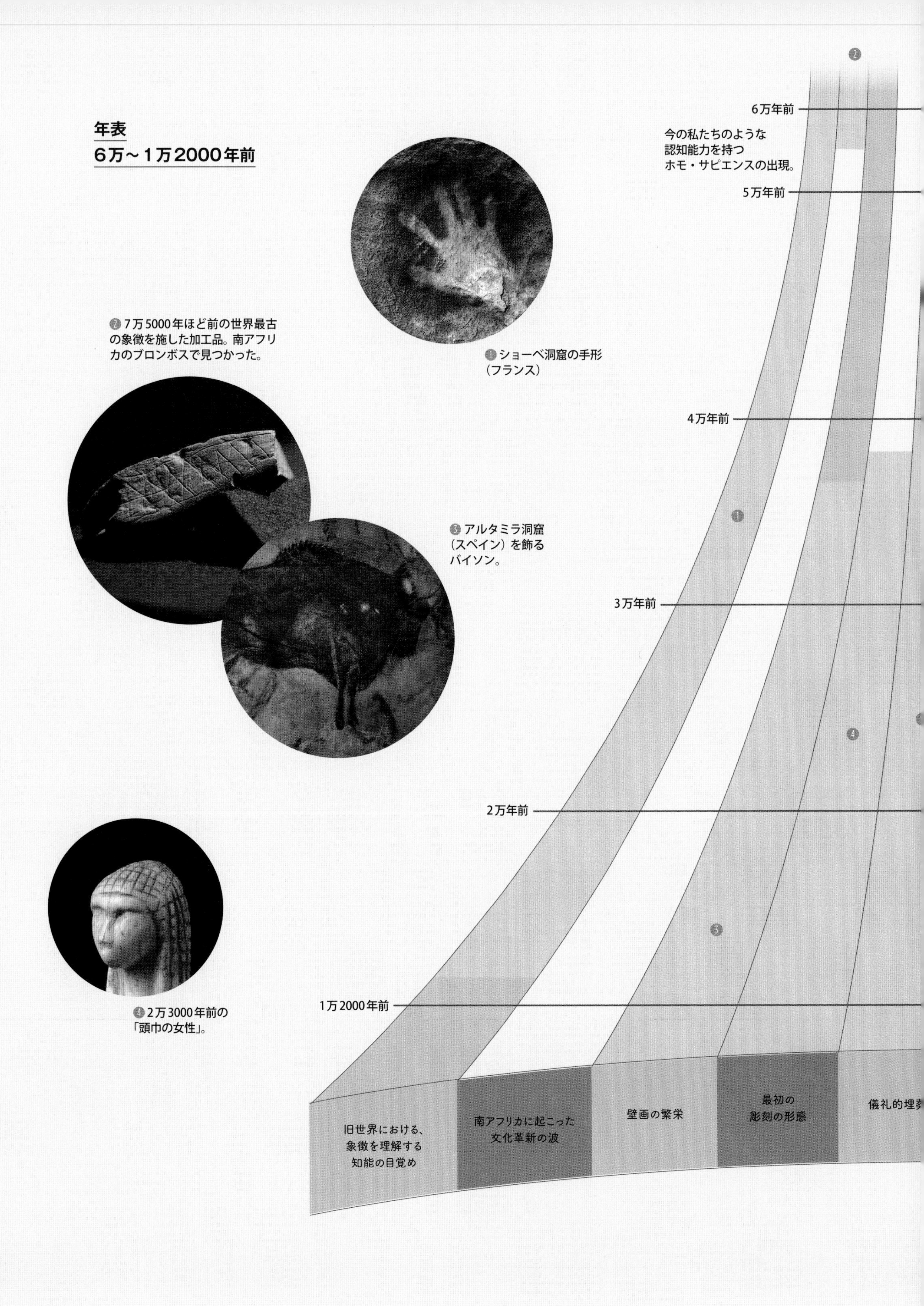

❶ショーベ洞窟の手形（フランス）

❷7万5000年ほど前の世界最古の象徴を施した加工品。南アフリカのブロンボスで見つかった。

❸アルタミラ洞窟（スペイン）を飾るバイソン。

❹2万3000年前の「頭巾の女性」。

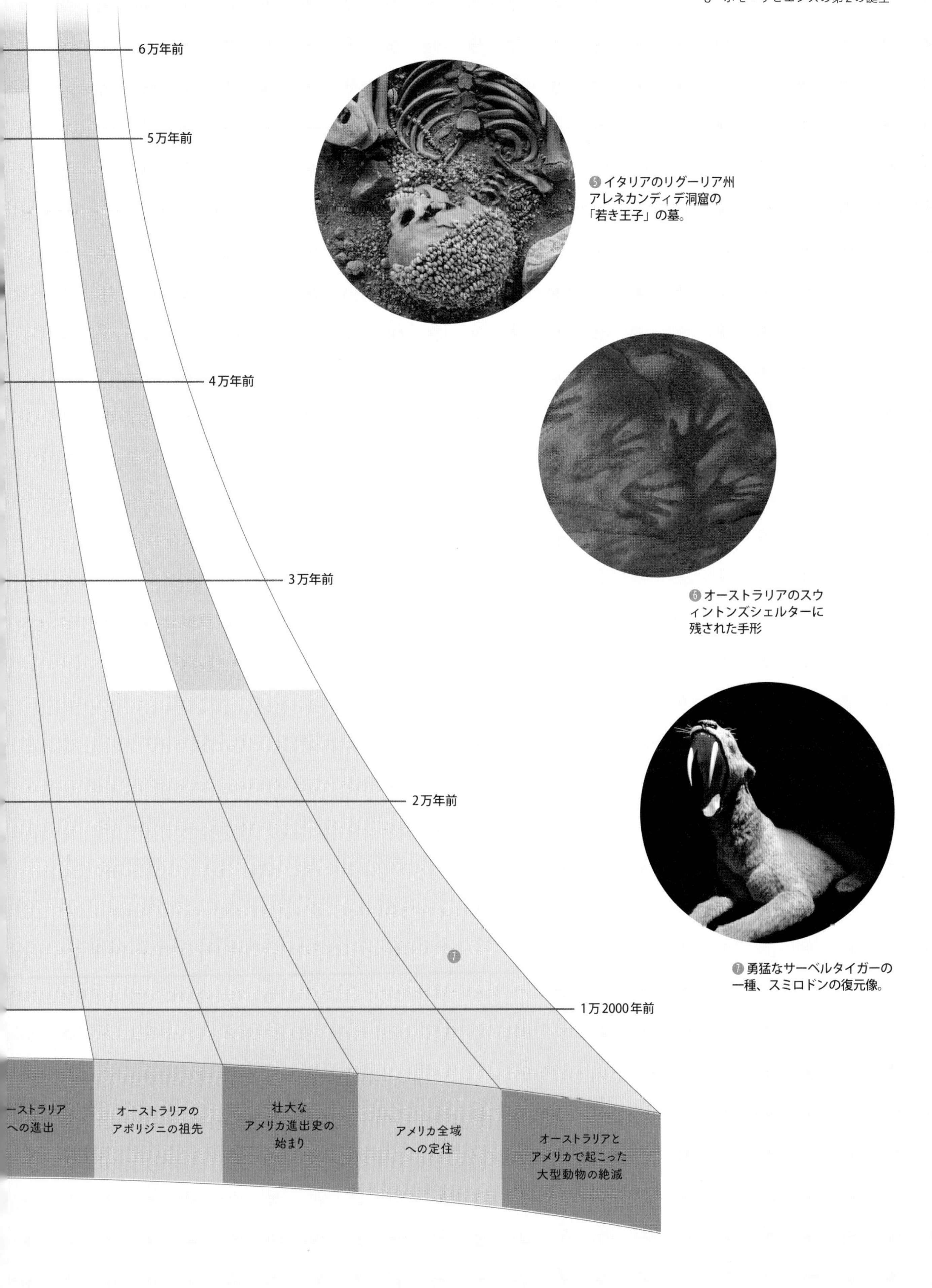

❺イタリアのリグーリア州アレネカンディデ洞窟の「若き王子」の墓。

❻オーストラリアのスウィントンズシェルターに残された手形

❼勇猛なサーベルタイガーの一種、スミロドンの復元像。

4　新石器革命と世界への拡散

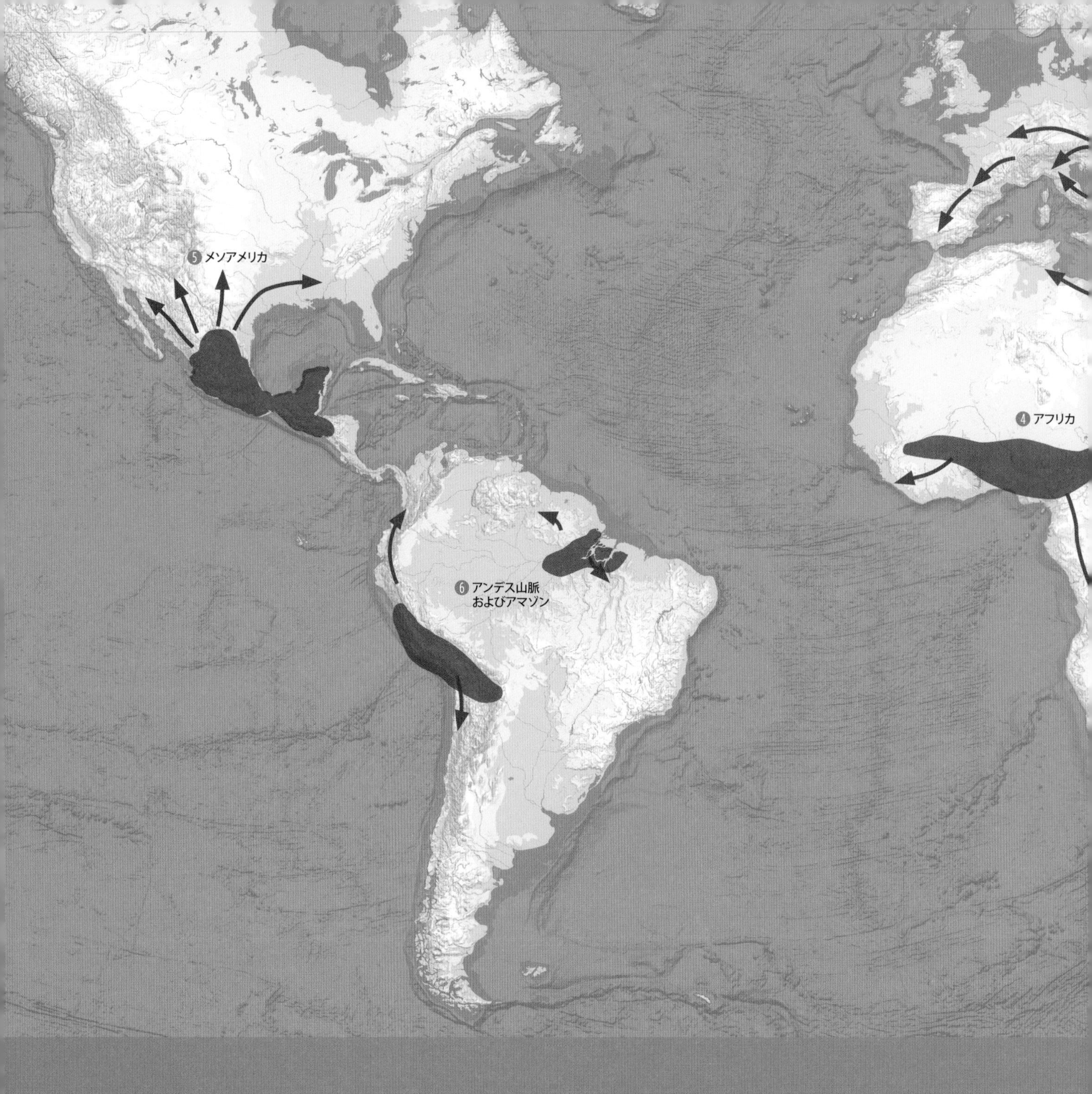

世界各地で起こった農耕革命

1万1500年ほど前、氷河が後退を始めた。最後の氷期の厳しさが和らぎ、気候が穏やかになると、氷期に適応して生き延びた人類の集団に人口増加を加速させるチャンスが到来する。環境が良くなると、数世代の間に猛烈な勢いで人口が増加した。

人口増加に伴って、自然から得られる食べ物だけでは足りなくなり、それが農業や畜産の発展につながったと考えられる。中石器時代に食料の管理と保存方法が改良されていたが、そこから一歩進んで、以前から食べていた野生の植物を栽培し、狩っていた特定の動物を飼育するようになる。こうして食料生産が始まった。

植物の栽培や動物の家畜化は世界各地で起こり、それがやがて全地球規模の大きな変革のうねりとなる。人類は自らのニーズに合った植物や動物を選び、交配や交雑を繰り返して動植物を望む形に変えていった。

植物の栽培や動物の家畜化は中東に限ったことではなく、1万2000〜7000年前に世界各地で何度も起こった。対象となった動物種や植物種も地域によって異なる。ただユーラシア大陸は西から東へ同じ緯度に広がり、気候も全体的に温暖だったことから、広い範囲に同じ動物や植物が生息し、ユーラシア全体で同じ動植物の家畜化や栽培、異なる文化間で技術の交換が進んだ。こうして農耕革命は成功を収めた。ヨーロッパ、インダス川流域、地中海沿岸に中東起源の農民が拡散したことを示す遺伝的痕跡が残っている。

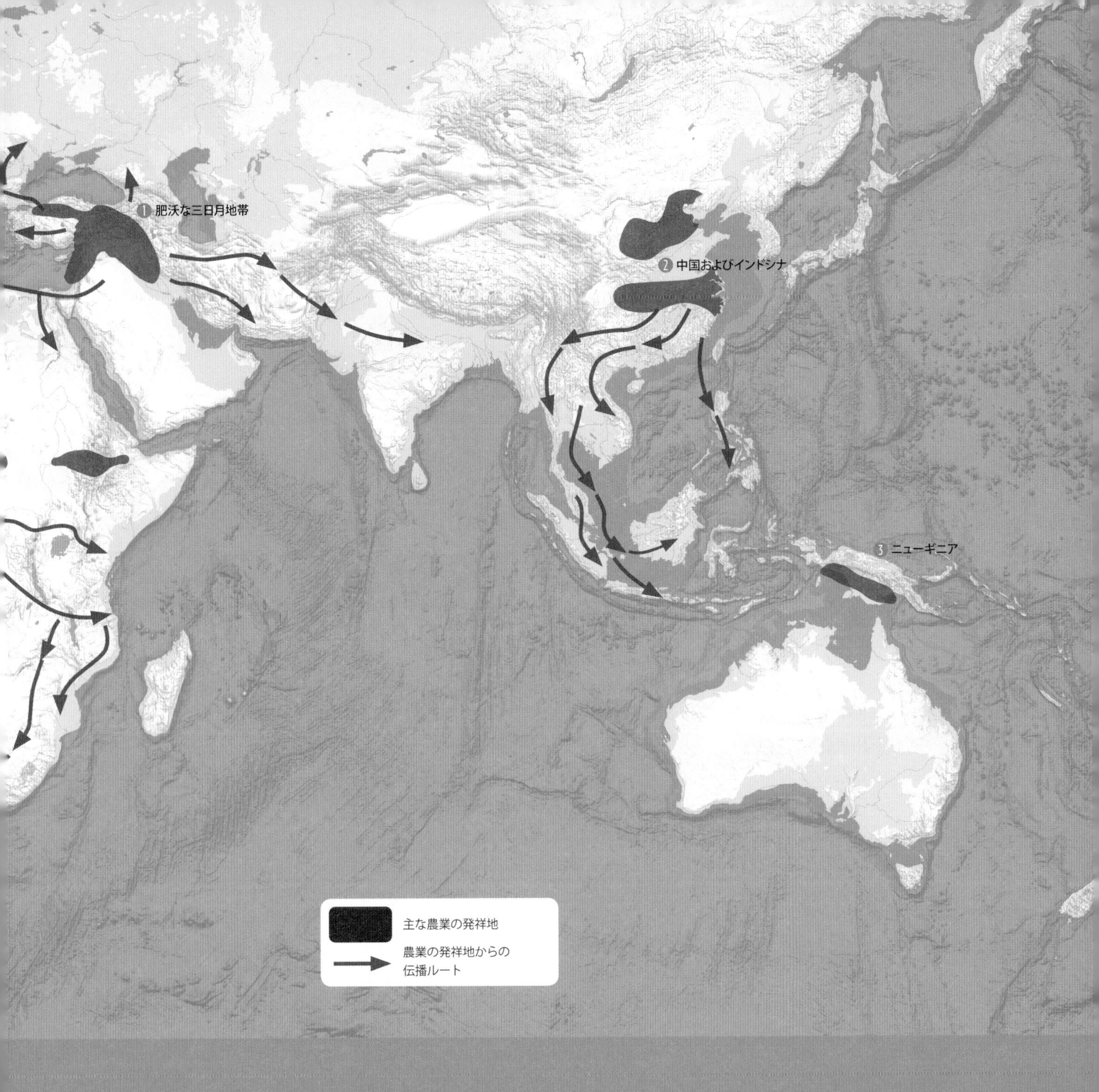

（番号は古→新の順）

① 肥沃な三日月地帯
1万500年前頃、
小麦とオリーブの栽培

② 中国およびインドシナ
9500年前、
米とキビの栽培

③ ニューギニア
9000年前、
サトウキビとバナナの栽培

④ アフリカ
7000年前、
サハラ周辺地帯とエチオピア、
モロコシ（ソルガム）とコーヒーの栽培

⑤ メソアメリカ
5500年前、
トウモロコシと豆の栽培

⑥ アンデス山脈およびアマゾン
5500年前、
ジャガイモとキャッサバの栽培

この農業の拡散現象は、アメリカ大陸のように南北に伸びる大陸や熱帯地方では確認されていない。緯度が変わると気候と植生が大きく変わる。この生態系の違いが障壁となって畜産と農業の拡散を妨げたのだ。

いずれにせよ、人類の大躍進は世界のいくつかの地域で続いた。もしネアンデルタール人（→用語集）やフローレス原人があと数千年生きていたら、耕された畑やチャタルヒュユク、テルアッスルターン、ジェリコといった人類初期の都市を見て目を輝かせただろう。とはいえ彼らに耕作や牧畜が行えなかったと誰がいえよう。現生人類の多くが牧畜や農耕を営むなか、同時に狩猟採集を続ける集団もいたのだ。

ヨーロッパの農業

現代の遺伝子解析技術を用いれば、短期間であっても、また世界各地の狭い地域であっても、画期的な結果が得られる。ヨーロッパ人を遺伝子解析したところ、中東、おそらくアナトリアから人々が移住してきたことが分かった。この発見は農業を行い、集落を形成する定住型の集団がヨーロッパ大陸中に広がったのと一致する。先住民はこの農耕民と接触し、生活様式が変わったのだろう。彼らの到来とともにヨーロッパの人口は1000倍に増えた。

この流れを時系列に見ると、まず新石器時代（→用語集）に入り、中東に暮らしていた集団がペルシャ・インダス川流域方面とアフリカのサハラ砂漠北部方面の2つの軸に沿って拡散していった（小麦の栽培の拡散と同時に）。この拡散は実際の人々の移動を伴う物理的なものであるだけでなく、技術の進歩や新たな生態系の活用法の伝播という文化の拡散でもあった。

当時のヨーロッパには「中石器時代」の集団が暮らしていた。彼らは数千年前にヨーロッパにやってきた狩猟採集民の子孫で、初期の農耕民族がもたらした生物学的、文化的な影響をもろに受けた。だがすでに先住民の間では食料や資源のやりくりや貯蔵方法の改善が始まっていた。

疎外される場合もあったが、農耕集団に吸収されたり、文化的な影響を通じて新しい生活様式に自ら転換した場合も多い。とはいえ農業は世界にあまねく拡散したわけではなく、歴史的状況のみならず気候や環境の制約を受けた。実際、南アフリカやチリなど一部の地域では、農業革命は起こらなかった。

イタリアのムジェロにあるビランチーノ遺跡から出土した砥石。

ヨーロッパでは少なくとも3万年前の遺跡（ロシアのコスチョンキ遺跡、チェコ共和国のパブロフVI号遺跡、イタリア・ムジェロのビランチーノ遺跡）からデンプンがついた臼とすりこぎが出土し、この時代に根、茎、葉をすりつぶして植物の食用粉を得ていたことが証明された。

これが意味するところは、ヨーロッパでは農耕革命が起こるはるか前に、狩猟採集民が食用植物の採集・加工技術を獲得していたということだ。

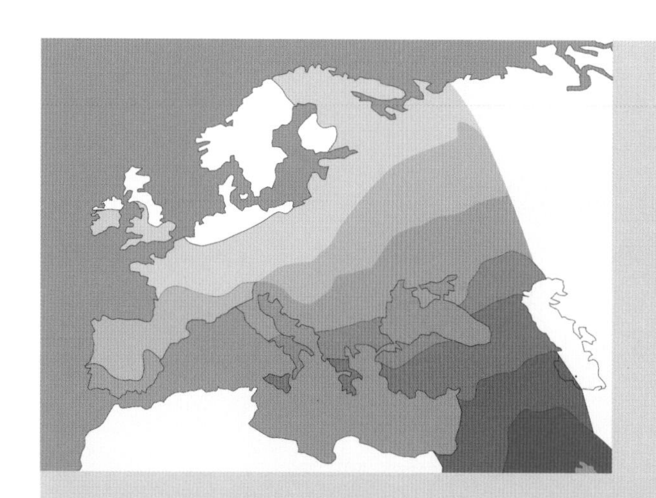

ヨーロッパへの小麦の到来

考古学のデータに基づいて作成されたヨーロッパにおける小麦栽培の拡散図（右ページ）は、小麦の最初の主な95の遺伝子の発現頻度に基づいて作られた遺伝子景観図（左）とかなり一致する。

それと同時に中東から新石器時代の人々が文化や技術とともに到来するような歴史的大事件が起こっても、その影響の拡散の速さが地域によって異なることも2つの地図は示している。

ヨーロッパにおける小麦栽培の広がり

❶ビランチーノ
フィレンツェ（イタリア）

❷パブロフⅣ号
チェコ

❸コスチョンキ
ロシア

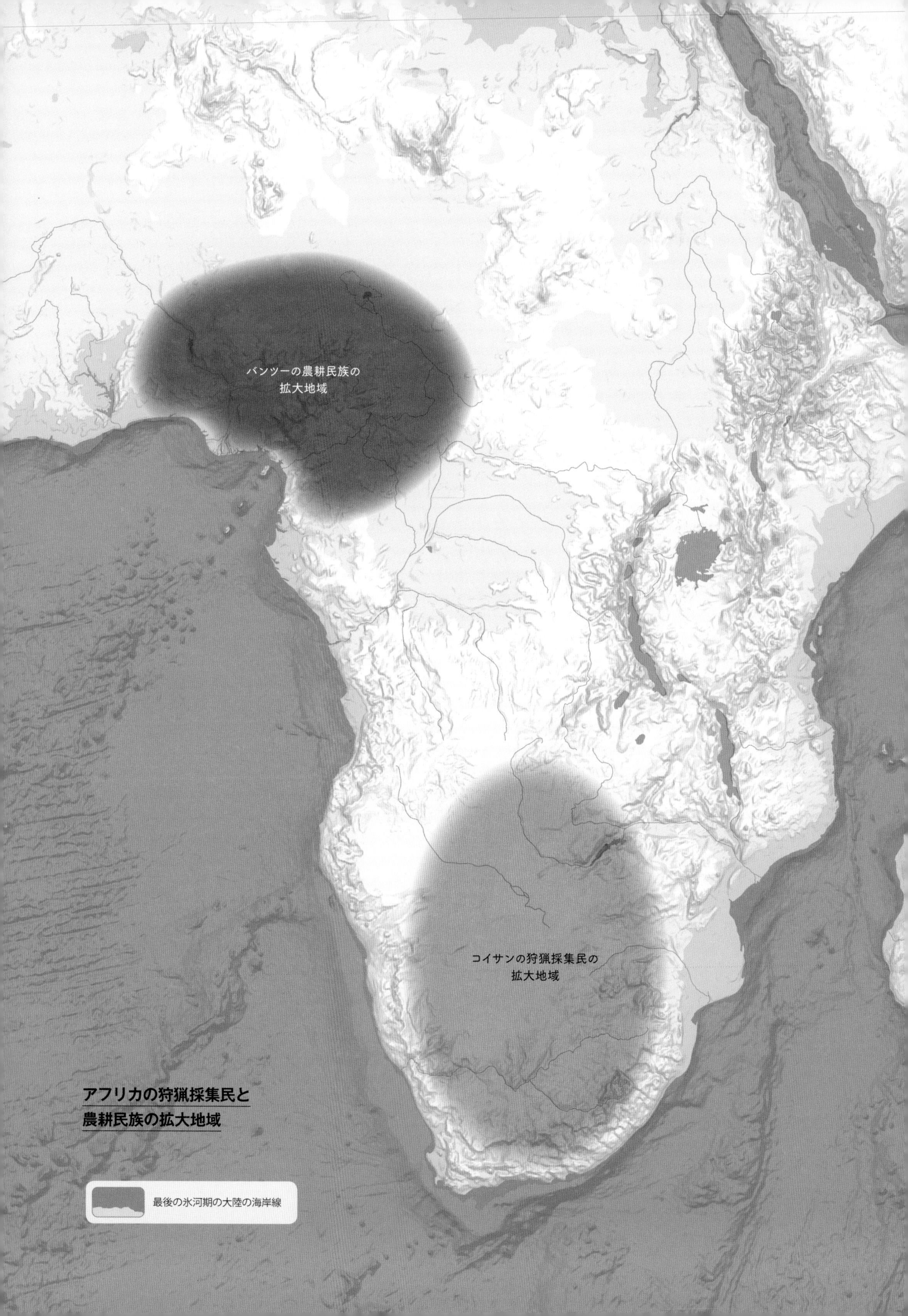
バンツーの農耕民族の
拡大地域
コイサンの狩猟採集民の
拡大地域
アフリカの狩猟採集民と
農耕民族の拡大地域
最後の氷河期の大陸の海岸線

アフリカの狩猟採集民族と農耕民族

人類の移動というと、良い土地を求めて集団で大移動するとか、住みにくい地域から大量の人間が逃げ出すようなことを想像するかもしれないが、実際はそうではない。むしろ、現代の狩猟採集民の部族くらいの25～30人の大人に必要な食料を手に入れられる場所を転々とする、ゆっくりとした世代越しの移動だ。たとえ本格的な「移住」を組織しなくても、居住地を世代ごとに数km移すだけで、わずか数千年のうちに新たな土地へと拡散できる。

こうした人類の移動は、私たちの祖先の揺りかごであるアフリカ大陸でも起こった。現在のアフリカでさまざまな民族が大陸各地に入り乱れて分布しているのも、ほぼこのためだ。5000年前のサハラ一帯は砂漠ではなく、広大な草原で、おそらく中東からと思われる農耕民族や放牧民族が定住していた。

サハラの砂漠化が始まると、そこに暮らしていた集団は南へ追いやられ、ナイジェリアからカメルーンまで、アフリカ中央部南側へのバンツー系農耕民族の大拡散が起こった。それから大陸のほぼ全域に拡散するには、さらに3000年以上の年月がかかった。確かに気候の違い、赤道付近に鬱蒼と茂る密森、熱帯性寄生虫は拡散の妨げになったし、彼らが持ち込んだ動植物はそうした環境に適さなかった。だが最終的に鉄器が導入されたことで、大陸全体に農耕と牧畜が広まった。それに伴いコイサン語族をはじめとする狩猟採集民の集団の多くにおいて人口が激減し、ほぼ消滅した。その結果、アフリカでは同じ地域に定住型の農耕民族と遊牧生活を送る狩猟民族が暮らすという文化の二極化を生み出した。この状況は現在でも続いている。

遺伝子の差異は英国人と韓国人よりもコイサン語族同士のほうが大きい。これはアフリカの狩猟採集民のほうが起源的に古いことに起因する。古くから続く集団は長い年月をかけて交雑を繰り返して遺伝子プールが広がり、集団としての遺伝子変異の割合が高い。ひるがえって新しい集団は全員が少数の始祖から生まれた子孫なので、遺伝子のばらつきが少ない。コイサン語族以外の多くの集団はすべてこうした新しい集団の末裔で、アフリカ以外のさまざまな地域からやって来てから日が浅い。アフリカ南部のコイサン語族に見られる個人間のゲノムの差異が一般的に非常に高いのは、古い集団だからだ。

ナミビアのナミブ砂漠に暮らす狩猟採集民コイサン族。

乳糖不耐症と農耕革命

人類史においてこの時代を新石器時代、文字通り「新しい石器」の時代と呼ぶが、実際のところ、もっと踏み込んでいえば、食料を含めたさまざまな資源の保管方法が生まれた時代だ。ある場所（オーストラリア）では磨製石器が、別の場所（日本）では土器が、農業を知らない社会ですでに使われていた。

植物の栽培や動物の家畜化も世界各地でほぼ自然発生的に起こった。その証拠に、いずれの場合も栽培や家畜化の対象となったのは現地で手に入る動植物だ。

農耕や牧畜は2つの方法で発祥地から外部へと広がっていった。1つは近接するグループから学ぶ、いわゆる文化移転、もう1つは農業従事者が移住する物理的な拡散で、物理的な拡散は特定の遺伝的変異の頻度にその痕跡を残している。

農業や牧畜は「自然」に任せた「生き物を慈しむ」活動のように思うかもしれないが、実際には、文化や技術の力で環境を変えていく行為の始まりなのだ。

農業人口が拡大すると、以前見られた遺伝子浮動の影響は

「埋もれて」しまい（とはいえ今でも判別は可能で、それを通じて一連の創始者効果のダイナミクスを理解することができた）、いくつかの遺伝子が新たな自然淘汰のふるいにかけられることになった。自然淘汰は、農耕革命後も私たちの遺伝子に影響し、現在もほかの文化的革新を通して同じことが続いている。こうして人類と家畜の共進化は始まった。

おそらく6000年前にウラル山脈地方に暮らしていた集団でラクターゼ（乳糖分解酵素）分泌に関する遺伝子の突然変異が起こり、成人に達しても牛乳とその誘導体を消化できるようになった。タンパク質、脂肪、カルシウムを摂取する観点から有益なこの変異は、それが起こった集団に有利に働き、自然淘汰を通じて強化され、子孫に受け継がれたと考えられる。現在でも乳糖分解に関連する遺伝子の変異が見られる割合は集団によって大きな差があり、一部の集団では一切存在しないことさえある。

現生人類によって作り替えられた自然

農業と牧畜に要する一連の行為が、のちに地球が保ってきた秩序を不安定にすることとなる。人類は生態系に介入して本来得られる以上の食料を自然から生み出させ、それをきっかけに従来とは比べものにならないほど急速な人口増加が始まった。やがて恒久的な定住地が誕生し、それが1000年にわたって発展を続け、やがて最初の都市と呼べる中心地誕生の礎となった。また人口の増加は新たな民族の拡散と移住、民族間の交わりや抗争の引き金ともなった。

定住型社会の誕生に伴って、相互に依存し、密接に関係するさまざまな新しい社会階層が生まれた。

定住型社会の誕生は、従来見られなかった相互に依存するさまざまな社会階層の形成を促した。定住型社会が生まれると、書記官、聖職者、兵士など、生産活動とは無関係な階級が現れた。資源が蓄積されると商業的な取引が行われるようになり、取引する物品を数値で表現する計算が考案された。数式が刻まれた3700年前の古代バビロンの粘土版が見つかっているが、研究者によれば、これが何と経験則から得られた正方形の対角線を計算に用いるピタゴラスの定理だというのだから驚きだ。

さらに新石器革命は最初の文字、幾何学、天文学も生み出した。こうした新しい定住型社会では、自分が土地を所有し守るという私有財産の意識が生まれ、前例のない人口増加がもたらされた。都市化した中心地同士の間に交流が生まれ、人の動きだけでなく、アイデアや技術の拡散に拍車がかかった。

メソポタミアで発見された小麦用の石臼。シカゴのエドラー＆デボラ・ジャノタ・メソポタミア・ギャラリーに展示。

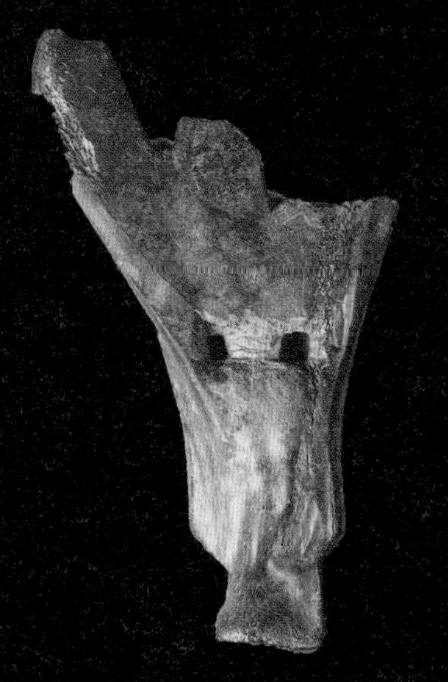

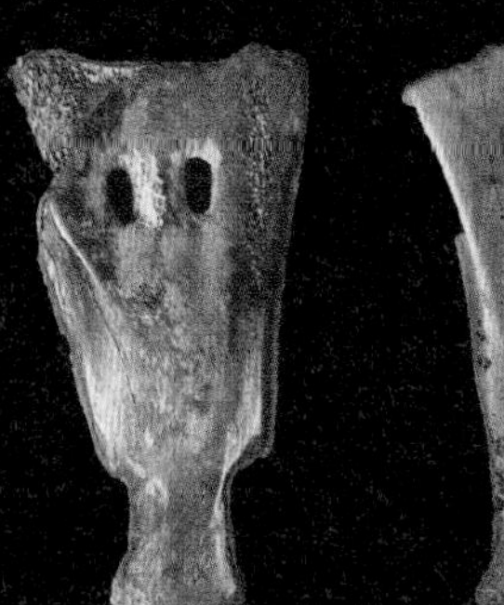

河姆渡文化（中国浙江省）：
肩甲骨製の鋤などの骨製道具
（7000年前）。

ピタゴラスの定理の一種と
思われる数式が刻まれた
3700年前の粘土板。

青銅器時代の3450〜3250年前
に作られた木製車輪の型枠。
イタリアのマッジョーレ湖の
ピエモンテ側湖畔に位置する
メルクラーゴで出土。

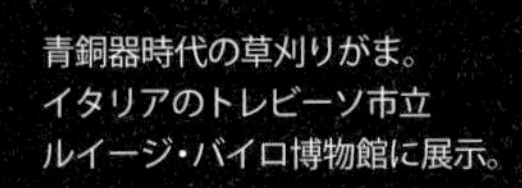

青銅器時代の草刈りがま。
イタリアのトレビーソ市立
ルイージ・バイロ博物館に展示。

木の柄がついた鉄製つるはし
のレプリカ（ウガンダ）。

文字の進化

6800～5000年前にかけて、ウクライナおよびルーマニア地方に栄えたククテニ・トリピリャ文化で用いられた平たいトークン。

アナトリア半島および中東に栄えた初期の都市文化が文字誕生の揺りかごとなった。そこで幾何学的な記号が文字へと進化した。まず1万1000年前頃、交易や売買において実際に品物を見なくてもその数量が把握できる幾何学的な形をした立体的な「トークン」が現れる。

青銅器時代（5500年前頃）に入って文字の発達は次の段階に進み、立体的なトークンに代わって、2次元の幾何学的模様を刻んだ平たいトークンが現れ、それを「ブッラ（封球）」と呼ばれる粘土でできた入れ物に入れるようになる。その後ブッラに代わって粘土板に数を表す幾何学的な記号を刻むようになった。この記録として粘土板の表面に刻まれた記号が、文字の先祖と考えられている。

その後、世界のさまざまな言語で文字は使用され始め、さまざまな文字体系が生まれた。その中で双璧を成すのが、表語文字（表意文字）と表音文字だ。前者は言語記号が単語の意味を表し、後者は単語を形成する音素ないし音節を表す。例えば、ラテン語起源の言語では、アルファベットという表音文字による表記法が採用され、それぞれの文字が特定の音素、場合によっては複数の音素に対応する。表語文字の中でも最も有名なものといえば、エジプトのヒエログリフだ。

初期の都市文化において幾何学的な記号が進化して文字が現れた。

交易の「通貨」として使われるトークンを入れるためのブッラと呼ばれる容器（イラン、スーサ）。

楔形文字の粘土板。取引される品々の数量が幾何学模様で描かれている。

楔形文字

古文書学者によると、エジプトのヒエログリフとともに最古の文字体系の1つとされる楔形文字は、5400年前頃にメソポタミア南部のシュメール人によって考案された。そして紀元前2000年紀にはアッカド人、ヒッタイト人、フルリ人をはじめとする多くの民族に広まり、近東地域に普及した。

楔形文字を構成する幾何学的な文字は、アシで作られた尖筆を使用して粘土板に直線的に刻まれた。文字の形は一般に長方形で、筆記者が書く文章の長さによって粘土板の大きさが変わった。一番小さいものは数cm足らずだが、大きなものになると約40cmに達する。

楔形文字の文字の種類は数百個と豊富で、表音文字（音声言語の音節を転写する音声記号）と表語文字（エジプトの象形文字のように、物体、概念、アイデアを表す表意文字）に大別され、さらに取引の会計記録に使う数字などもあった。

楔形文字は3500年間あまりにわたってさまざまな形式で用いられたが、近東全体で徐々に使用されなくなり、西暦が始まる頃には完全に廃れてしまった。

表語文字と表音文字

表語文字は一見簡単で、すぐに理解できそうだが、実際のところ簡単ではない。確かに在庫記録やリストの作成などに適していたことから、そうした目的以外に文字を使わない初期の段階では広く使われた。

しかし、臆病、勇気、狡猾さ、悪意といった形のない抽象的な概念を書きあらわす必要が出てきて、さまざまなものの名前もきちんと書かなければならなくなると、いくつかの表語文字は使われなくなっていった。言語で表現できる概念は無限なので、その1つひとつを表語文字で表そうとすれば、文字の種類が際限なく増えてしまうのだ。

一方、言葉を発するのに使う音は限られているので、表音文字なら文字の種類もそう多くはならず、組み合わせることですべてを表現できる。

文字の発祥地は1つではない。旧世界のみならず、アメリカでも広く普及した文字がいくつか発明され、マヤ文字は解読に成功している。

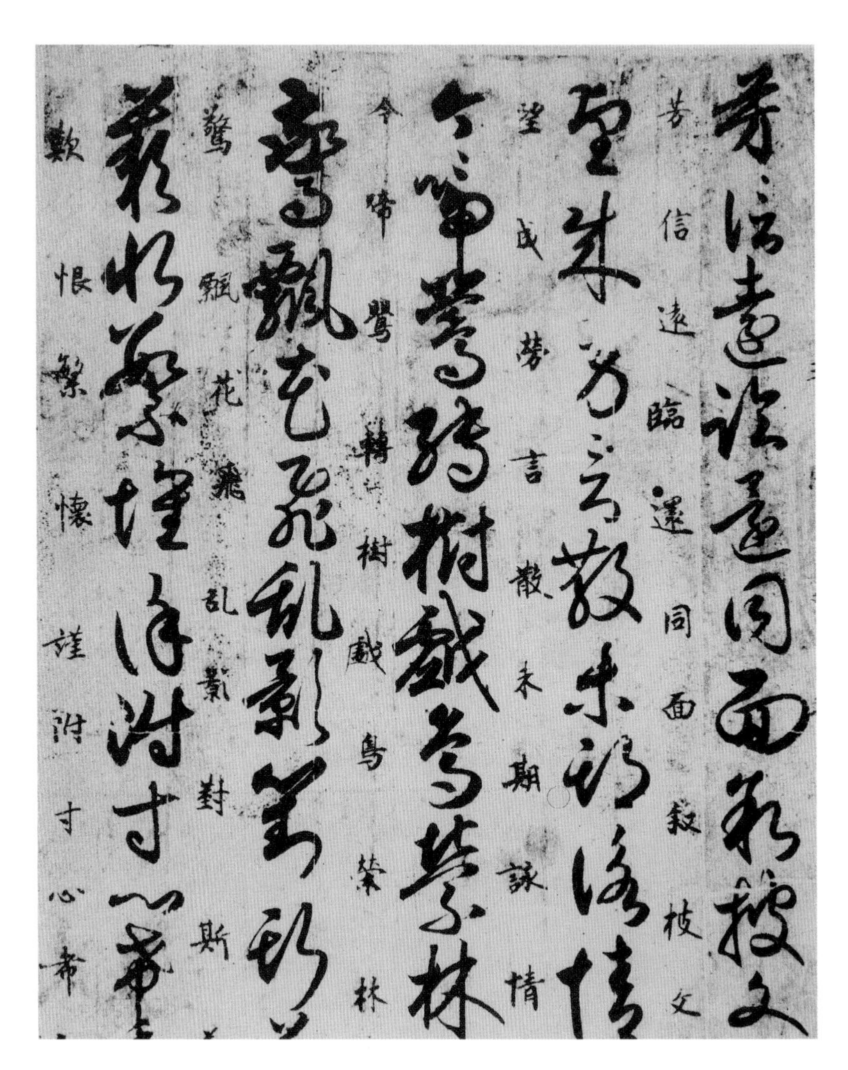

上：中国の表意文字、漢字（唐の時代）

右ページ：エジプトの王家の谷にあるラムセス6世の墓の中を飾る象形文字のレリーフ。

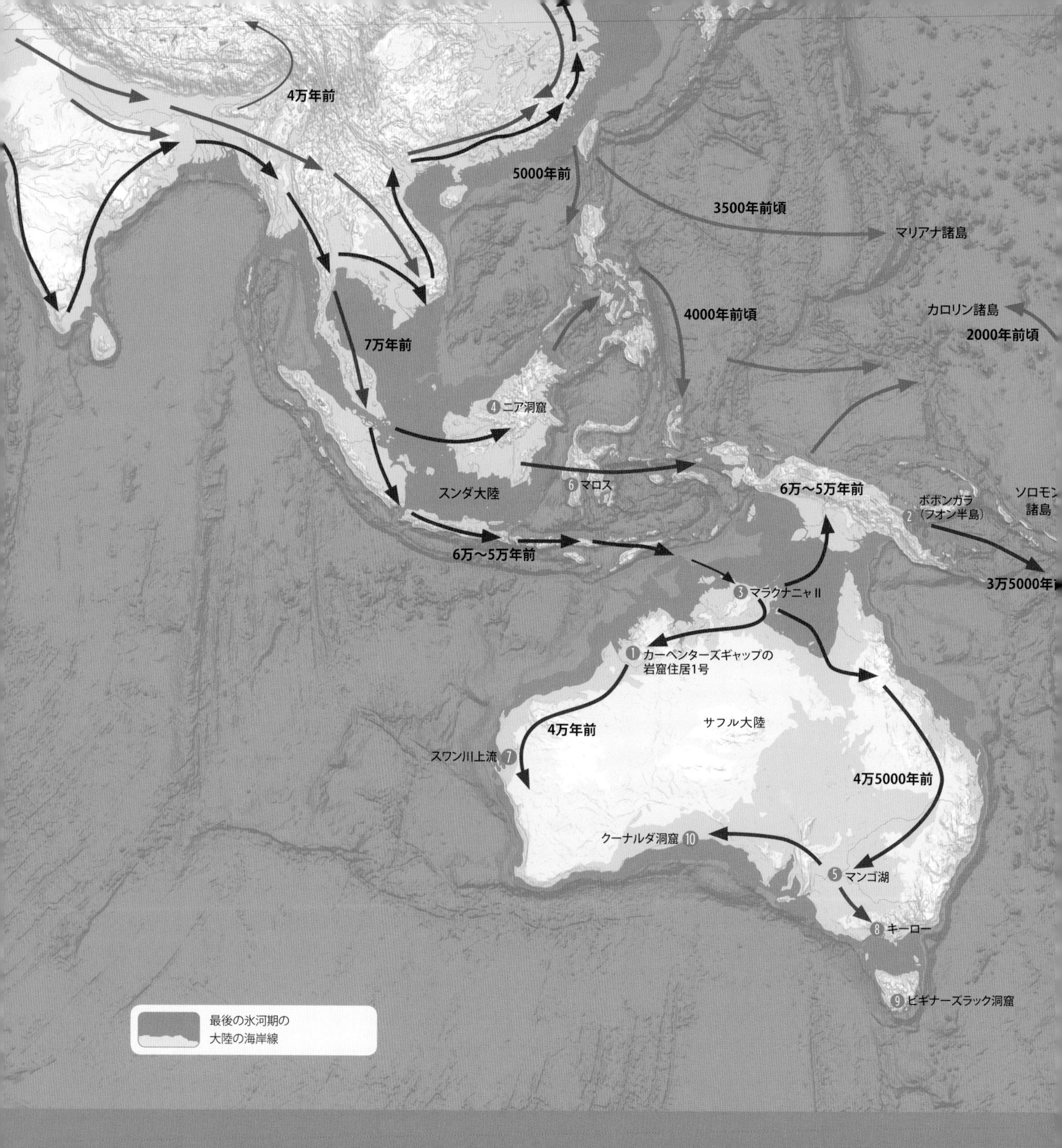

太平洋への現生人類の壮大な拡散

人類進化史における比較的新しい大冒険の1つが、太平洋に浮かぶ島から島への拡散だ。遺伝子データによると、この拡散の担い手はインドネシアの集団で、一部はニューギニアを経由してさらにその先を目指した。

彼らはおそらくアウトリガーカヌーに乗って島を出た。しかし行き先が決まっていたわけではない。再び陸地が見られるかどうかも分からぬまま、時に潮の流れに逆らって船を進め、新たな島へたどり着いた。こうして太平洋の島々は文化的多様性の新たな実験場となった。

東南アジア、メラネシア、ミクロネシア、ポリネシアの島々に暮らす人々は皆オーストロネシア語族の言葉を話す。これは文化的に異なる民族の間に血のつながりがある可能性を示している。今から3500年ほど前、特徴的なラピタ式土器を利用し、海洋適応を進めた農耕集団（ラピタ人）が、効率の良い船に乗ってビスマルク諸島から東へ向かい、フィジー諸島などを経由して、ポリネシア西端のサモアやトンガ諸島まで到達した。そのはるかのち、このラピタ人の子孫となるポリネシア人は、遠く離れたイースター島まで入植を果たした。

1200〜1000年前頃、最初のポリネシア人の入植者がハワイに上陸した。太平洋における拡散プロセスは人類が最後に到達した土地の1つ、ニュージーランドを征服する1200年頃まで続いた。

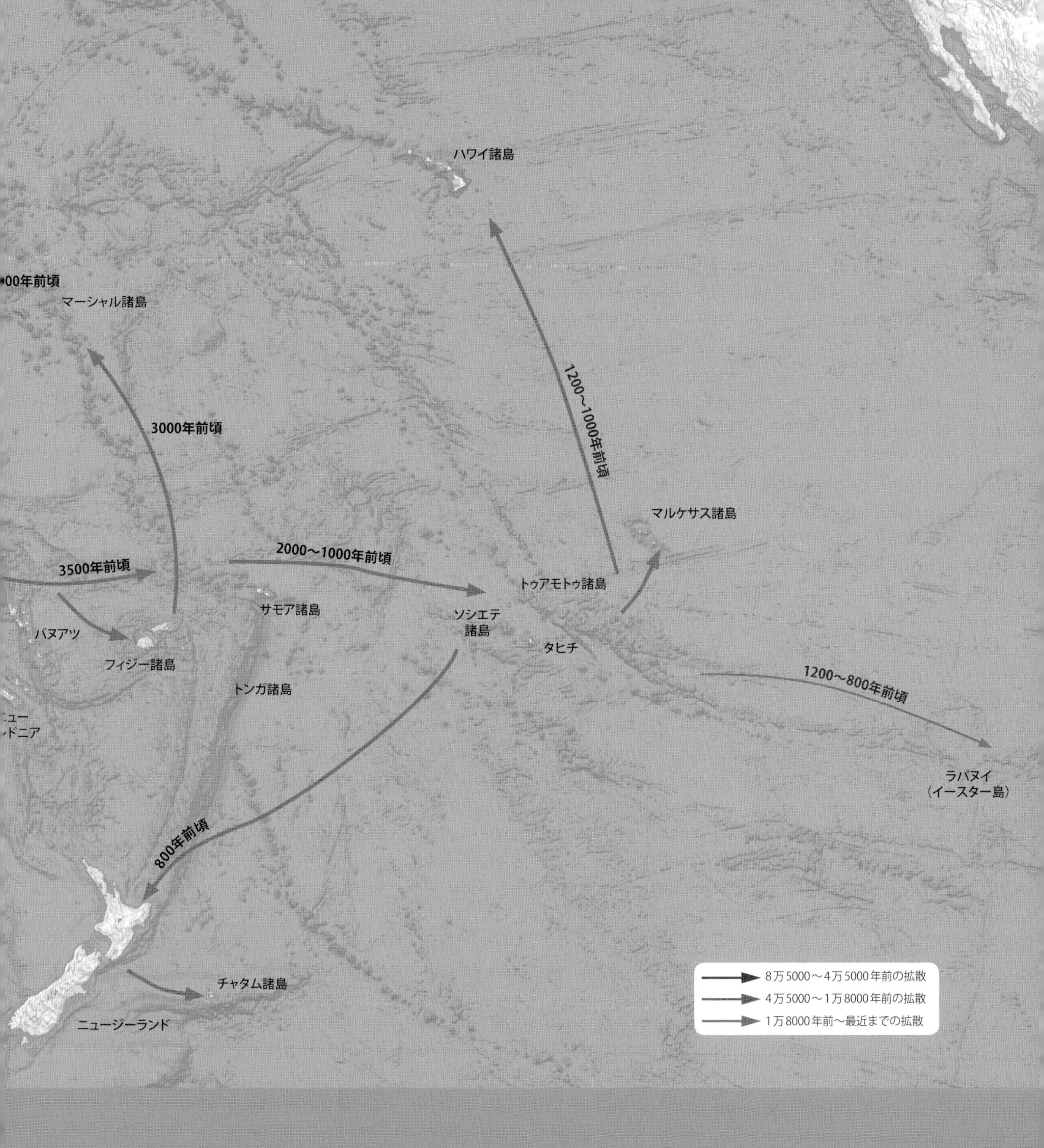

(番号は古→新の順)

1 カーペンターズギャップの岩窟住居1号

14万年前

2 ボボンガラ(フオン半島)

5万8000年前

3 マラクナニャII

5万2000年前

4 ニア洞窟

4万5000年前

5 マンゴ湖

4万5000年前

6 マロス

4万年前

7 スワン川上流

4万年前から居住

8 キーロー

4万年前

9 ビギナーズラック洞窟

タスマニアへの
ホモ・サピエンスの初到達、
4万〜3万年前

10 クーナルダ洞窟

壁画、2万年前

多様性を生み出す生態学的・地理的要因

世界各地に暮らすようになった人類だが、暮らす地域の環境上の制約や歴史的状況の違いから、それぞれ集団の運命はみるみる変わっていった。太平洋への人類の拡散はそうした多様化を壮大なスケールで示している。

ある集団は昔ながらの狩猟を続けるなか、別の集団は複雑な都市社会を築き、交易を通じて発展していった。どの集団も食料の生産が基本にあるが、習慣や栽培する植物や家畜とした動物の種類など、それぞれにかなりの違いがある。

太平洋へ拡散することで、人類の文化的および社会政治的多様性が大きく花開く素地が生まれた。

こういった違いが生まれた要因は何か。その答えは島の気候、緯度、地形、海流、居住環境、入手可能な動植物の違いにある。初めて島にやって来た者たちは直面する状況に応じてさまざまな文化形態を試した。その結果、たとえ元は同じ集団でも、到達した先が山しかない小さな島々なら小さな狩猟採集民の部族となり、温暖な気候の大きな島々なら農業社会や都市帝国の民となった。

ただ時として、こうした人口密度と社会政治的構造の大きな差は近縁の民族同士の暴力的な衝突を引き起こすことがある。実際、高度に組織化された集団であるニュージーランドのマオリ族はチャタム諸島のモリオリの漁労民と衝突し、彼らを島から駆逐した。

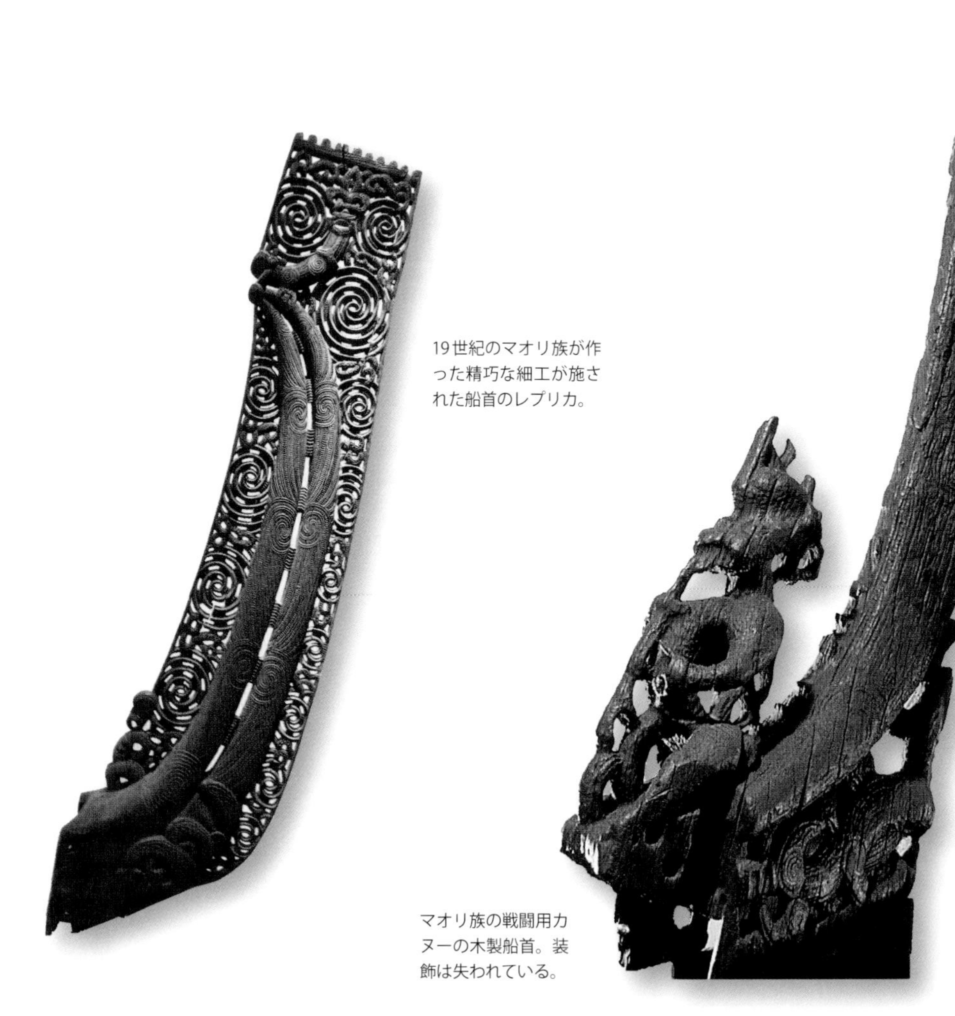

19世紀のマオリ族が作った精巧な細工が施された船首のレプリカ。

マオリ族の戦闘用カヌーの木製船首。装飾は失われている。

上：米国ハワイ州のマウイ島オロワルにある岩面画（→用語集）。

左：ハワイ島のハワイ火山国立公園内にある溶岩に刻まれたペトログリフ。溶岩は1200～1450年に流れたもので、ペトログリフ（→用語集）はその直後に描かれたのだろう。

アジアの草原地帯への移住

（番号は古→新の順）

1 カフゼー洞窟、スフール洞窟
12万～10万年前

2 周口店
6万7000年前

3 ニア洞窟
4万5000年前

4 縄文遺跡群
1万6000～2700年前

5 ジュクタイ
3万～2万5000年前

アジアの大草原地帯

現生人類の探検家としての成功は枚挙に暇がないが、それは明らかに狩猟技術の向上と関係している。槍と併せて投槍器や投げ縄が使われるようになり、約2万年前には弓と矢が登場し、狩りは効率的になっていった。だが新天地に定住できたのは狩猟技術が向上したためだけではない。小屋や待避場所の設営、衣類の発明、社会組織の一層の専門化も関係している。

西ヨーロッパではオーリニャック文化（3万5000～2万7000年前 →用語集）が生まれ、それに続いてグラベット文化（ビーナス像の時代：2万7000～2万2000年前 →用語集）、ソリュートレ文化（2万2000～1万8000年前 →用語集）、マドレーヌ文化（1万8000～1万年前 →用語集）へと足早に移り変わっていった。その中で動物の皮、粘土、布を使ってさまざまなものを作る技術を会得した現生人類は重要な発明をした。それは縫い針だ。針で縫った衣類のおかげで、1年の長い間、凍てつく寒さが続くアジアの大草原や氷で覆われる土地でも人類は暮らしていけるようになり、砂漠や山岳地帯にも足を踏み入れることができたのだ。

氷河期のピーク時には海面が長期間にわたって数十mから最大で120m下がったままとなり、南アフリカからアメリカの南端まで海に阻まれずに歩いていけるようになった。南アフリカから北上し、近東を経由してアジア大陸を横断し、ベーリング地峡を越えて北アメリカに入るルートだ。

カスピ海から現在のアフガニスタンにかけての地域から、東に向けて新たな人類の拡散が起こるが、ヒマラヤ山脈に行く手を阻まれ、草原地帯とツンドラへ向かう北のコースと、インド亜大陸に向かう南のコースに分かれた。私たちホモ・サピエンスは海岸沿いを移動するだけでなく、幅広い地域に拡散した。日本には3万8000年前にすでに到達しており、1万6000年前には縄文文化が生まれている。

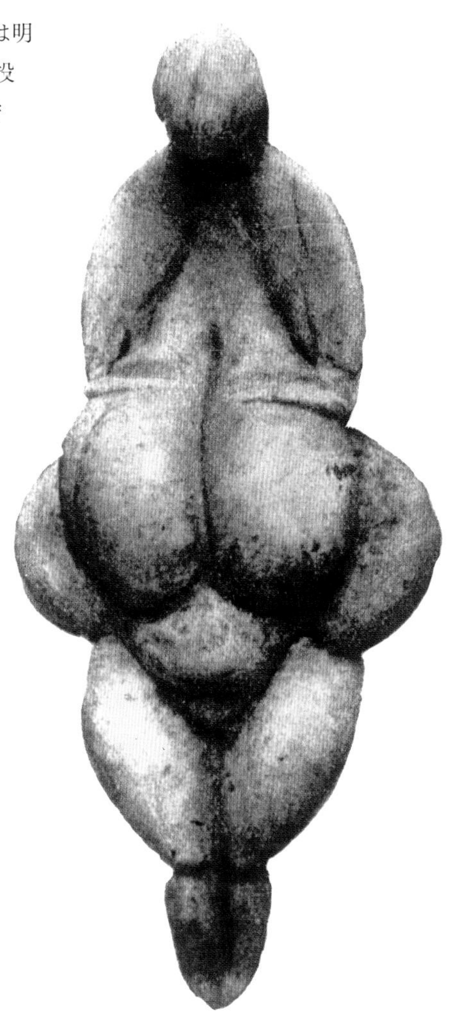

レスピューグのビーナス。これは先史時代（→用語集）の芸術の中で最も有名な女性像だ。マンモスの象牙を彫ったもので、レスピューグにあるリド一洞窟（フランスのオート=ガロンヌ県）で1922年8月に発見された。2万7000～2万2000年前のグラベット文化のものとされる。

ヒトジラミの進化

製織と紡績の歴史は、考古学的証拠からでは初期の農耕社会までしか遡れないが、実は早くも7万年前に人類は衣服を着ていたことが遺伝学者の驚くべき発見によって明らかになった。その発見とはコロモジラミ（*Pediculus humanus corporis*）の出現時期だ。コロモジラミとは衣服に暮らすシラミで、7万年前にアタマジラミとケジラミの亜種として分岐していた。つまり、その頃にはもう彼らの新しい快適な「住処」である衣服が作られていたということにほかならない。衣服文化の歴史は7万年前までさかのぼることがシラミを通じて分かったのだ。

北極圏の征服

左：ラップランドに暮らすサーミ族がトナカイの毛皮、布、羊毛で作る揺りかご。
下：シベリアの樺の樹皮で作られたサモエード人の揺りかご。揺りかごを吊り下げる仕組みと子どもを留めておく網目状の革紐がついている。

狩りの道具を携え、衣服をまとった現生人類は、農業を行えない北極圏にも進出した。彼らの目的は肉と毛皮がたくさん取れるケナガマンモスだ。マンモスは約1万年前にシベリアで完全に絶滅したと考えられていたが、実際には最後の氷河期が終わったあとも東シベリアの北の果て、ウランゲリ島に逃れた寒冷地の長鼻類の群れが生き延びていた。

小型のケナガマンモスの最後の集団がシベリアの北極圏にあるウランゲリ島で、少なくとも3000年前までは生きていた。

この島にパレオ・エスキモーの狩人が到達したのはわずか3000年前だ。しかし、北緯71度のエニセイ川河口では4万5000年前に現生人類によって殺されたマンモスが見つかっている。これは当時、人類がすでに極限の環境で生きていた証だ。

グリーンランドをはじめとする極寒の北極圏の中でも最北の領域に人類が初めて足を踏み入れたのは約2万5000年前のことだ。そして4500年前には、カナダ北部からグリーンランドまで北極圏一帯に、アラスカからやって来たモンゴロイド系の漁労民が定住を始めた。その一例がグリーンランドにあるケケルタスッスクの遺跡だ。

現生人類が食物などを求めて最果ての地に入植し、拡散できたのは、過酷な環境をものともしない文化的適応力があればこそだ。皮をなめし、衣服を織り、靴、テント、小屋、幼児を守る揺りかごをこしらえるといった発明や文化が広まったことで、環境的な障害を克服することができたのだ。

発掘されたイヌイットは約4000年前に生きていた西方出身のパレオ・エスキモー（古エスキモー）の男性で、おそらくグリーンランドのサカク文化に属していた。2010年にコペンハーゲン大学と北京ゲノミクス研究所の研究者によってミトコンドリア（→用語集）ゲノムの塩基配列が明らかになり、血液型はA+、瞳は茶色で、肌は黄褐色、髪は黒く、頭が薄くなりやすいことが分かった。

イヌイット

グリーンランドで発掘されたイヌイットの男性については、ほぼ全容が解明された。彼は4000年前にグリーンランドに暮らしていた狩猟民で、ゲノムの80％が解読されている。骨片や髪の毛を使ったゲノム解析から分かるのは、身体的特徴や血液型だけではない。その起源にも迫れる。驚いたことに、彼のゲノムはアメリカ先住民やイヌイットよりも現在のシベリアに住む人々により近い。これは北極圏への定住が始まったのは比較的最近のことであり、ベーリング海峡を渡ってアメリカに最初に移住した人類によるものではない可能性を示している。

カニアニグミウト族が彫刻を施したセイウチの牙。彫刻は両側に施されており、アラスカでの狩猟や釣りの風景、村の生活を伝えている。

上：ウランゲリ島海岸のウシャコフスキ村近くの航空写真。

最後の拡散と近代の海洋探検時代まで未踏だった地域

人類の世界進出が北極圏を探検する段階まで至ると、逆に先住民のいない地域を見つけるほうが難しくなる。今や、この星に現れた陸地という陸地のほぼすべてに人類は足を踏み入れている。近代ヨーロッパ人が世界の海を探検した16世紀までに人類が定住していなかった地域はごくわずかで、カーボベルデ諸島、アゾレス諸島、マデイラ諸島、セントヘレナ、アセンション、バミューダ諸島、フォークランド諸島、ガラパゴス諸島、セーシェル諸島、マスカリン諸島、ケルゲレン諸島、南インド洋の島々しかない。

太平洋のピトケアン諸島、ノーフォーク島、クリスマス島などの一部の島では、先住島民の姿こそなかったものの、今はなき古代人の居住の遺構が発見されている。イースター島に探検家が訪れた当時、先住民族であるポリネシア人は森林伐採と内部抗争を繰り返した挙げ句、絶滅の縁にあった。このように厳密にいえば、近代のヨーロッパの探検家が「発見」した島々はさほど多くない。南極半島や南極大陸のほかの僻地にも過去に人が住んでいた可能性があるが、これまでのところ確固とした証拠はない。

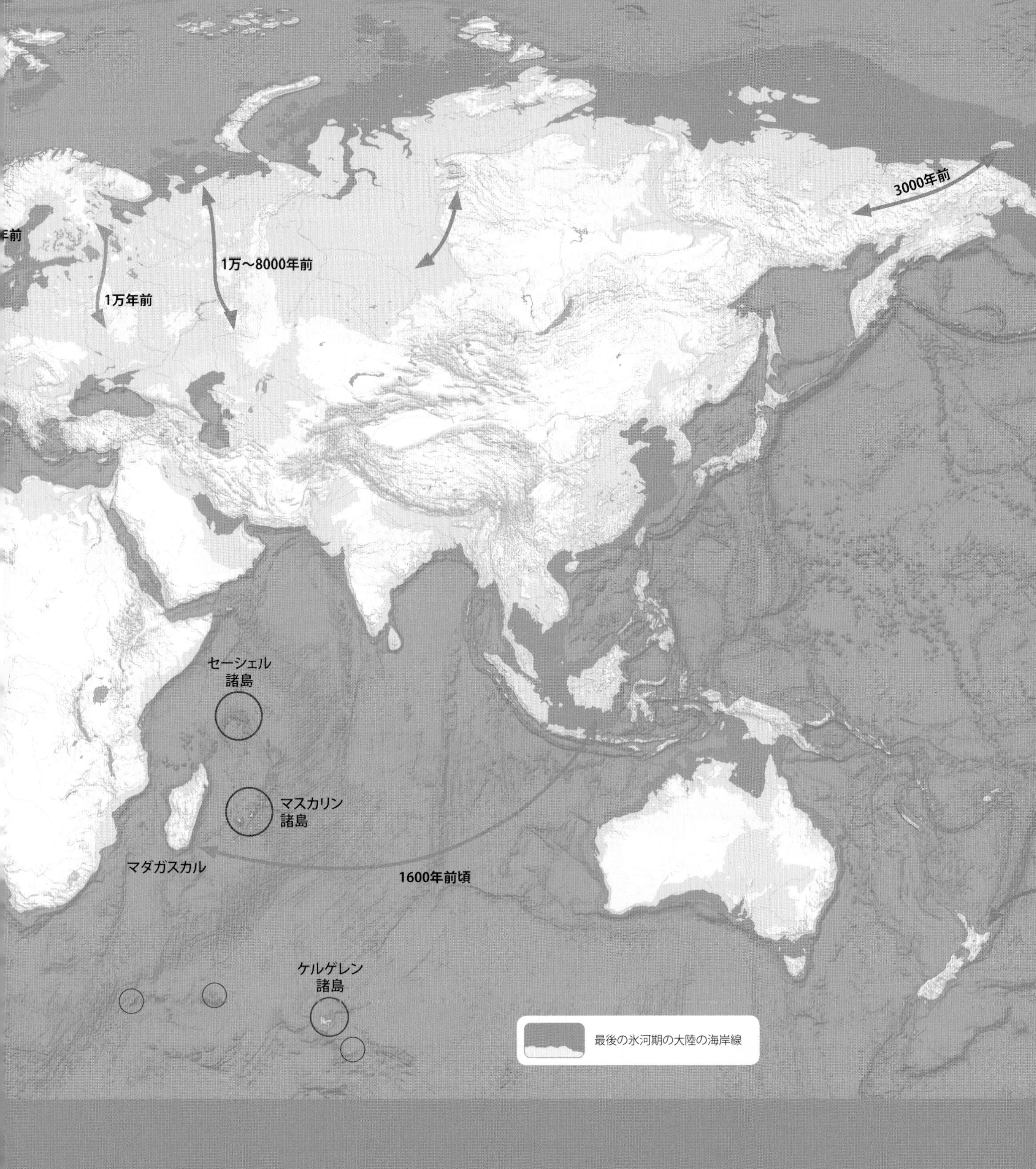

（番号は古→新の順）

1 ブルーフィッシュ洞窟群
2万2000年前

2 エルギグストシアク
1万8000年前

3 アカスタ湖
8000年前

4 グラント湖
8000年前

5 ポートレフュージ
4500年前

6 イグルーリク
4500年前

7 サグレク湾
4500年前

8 ケケルタスッスク
4500年前

9 ポインテッドマウンテン
4000年前

10 サカク
2500年前

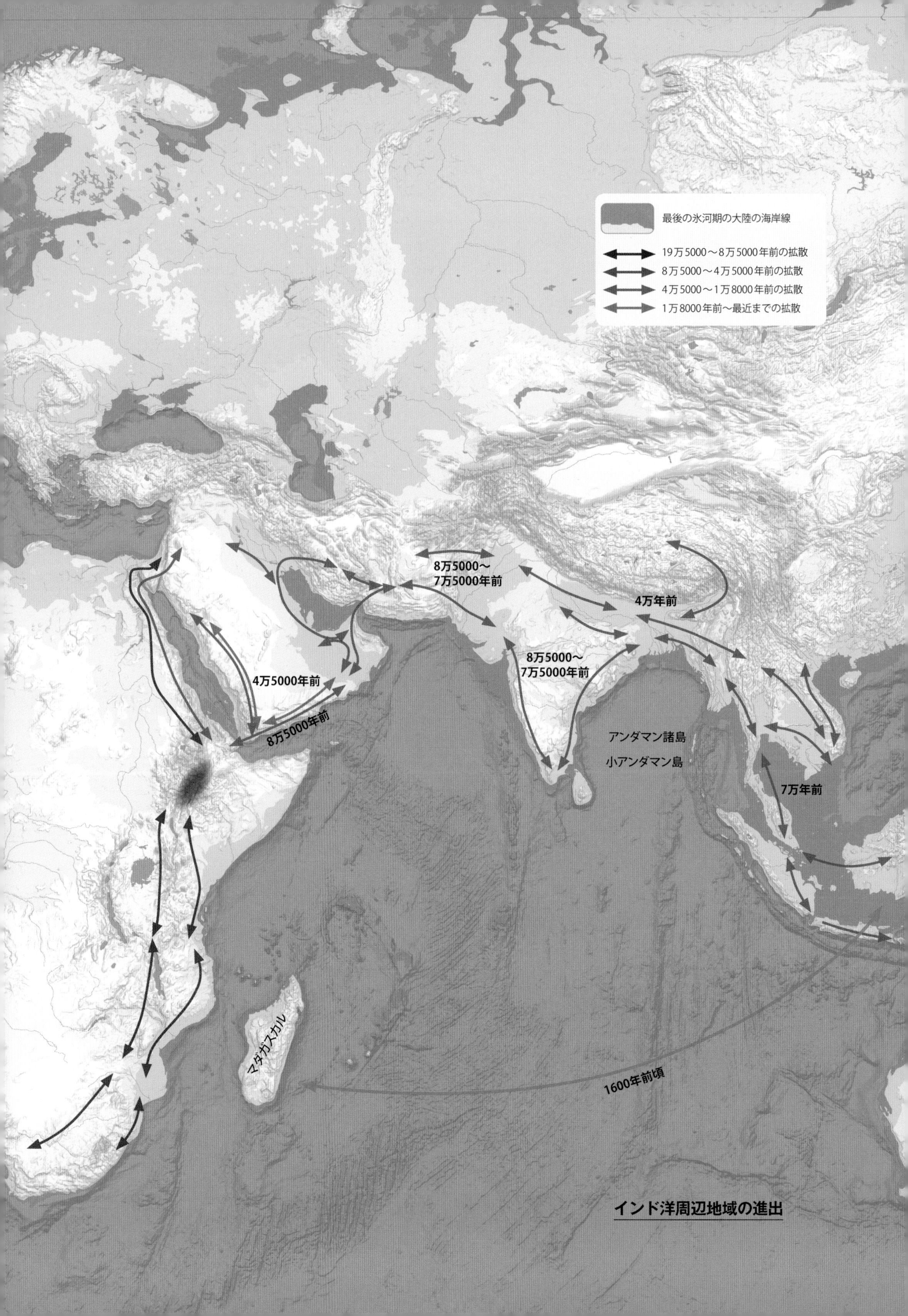
最後の氷河期の大陸の海岸線
19万5000〜8万5000年前の拡散
8万5000〜4万5000年前の拡散
4万5000〜1万8000年前の拡散
1万8000年前〜最近までの拡散
8万5000〜
7万5000年前
4万年前
8万5000〜
7万5000年前
4万5000年前
8万5000年前
アンダマン諸島
小アンダマン島
7万年前
マダガスカル
1600年前頃
インド洋周辺地域の進出

新旧移住者たちの共存

インド洋には新旧移住者による2つの異なる拡散の歴史がある。そのどちらも現生人類の複雑な拡散ルートを象徴するものだ。

アンダマン諸島には、現在までインド当局と一切の接触を拒み続ける、狩猟採集生活をする先住民が暮らしている。彼らは太古に初期の現生人類がアフリカを出てインドシナ半島へ向かう際にインド亜大陸の沿岸を通ったことを示す生き証人で、地球に最後まで残っている狩猟採集集団の1つだ。

小アンダマン島のオンゲ族も古い狩猟採集民族だが、伝統的な習慣に基づく生活が送れなくなって人口が減り、絶滅の危機に瀕している。あと数年の間にこの小柄な集団の最後の生き残りが姿を消すかもしれない。

小アンダマン島のオンゲ族

一方、マダガスカルはすべての現生人類の始まりの地である東アフリカや南アフリカの近くに位置していながら、アフリカ人の要素は極めて薄い。それもそのはずで、人類の定住時期が最も遅く、インド洋と東アフリカの海岸に沿って移動してきたオーストロネシア語系の集団がマダガスカルに根を下ろしたのは1600年前頃とされている。

大陸島（大陸と地続きだったことがある島）であるマダガスカルには、数世紀前まで、史上最大の鳥とされるエピオルニスが生息していた。この鳥は卵も巨大で周囲が1mに達することもあった。英語でエレファント・バード（象鳥）とも呼ばれるが、それはマルコ・ポーロが著した『東方見聞録』にゾウを掴んで飛び去ったと書かれていたことに由来する。だがこれは伝説にすぎない。エピオルニスは飛べないし、マダガスカルにゾウはいなかった。

そんな伝説にもなる大型鳥類を絶滅に追い込んだのは、インドネシア方面からやって来たマダガスカルの先住民だ。彼らは褐色の肌を持ち、オーストロネシア語系の言語を話す。この言語はかなり特殊で、「動詞-目的語-主語」という順序で独立叙述節を作る（例えば、「子どもがアイスクリームを食べる」が「食べる アイスクリーム 子ども」となる）。この語順で構文を作る言語は、世界中に30もない。

卵の大きさを比較した図。左からダチョウ、ニワトリ、エピオルニス。

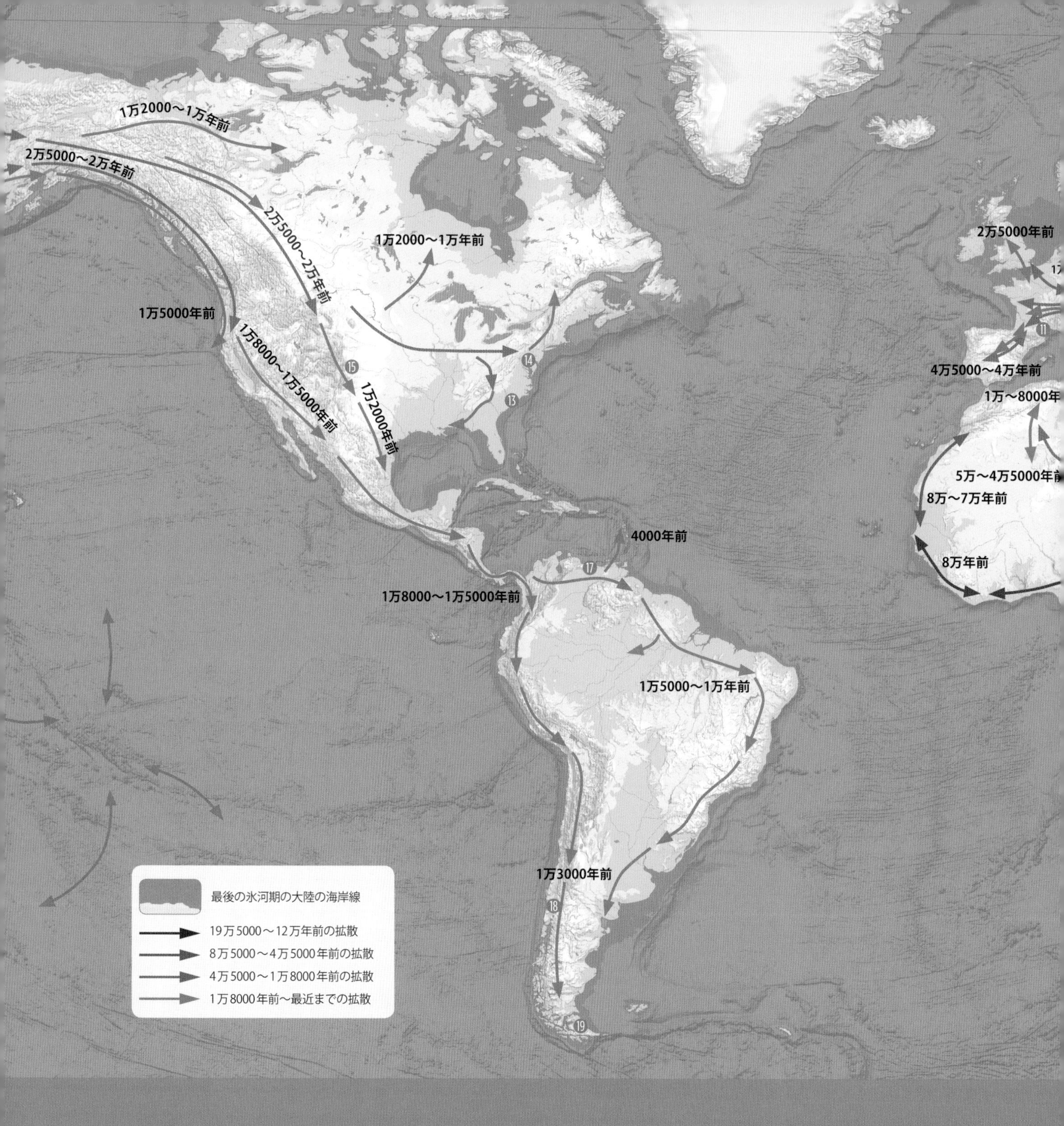

世界中に広がる人類

現在ある遺伝子情報と考古学的データを世界地図に重ねると、ここに示すような現生人類の拡散ルートが浮かび上がってくる。アフリカを出た人類が地理的にどのように拡散し、多様化していく最初の道のりがどんなものだったか、科学の力で初めて明らかとなった。

この地図の太古の海岸線は海底地形調査に基づいて再現されている。年代は目安で、矢印の4色は4つに分かれる人類の世界拡散のそれぞれの段階に対応している。

茶色は、現生人類の誕生から少なくとも12万年前までのアフリカ大陸内と中東における最初の拡散の波。

青色は8万5000〜4万5000年前の中東から遠くインドシナ半島までの東南アジアへの拡散。

グレーは4万5000〜1万8000年前の北アジア、ヨーロッパ、オーストラリアへの拡散と北アメリカへの最初の波。

オレンジ色は1万8000年前から始まった、特にアメリカや太平洋に向けた最近の拡散。

西アジアやヨーロッパなどいくつかの地域で複数の色が見られるのは、異なる時期に繰り返し移動があったことによる。

（番号は古→新の順）

1 オモ渓谷
19万5000年前

2 ヘルト
16万〜15万4000年前

3 ブロンボス洞窟
14万〜10万年前

4 クラシーズ河口洞窟
13万〜6万年前

5 カフゼー洞窟、スフール洞窟
12万〜10万年前

6 アブドゥル
12万5000年前

7 周口店
6万7000年前

8 ボボンガラ（フオン半島）
5万8000年前

9 ニア洞窟
4万5000年前

10 マンゴ湖
4万5000年前

11 クロマニョン
3万5000〜1万年前

12 ジュクタイ
3万〜2万5000年前

13 カクタスヒル
2万〜1万7000年前

14 メドウクロフト
1万9000〜1万6000年前

15 クロービス
1万8000年前

16 縄文遺跡群
1万6000〜2700年前

17 タイマ＝タイマ
1万4000〜1万年前

18 モンテベルデ
1万3000年前

19 ヤマナ
8000年前

ユーラシア人と北アメリカ先住民：久々の再会

15世紀の終わりにヨーロッパ人がアメリカに上陸するまで、人類は数万年にわたって新旧2つの世界に分断されていた。新大陸に到達して戻ってきたクリストファー・コロンブスは、航海を支援してくれたルイス・デ・サンタンヘルに宛てた手紙で、マルコ・ポーロの『東方見聞録』を航海に持っていったが、そこに載っている背丈が3mもあり、頭が2つ生え、その顔はイヌというヒトもどきの怪物がいなくて驚いたと書いている。

復元されたキューバのタイノ族の村。

初期の世界地図では、見知らぬ異国の先住民はしばしば格下の人間や頭がイヌの獰猛な人食い動物、あるいは1本足の怪物などとして描かれてきた。しかし現実は当然ながらまったく異なっていた。大海原を越えた先にいたのは普通の人間、彼らを見つけたヨーロッパ人と生物学的によく似た、彼らと同じアフリカを出た現生人類の子孫だった。ちなみにコロンブスがカリブ海の島に最初に上陸して出会った「何の変哲もない」人間はタイノ族で、彼らの素晴らしい文化はすでに失われている。

カリブ海へ人類が進出したのは、紀元前2000年から紀元後900年まで続いた「オスティオノイド（土器）の伝播」の時期で、その担い手は南アメリカ大陸を起源とする新石器時代のアラワク族だった。おそらく原始的な漁民のあとからカリブ海に進出したようで、キューバにシボネという漁労民族が活動していた形跡が見られる。

彼らは平和的な民族で、コロンブスやスペイン人がバハマ、キューバ、ヒスパニオラ島（現在のハイチとドミニカ共和国）、ジャマイカで初めて出会うまでカリブ人やほかのアラワク族、海賊、侵略者を退けてきた。だが動物を家畜としているかどうかが、旧世界と「新世界」の人類の間に優劣を生むことになる。

ユーラシアの農耕民族は家畜にした大型哺乳類と長い年月一緒に暮らしてきた。その結果、周りにいた霊長類や家畜化したニワトリからヒトに感染する最も恐ろしい寄生虫に対する免疫力を獲得するに至った。一方、アメリカ先住民とオーストラリアのアボリジニの生活の中に大型動物は存在しなかった。悪いことに新世界に彼らの祖先が到着した時期と大型動物の絶滅が重なってしまったのだ。アメリカ大陸では農業と畜産を発達させた集団がいくつか見られるが、それでも家畜化できた動物はごくわずかだった（オーストラリアでは皆無だった）。

何百万人もの先住民はヨーロッパ人の持ち込んだ天然痘、はしか、チフスにかかって命を落としたが、彼らの風土病だった梅毒のような土着のウイルスにもユーラシア人は容易に耐性を獲得し、適応していった。

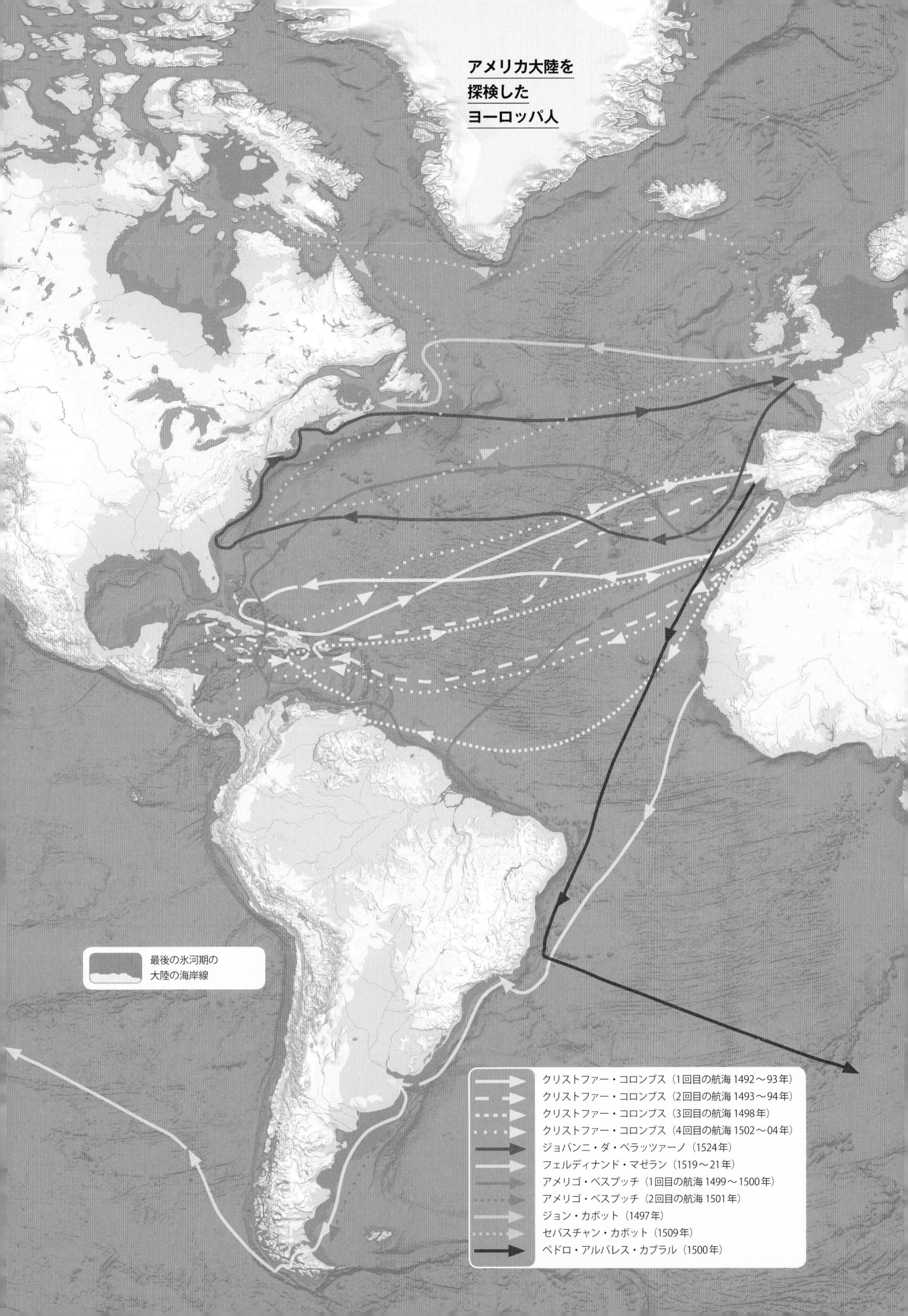

アメリカ大陸を
探検した
ヨーロッパ人
最後の氷河期の
大陸の海岸線
クリストファー・コロンブス（1回目の航海 1492～93年）
クリストファー・コロンブス（2回目の航海 1493～94年）
クリストファー・コロンブス（3回目の航海 1498年）
クリストファー・コロンブス（4回目の航海 1502～04年）
ジョバンニ・ダ・ベラッツァーノ（1524年）
フェルディナンド・マゼラン（1519～21年）
アメリゴ・ベスプッチ（1回目の航海 1499～1500年）
アメリゴ・ベスプッチ（2回目の航海 1501年）
ジョン・カボット（1497年）
セバスチャン・カボット（1509年）
ペドロ・アルバレス・カブラル（1500年）

人間の肌の色の謎

ネアンデルタール人と現生人類のどちらも、高緯度に定住した集団はもともとのゲノムが違っていたにもかかわらず、環境に合わせて肌は白くなり、髪の色は明るくなった。このことを進化論者は「収斂進化」と呼ぶ。

肌の色と紫外線の強さに相関関係があるのは明らかだが、例外がないわけではない。現在のアメリカや北アフリカでは、最初に定住した時期や近代の移民の流入などにより、肌の色が薄い人々が見られる。

人の肌の色には規則性がなくて極めて変わりやすく、気候や、ビタミンのバランスなど食生活にも影響される。肌の色を構成するメラニンには2種類あり（黄色から赤、茶色から黒）、それには4～6個のかなり可変性の高い遺伝子が関与している。

褐色の肌は、開けた地域に暮らす、体毛の薄い二足歩行種にとって重要な適応だった可能性が高い。肌の色が黒ければ紫外線から保護され、直射日光の悪影響を避けることができるからだ。

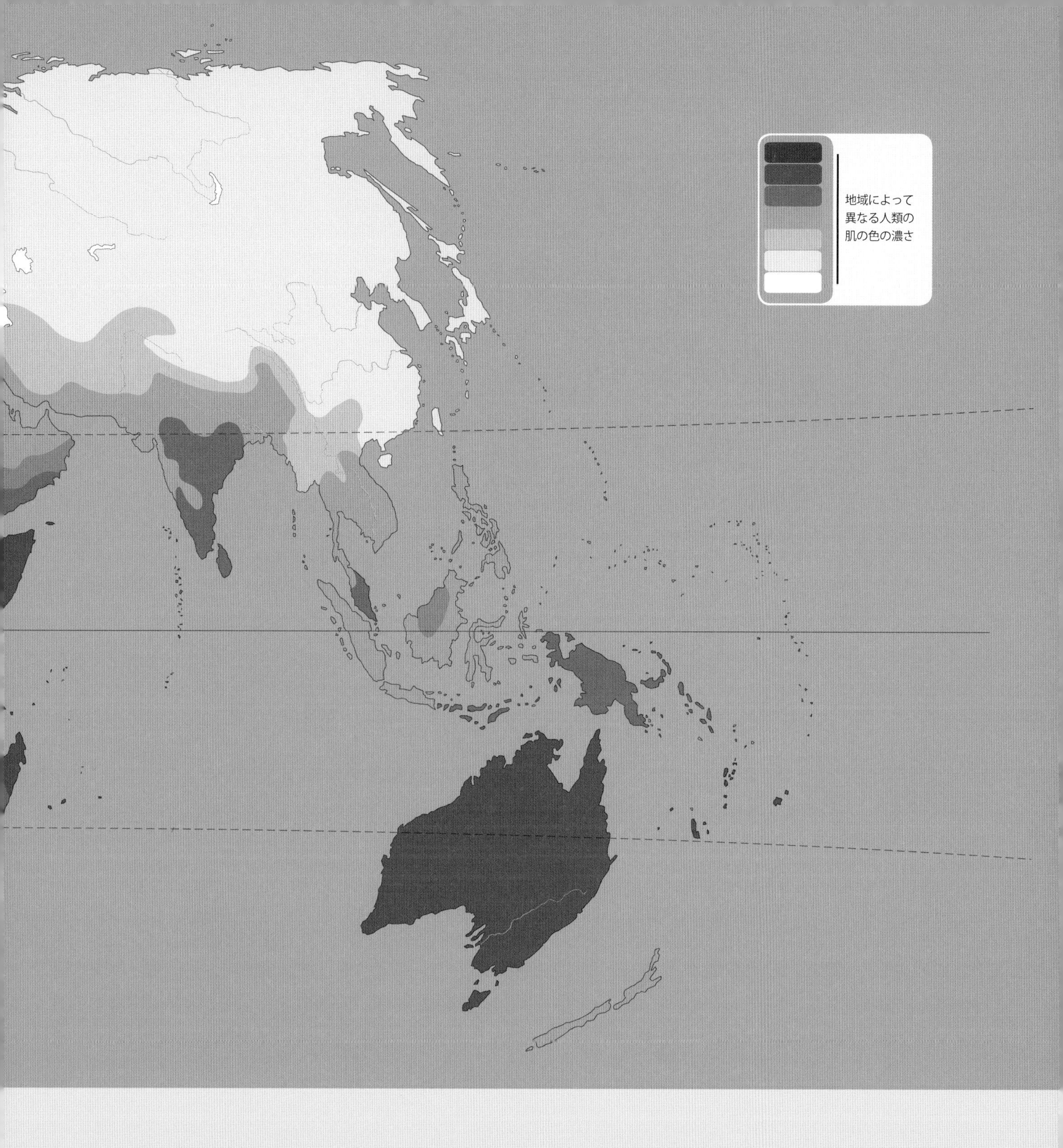

とはいえ皮膚が光を通さなければ、骨を石灰化して丈夫にするために不可欠なビタミンD_3を生成できない。だからこそ高緯度への移動に伴って、弱い日光でも皮膚を通過できるようにさまざまな色素脱失が起こった。

肌の色が薄くなる変異は世界各地で繰り返し起こっていた可能性もある。最近もあったかもしれない。その一方で、北極圏の古い集団は肌の色が褐色を保っているが、これは主食である生魚にビタミンD_3が豊富に含まれていることによる。

ヨーロッパの集団の肌が白いのは、主食である穀物にビタミンD_3が少ないことが関係している可能性もある。小麦にはビタミンDの前駆物質であるエルゴステロールが含まれており、これが日光の作用でビタミンDに変化する。

皮膚の色が薄ければ、日光は皮膚を通過して、たやすく血流まで到達する。ヨーロッパに定住した農耕民族の間では、肌の色が薄くなるこうした突然変異が非常に有利に働いたに違いない。

表現型の特徴：
はっきり見えるが、見誤りやすいもの

人類には地域ごとに固有の外見的特徴がある。これを「表現型」（→用語集）という。こうした外見的特徴が目を引くのは、見るからに、はっきりした特徴だからだ。しかしこうした「上っ面」の多様性は、地球環境がもたらした気候や局所的な状況へのごく最近の適応の結果でしかない。

外見上の特徴に頼りすぎて人類の系統図を復元しようものなら、重大な誤りを犯すことになる。……一皮むけば、人類は皆いとこ同士のようなものなのだが。

外見上の特徴に頼りすぎて人類の系統図を復元しようものなら、重大な誤りを犯すことになる。実際、密接に関係していない集団同士でも、日照量、気候、食料の種類など環境が似ていれば収斂進化が起こって、外見上の特徴が似ることがある。とはいえ、一皮むけば、人類は皆いとこ同士のようなものなのだが。

遺伝学的データによると、2人の個人間の平均的な違いは同一の集団内なら約85％あるが、これが2つの異なる民族の間となるとわずか15％に下がる。したがって特定の遺伝子を基準にしたり、活性化している突然変異の遺伝「配列」を通して人類を明確に区分することなど不可能だ。これは現生人類の起源が1つで、比較的最近であることに由来する。アフリカ出身の小さな集団から始まった私たち現生人類は絶えず動き回り、混ざり合ってきたのだ。

「人種」は単なる思い込みにすぎない

生物の種類によっては、「地理的隔絶による多様性」、つまり遺伝的に異なる個体群「亜種」が存在する。亜種は固有の遺伝子型と表現型から区別でき、お互いに交雑が可能である。ピレネー山脈のカタツムリのように移動力が低く、集団内の地理的な隔絶が長く続く種ではさまざまな変異が起こり、そこから新種が生まれる可能性がある。

地理的に近ければ、ある地域から別の地域への干渉があるかもしれないが、生息地域の両端に分かれた2つの個体群は時とともに交配ができなくなることがある。北極周辺の一部のカモにこうした事例が見られる。またイヌ科イヌ属に属するペット犬のように、人間が飼う動物にも品種があるが、これは育種家が選択的な交配を繰り返して人為的に作り出したものだ。

私たち人類の場合、全体として遺伝的多様性がかなり少ないこと、大陸をまたいで途切れることなく分布していること、発祥地から離れるにつれて多様性が縮小していること、そして、人類の起源が1つで比較的最近アフリカから始まったとの結論に至るさまざまな証拠があることにより、異なる人種を生み出すような厳密な意味での生物学的分断の存在は否定されている。人類全体における遺伝子の変化は連続的で、はっきりと区切れる断絶は存在しないのだ。

これはオキアミのような移動性の高いほかの生物や、チーターのような遺伝的障壁の小さなほかの生物にも当てはまることだ。しかし私たちは「自分」と「他人」を区別したがる。要するに人種は文化の産物で、現実ではなく頭の中にあるものなのだ。

アフリカで生まれた私たち人類は独創的で創意に富み、外の世界へ羽ばたく意欲にあふれている。だからこそ、起源となったたった1つの集団からこれほどまでに多様化したのだ。先人たちが多様化していった歴史を知れば知るほど、人類は1つだと改めて認識せずにはいられない。

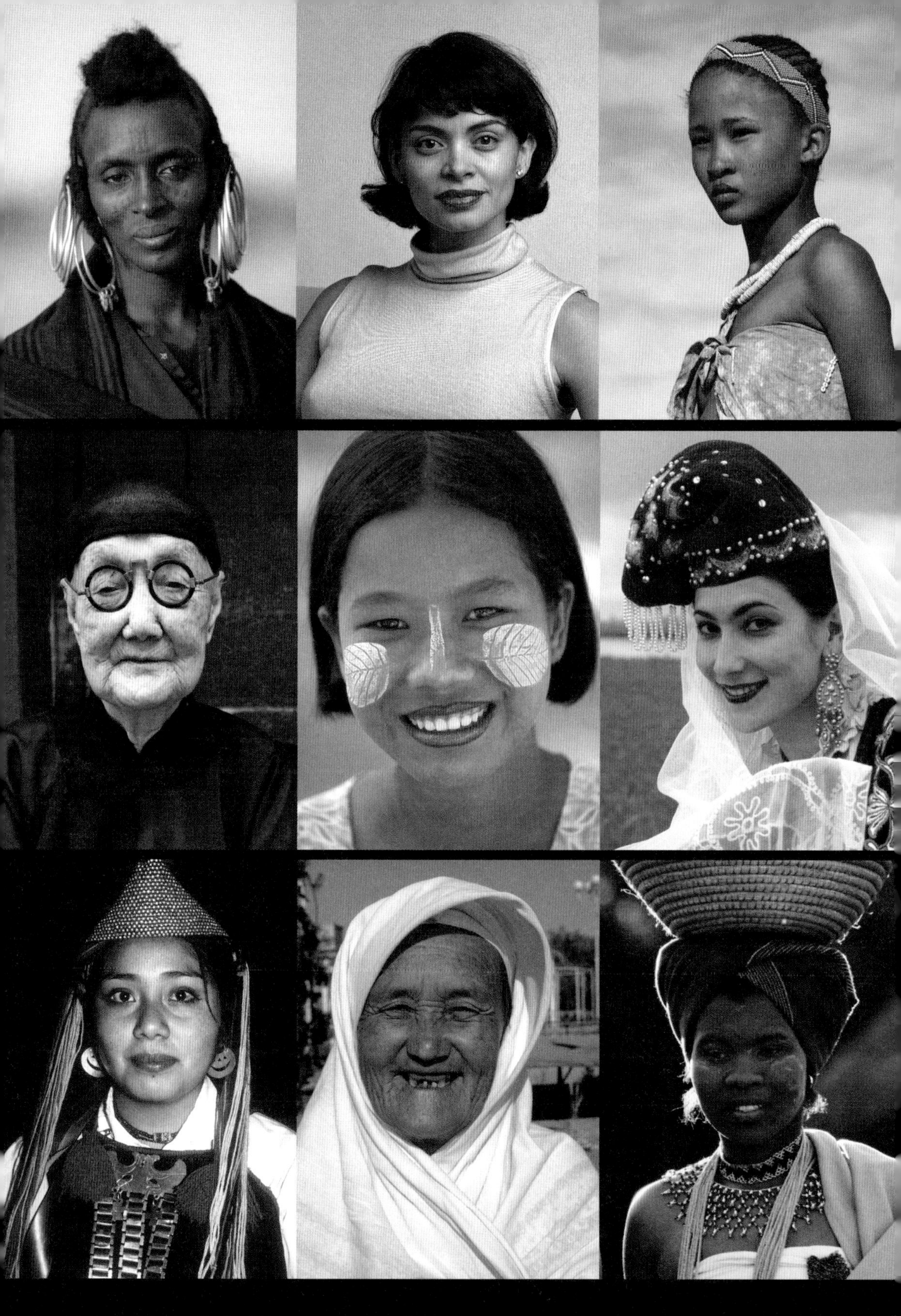

左から右、上から下へ。遊牧民ウォダベ族の女性（ニジェール）、バスク族の女性（スペイン）、コイサン族の女性、中国の老婦人、ビルマ族の女性、

先住民族の知恵

わずかに残った狩猟採集民族においては、伝統的な社会組織が今も維持されている。これらの伝統的な社会は、小さな集団が互いに結びついて形成されている。彼らの間には階級がほぼ存在せず、はっきりとした私有財産や通貨という概念もない。しかしその歴史の始まりを伝える物語の根底には、彼らを生かしてくれている自然への畏敬の念がある。

現在多くの研究者は、単に「昔は良かった」という思いからではなく、地球の生物多様性を守るために、太古より生物多様性を維持してきた先住民を大切にしないといけない時がいずれ来ると考えている。

先住民族は環境持続化モデルの手本となる自然とのさまざまな付き合い方と生き方を守る者たちだ。

人類の拡散は地球環境に対して常に侵略的だった。実際、オーストラリア、南北アメリカ大陸、大洋上の島々に最初に住み着いた狩猟者たちがさまざまな動物を絶滅に追い込んでいる。しかし現代において、先住民族は環境持続化モデルの手本となる自然とのさまざまな付き合い方と生き方を守る者たちだ。それを守れなかった民族は歴史から姿を消していった。狩猟採集民に自分たちが暮らす環境を悪化させることは許されない。テリトリー内の動植物の繁栄に自分たちの生き死にがかかっているからだ。

植物や動物が有する薬効成分や精神活性物質など、先住民は自然に関する比類ない知識を持っている。それは生物多様性を壊さずに長く共存を続ける中で自然から学んだものだ。こういったスキルは経済的利益が優先する現代社会では否定されがちだ。

上：アフリカ中部に暮らすピグミー系狩猟民の集団。

右ページ：ゼミ（またはセミ）は世界に唯一現存するカリブ文化の「偶像」で、かつて西インド諸島で繁栄していたタイノ族の偉大な文化を今に伝えている。

年表
紀元前1万2000～紀元後2000年

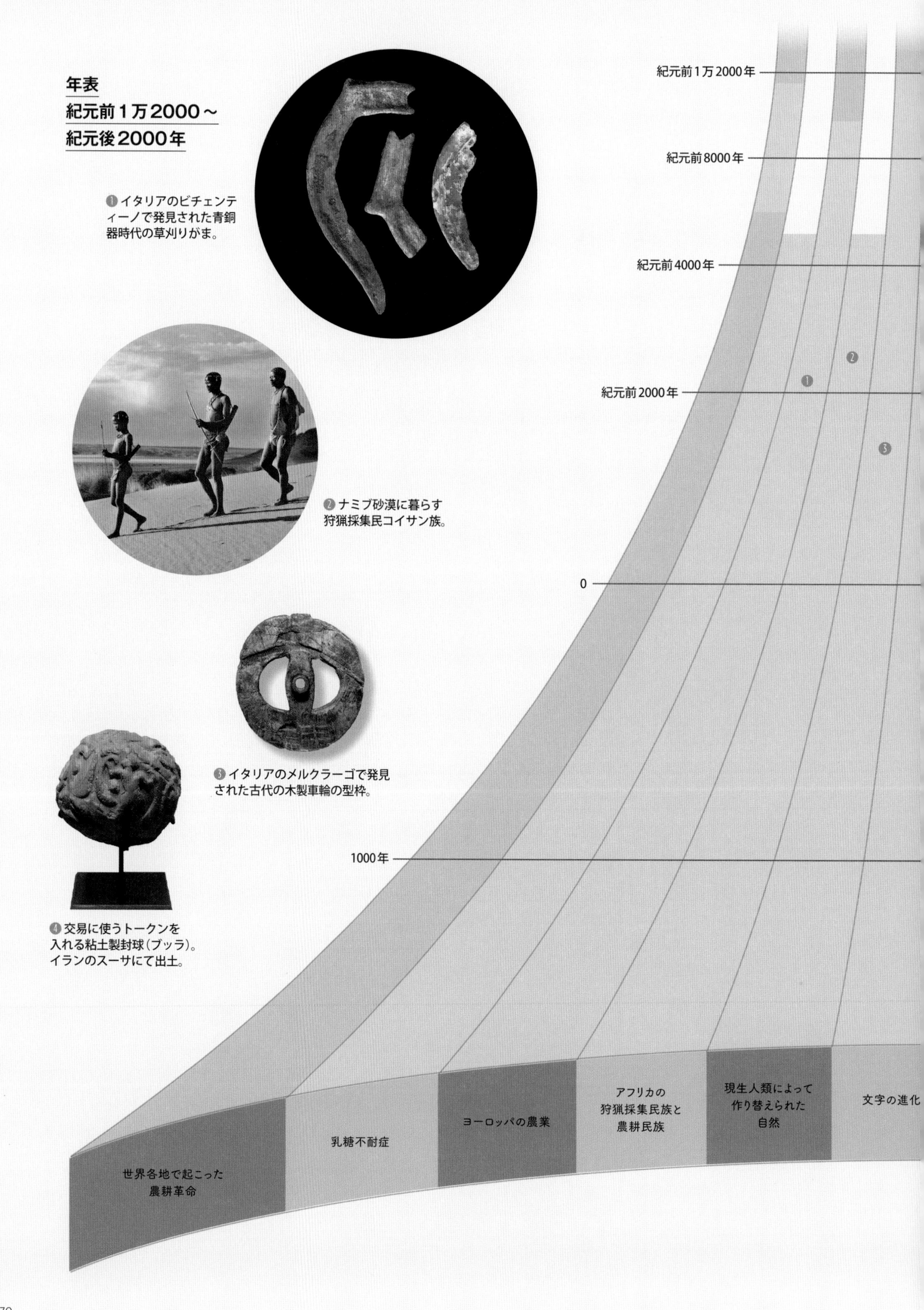

❶イタリアのビチェンティーノで発見された青銅器時代の草刈りがま。

❷ナミブ砂漠に暮らす狩猟採集民コイサン族。

❸イタリアのメルクラーゴで発見された古代の木製車輪の型枠。

❹交易に使うトークンを入れる粘土製封球(ブッラ)。イランのスーサにて出土。

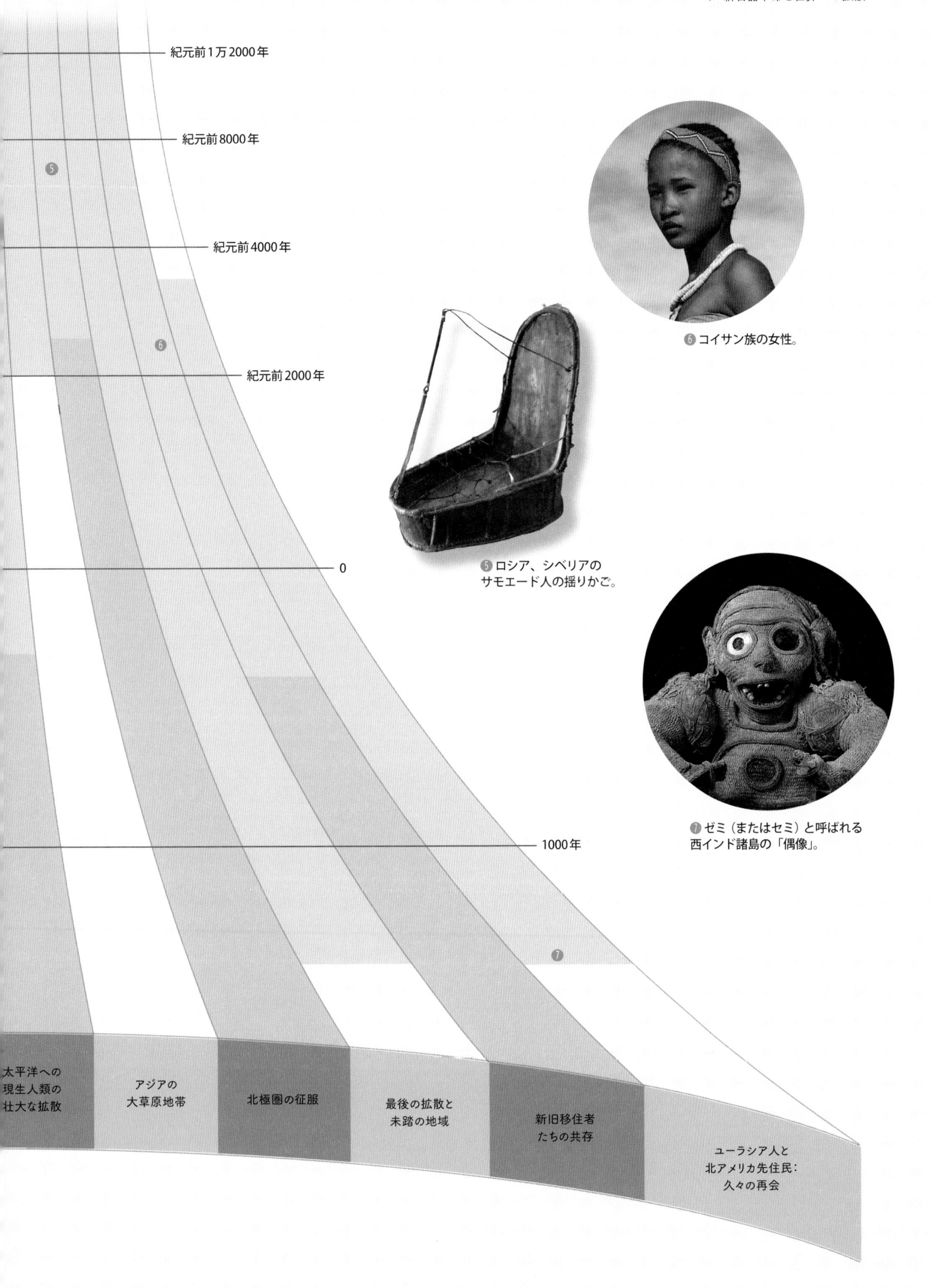

❺ロシア、シベリアの
サモエード人の揺りかご。

❻コイサン族の女性。

❼ゼミ（またはセミ）と呼ばれる
西インド諸島の「偶像」。

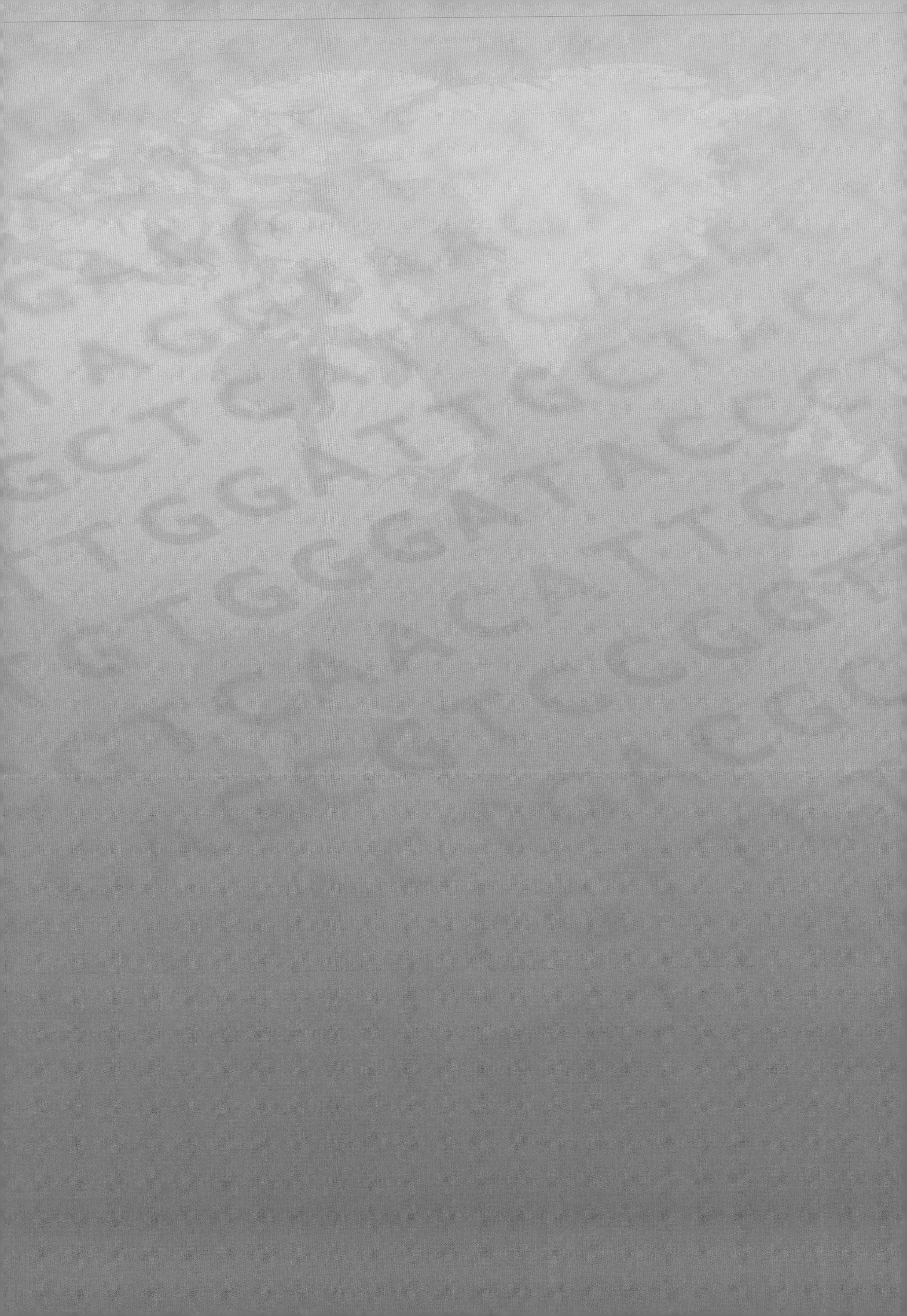

5　遺伝子・民族・言語の多様性

人類諸集団の遺伝的進化

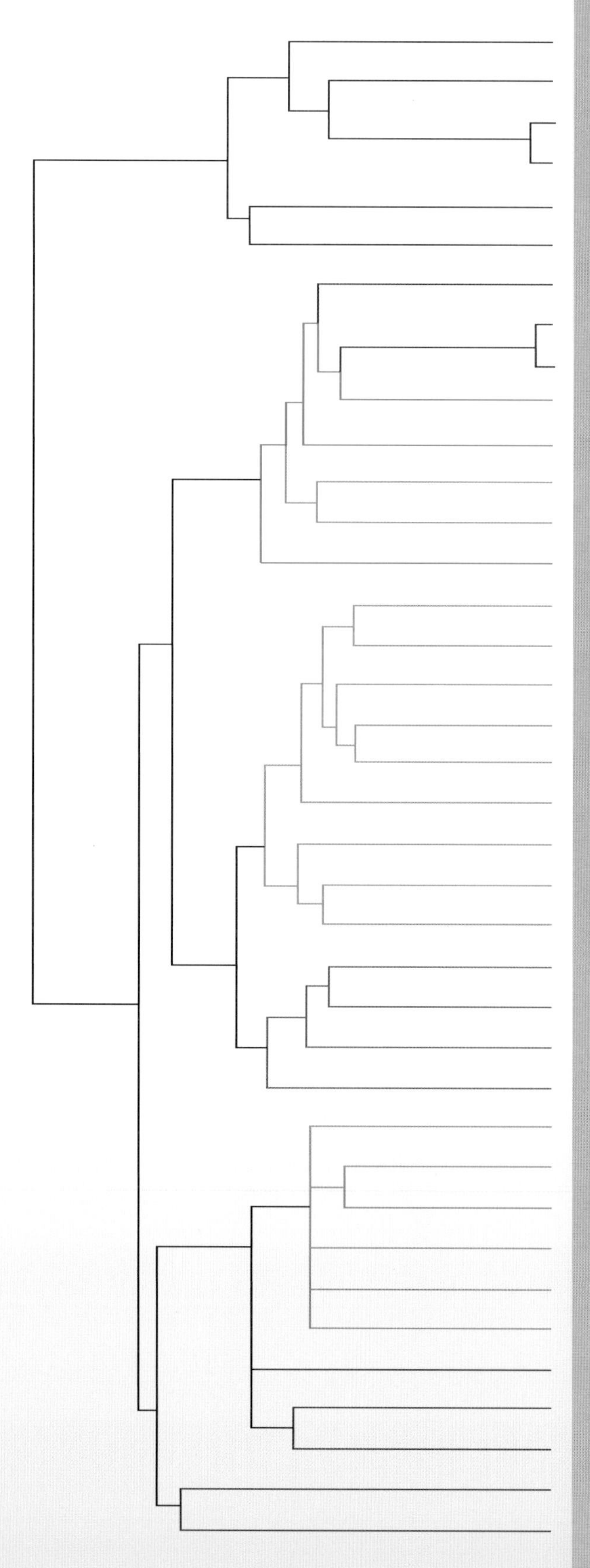

民族集団

民族集団	
ムブティ族（ピグミー族）	語族不明
西アフリカ人	ニジェール-コルドファン語族
バンツー族	
ナイロート族	ナイル・サハラ語族
サン人（ブッシュマン）	コイサン諸語
エチオピア人	
ベルベル人、北アフリカ人	アフロ・アジア語族
南西アジア人	
イラン人	
ヨーロッパ人	インド・ヨーロッパ語族
サルデス	
インド人	
南東インド人	ドラビダ語
サーミ人	ウラル-ユカギール語族
サモエード人	
モンゴル人	
チベット人	シナ・チベット語族
朝鮮人	
日本人	アルタイ諸語
アイヌ人	
北方テュルク=タタール人	
エスキモー	エスキモー・アレウト語族
チュクチ族	チュクチ・カムチャツカ語族
南アメリカ先住民	
中央アメリカ先住民	アメリカ先住民
北アメリカ先住民	
北西アメリカ先住民	ナ・デネ語族
南方系中国人	シナ・チベット語族
モン・クメール人	オーストロアジア語族
タイ人	ダイック語族
インドネシア人	
マレー人	
フィリピン人	オーストロネシア語族
ポリネシア人	
ミクロネシア人	
メラネシア人	インド・太平洋大語族
パプア人	
オーストラリア先住民	オーストラリア諸語

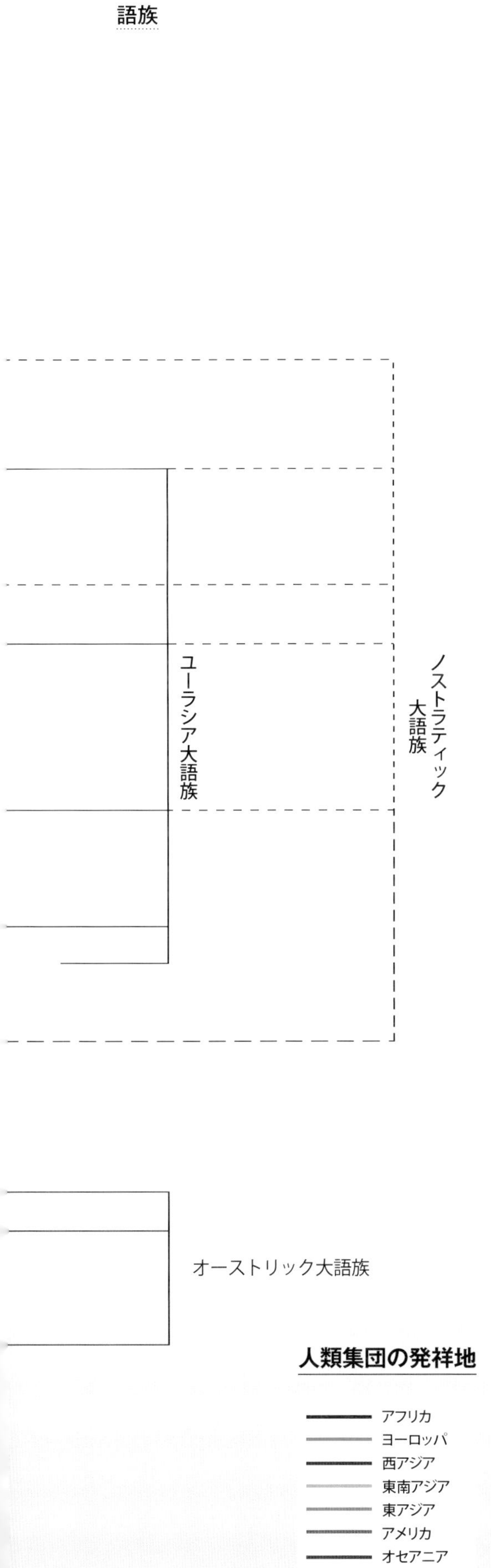

語族

ユーラシア大語族

ノストラティック大語族

オーストリック大語族

人類集団の発祥地

アフリカ
ヨーロッパ
西アジア
東南アジア
東アジア
アメリカ
オセアニア

遺伝子系統樹と言語系統樹

世界各地に根を下ろした集団に新たな多様化が生じた。それは言語の多様化だ。遠く離れてしまった集団同士は言葉を交わすことがなくなり、言語はそれぞれの「生息地」に適応した。周囲を表現するのに必要な語彙を発達させ、使われる環境や社会状況に応じて変化していった。結果として言語の多様化が世界各地で並行して進んだ。

全地球の語族の系統樹は人類集団の遺伝子学的系統樹と驚くほど一致している。ルイジ・ルーカ・カバッリ=スフォルツァが提案したモデルによれば、集団が分裂して新たな地域へ移動するプロセスを繰り返すと、元の集団との交流が途絶えて遺伝的差異と言語的差異が蓄積され、一連の「創始者」集団が形成されるという。この分裂して移動するプロセスが長い目で見れば、グループ間の遺伝的多様性や新たな言語の「分派」の出現につながる。

言葉が間違って伝わる、いうなれば言葉の「コピーミス」は、突然変異の効果によって生じる人間の集団間の遺伝的多様性の蓄積とよく似ている。だが2つの系統樹の間には顕著な違いがある。それは言語の革新は遺伝的革新よりも伝達経路が多岐にわたり、血縁関係のない個人同士でも伝播することだ。

言語は、ほかの文化的特徴と同じく、生物学的な種よりも進化のスピードが格段に早く、拡散する範囲も広い。わずか数百年の間に1つの言語がいくつもの新言語に変わってしまうことさえある。遺伝子浮動は基本的に偶然による選択だが、言語の変遷は主に社会を支配するエリート集団の影響や領土の征服といった要因による恣意的な選択の結果だ。

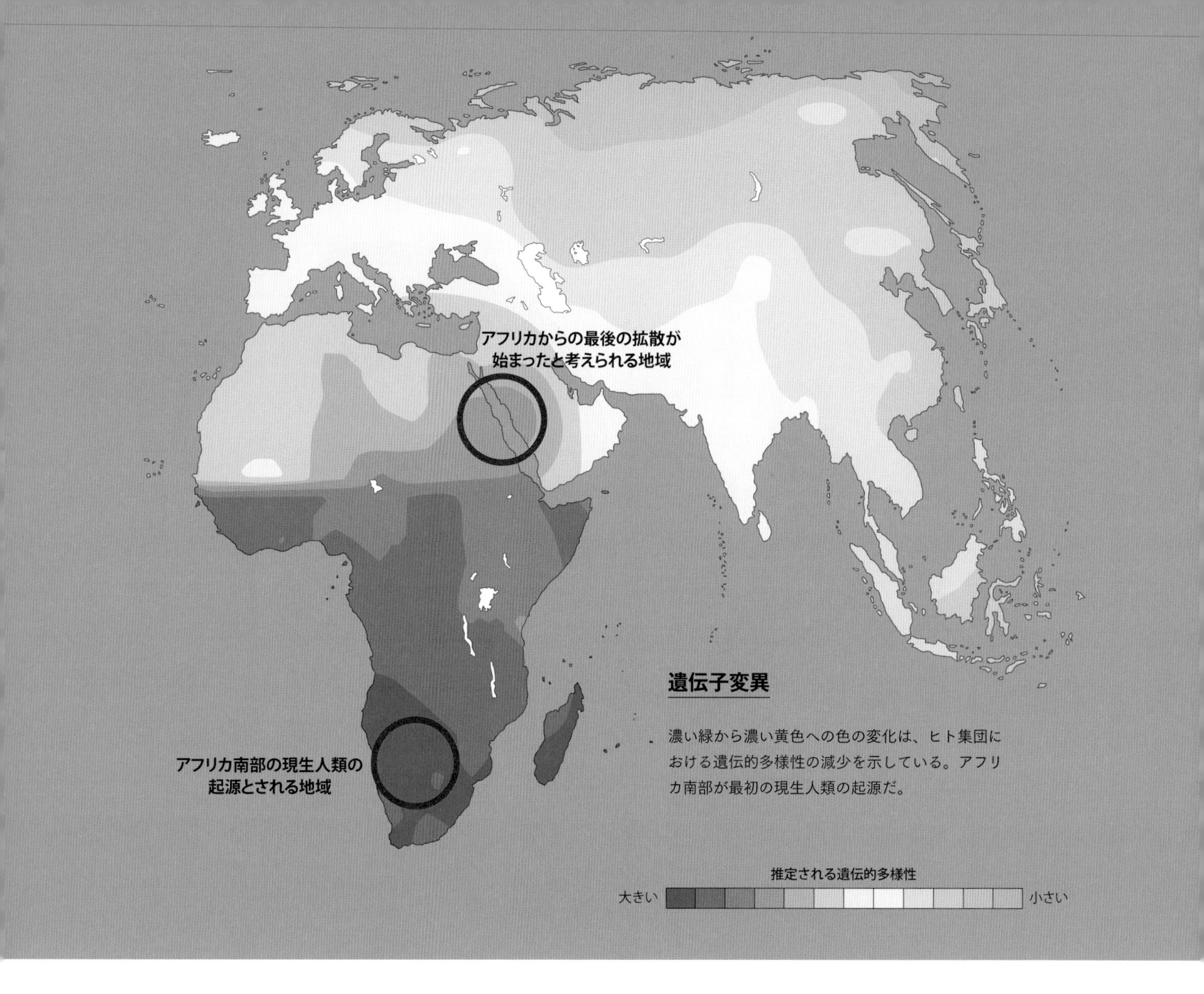

すべての言語の祖語は存在するのか？

遺伝子のデータによって、現代に生きるすべての現生人類の起源は1つで、比較的新しく、アフリカ発祥であると証明されている。しかし、言語学にはそのようなデータはなく、数千年以上遡れる資料もない。言語の記録は最も古くても、たかだか文字が使われ始めた5000年ほど前のもので、文字として残っている記録が全人類の言語を網羅しているわけでもない。

したがって、現在知られている言語がすべて1つの祖語から派生したものなのか、それとも世界中で独自に発生したものなのか、100%断定するのは不可能だ。

確かに世界のすべての言語には共通する特徴、いわゆる「普遍的」特徴もあるにはある。これらの普遍的な特徴は、すべての言語の祖語と考えられる言語の痕跡のようにも見えるが、実は単に言語が機能するために最低限必要な要素の類いかもしれない。いい換えれば、すべての言語に共通する特徴は、現生人類が共通して持つ認知能力上の制約によるものかもしれないのだ。

音素の種類

アフリカ南西部から離れるほど色は濃くなり、言語の平均的な音素の多様性が減っていく。これは人類最初の言語がアフリカ南西部発祥である可能性を示している。最初の現生人類の起源と同じ場所だ。

遺伝子と音素の多様性

言語を系統ごとにまとめると、地理的・遺伝的な位置と一致している。それがすべての言語が1つの祖語から始まったことを意味するわけではないにせよ、近年、新たな事実が、ニュージーランドの生物学者であり統計学者のクエンティン・アトキンソンによって明らかになり、生物学的進化と言語学的進化を結びつける共通の痕跡の発見に向けた期待が高まっている。アトキンソンによれば、人間の遺伝的多様性と同じように、言語の音素の平均的な多様性も、アフリカ南部から離れるにつれて徐々にだが着実に減少しているというのだ。

地理的に見て、遺伝子と音素の拡散パターンがよく似ているということは、創始者効果が遺伝子と言語の両方に繰り返し作用し、アフリカからの地理的距離、すなわち人類拡散の出発点からの距離に比例して多様性が縮小していったらしいことを示唆している。そうであるなら、私たちが使う言語は、約6万年前に現生人類が最後にアフリカを離れ、たくさんの集団に分裂するとともに、地球上に広がっていった可能性がある。

ただこの仮説は、現存のすべての言語が1つの起源から生まれたことの証明にはならないし、多くの言語学者から、音素の多様性では事象を一般化する統計的な根拠として弱いと否定されている。遺伝子と言語の進化の驚くべき類似性が、本当に同じ発展の歴史をたどった証かどうかを検証するためには、特に言語内の変異についてさらなる研究が必要だ。

世界を構成するさまざまな語族

私たちは言語によって自分が知覚した世界を他者に伝える。言語の役割は、私たちが見たり、聞いたり、感じたりしたものや、環境的に意味のある事柄を他者に説明することだ。これこそ世界にさまざまな言語が存在する理由にほかならない。言語は、それが使われる地域の風土、生態系、社会において重要な経験を伝えることができるよう、環境に「適応」することが求められる。

だから世界には共通言語が1つあればいいというのは的外れな主張なのだ。統一された現実認識など、この世界に存在しない。人類が世界の隅々まで進出できた最大の要因は、最も過酷な環境にも適応し、そして何よりも適応に成功した知識と経験を後世に伝えていく能力なのだ。

私たちはわざわざ危険を冒して自ら体験しなくても、文化の継承という形で生きていくのに役立つルールや情報を学ぶことができる。ケニアのマサイマラで生きるヌーの子どもがマラ川を渡るのは危険だと知るには、実際にワニに襲われたり、洪水の時期に川の速い流れを迂回したりするしかない。しかし人間の子どもなら、交通量の多い道路を横断するのが危険だと知るのに事故に遭う危険を冒す必要はない。危険な事柄は言葉によって親から子どもへ伝えられるのだ。

こうした情報の伝達を可能にしたのが世界にひしめくさまざまな語族だ。各語族は特定の地域に固まっているが、それはまずは狩猟採集民、その後は農耕民族が絡み合うように拡散し移動した結果だ。

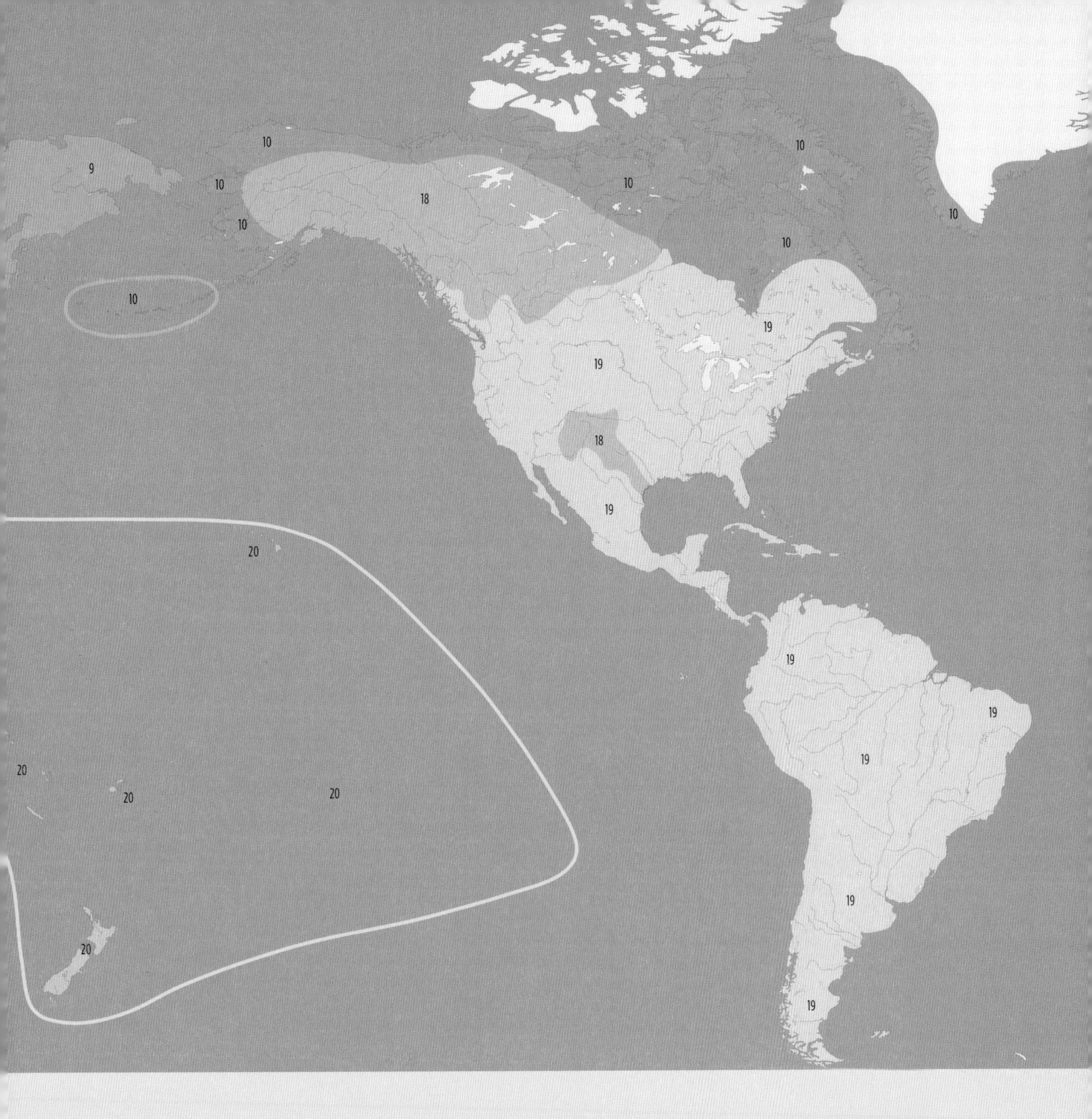

語族

1 コイサン諸語
2 ニジェール・コンゴ語族
3 ブイア
4 アフロ・アジア語族
5 コーカサス語族
6 インド・ヨーロッパ語族
7 ウラル・ユカギール語族
8 アルタイ語族
9 チュクチ・カムチャツカ語族
10 エスキモー・アレウト語族
11 ドラビダ語
12 シナ・チベット語
13 ミャオ・ヤオ語族
14 オーストロアジア語族
15 ダイック語族
16 インド・太平洋大語族
17 オーストラリア語族
18 ナ・デネ語族
19 アメリカ先住民諸語

島々で話されている言語

6 インド・ヨーロッパ語族
10 エスキモー・アレウト語族
14 オーストロアジア語族
20 オーストロネシア語族（オーストロアジア語族の語派）

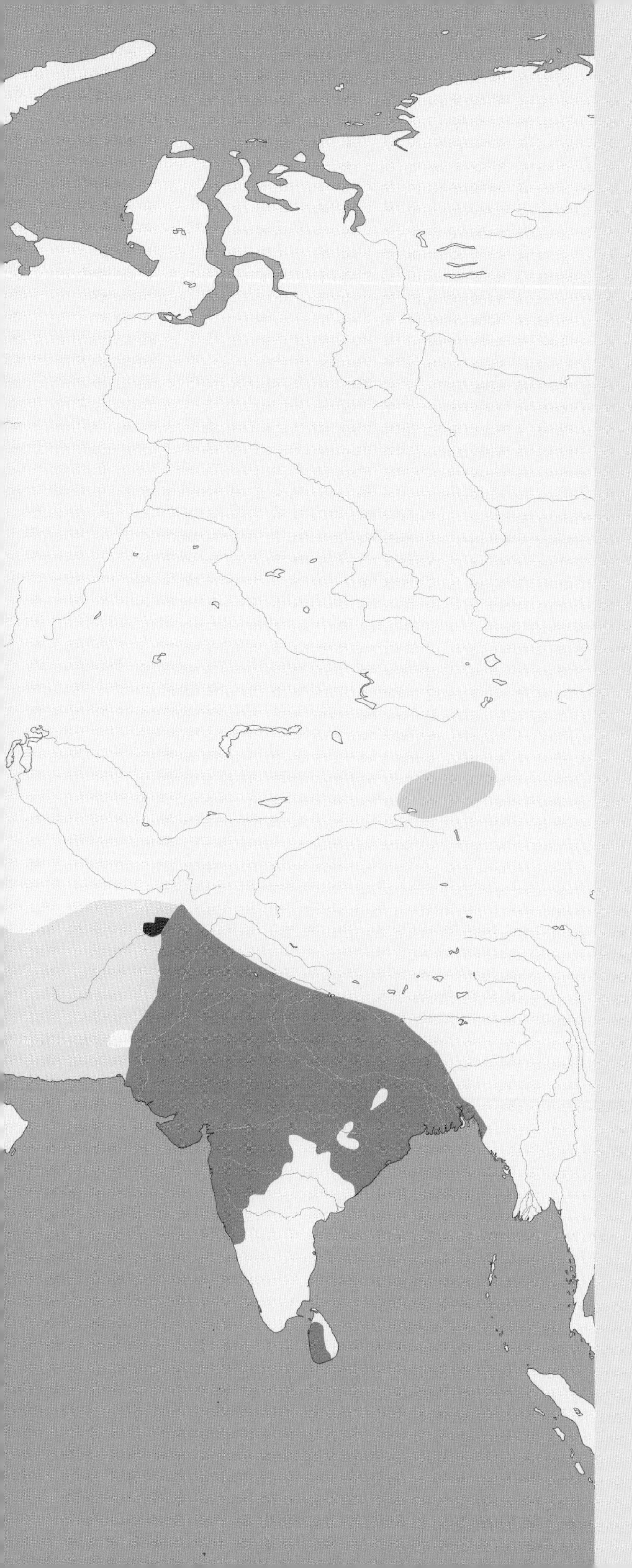

インド·ヨーロッパ語族

1つの仮説として、約6000年前に黒海北部からカスピ海のあたりに暮らしていた遊牧民（「クルガン」墳墓の建設者）が、ペルシャやインドのみならずヨーロッパへも侵入して先住民族と混ざり合い、広大なインド・ヨーロッパ語族の形成につながった可能性がある。

インド・ヨーロッパ語族の拡散を、遊牧民より前にアナトリア半島から拡散した農耕民と関連づける別の仮説もある。

世界に数ある言語の中でもインド・ヨーロッパ語族は幸運だ。極めて古い文字資料や伝承が残っており、歴史のあけぼのまでさかのぼってほかの言語との近親関係を復元できるのだ。

英国の言語学者であり東洋学者のウィリアム・ジョーンズ卿（1746-1794）は、インド・ヨーロッパ語族が提唱されるかなり前に、サンスクリット語、ラテン語、古代ギリシャ語の間、そしてこれらの3つの言語とゴート語と一部のケルト語の間に共通性があることを指摘している。

それ以外にスラブ諸語やヒッタイト語などインド・ヨーロッパ語族に属する言語は数多くある。その中には現在死語となったものもあれば、世界のさまざまな地域で今なお話されている言語もある。その後の拡散によって、インド・ヨーロッパ語族は南アメリカや西アフリカなど、それをもともと使っていた人々が訪れたこともない地域にまで広まっている。

遺伝子、民族、言語の関連性

現在のイタリアにおける遺伝子、民族、言語の分布はとても興味深い。イタリア半島各地に中東から拡散した新石器時代（→用語集）の人々の遺伝的、文化的な痕跡が残っている。近年アペニン山脈地方のカゼンティーノで行われた遺伝子解析から、2700年前頃から栄えたエトルリア文明の人々の遺伝子が現代イタリア人に含まれていることが明らかになった。エトルリア人はヘロドトスが書き記した通り、古代アナトリア（小アジア）起源であることが、遺伝子地図ですでに特定されている。先住民と新たにやって来た民族との複雑な融合や交流はこれ以後も続いた。

サルデーニャ島オリアストラ県オシーニ近郊にあるセルビッシ遺跡のトロス式ヌラーゲ（巨大な円錐形石造物）（3800～3000年前）。ヌラーゲの周りに並ぶ小さな塔も、集落を作る小屋も基本的に円形だ。

遺伝子地図は南イタリアに残る古代ギリシャ人の痕跡も示している。それが特に色濃く残るのがカラブリア南部からシチリア東部にかけての地域だ。さらにサルデーニャ島東海岸の中心部にはフェニキア人とカルタゴ人の名残が見られる。また古代ギリシャ人が入植したマグナ・グラエキアと呼ばれる南イタリアとシチリア島一帯には、特定の遺伝的変異が限定的ながら今も残っており、それと同じ変異が遠く離れたイタリア北東部のラベンナとフェラーラ両地域にも見られる。それより新しい時代の移住者による遺伝子地図の変化はあまりないが、古代の移住者の痕跡はほかにもイタリア各地に点在している。アドリア海沿岸のマルケ州の人々には、3000年前にあったオスク・ウンブリア・サベリア語群に属する古代文明の痕跡が残っている。

ピエモンテ州とリグーリア州の間と、エミリア=ロマーニャ州とトスカーナ州の間に挟まれた辺境のアペニン渓谷では、古代リグリア人の存在が遺伝子地図に記録されている。北イタリアの東端と西端、つまりスイスとオーストリアとの国境沿いでは、中央ヨーロッパの流れを汲む遺伝子が検出されている。おそらく2500～2300年前頃までさかのぼるケルト人のものだろう。

起源が定かでないこれらの集団は、何度かイタリアに侵入してきている。それ以前に現在のフランス、スペイン、ドイツ南部、英国の一部にすでに侵入していた集団だ。

サルデーニャ人と、コルシカ人を含むほかのすべてのヨーロッパ人の間には、かなりの遺伝的差異がある。これは新石器時代以前の部族がサルデーニャ島へ移住したのが9000年前頃と古かったこともあるが、局所的な遺伝子浮動の影響もある。

サルデーニャ島オリアストラ県においては、ほかの島では途絶えてしまった古代ヌラーゲ文化から続く遺伝的連続性が今も息づいている。当然ながらそれ以後もサルデーニャ島には多くの集団が流れ込んできた。

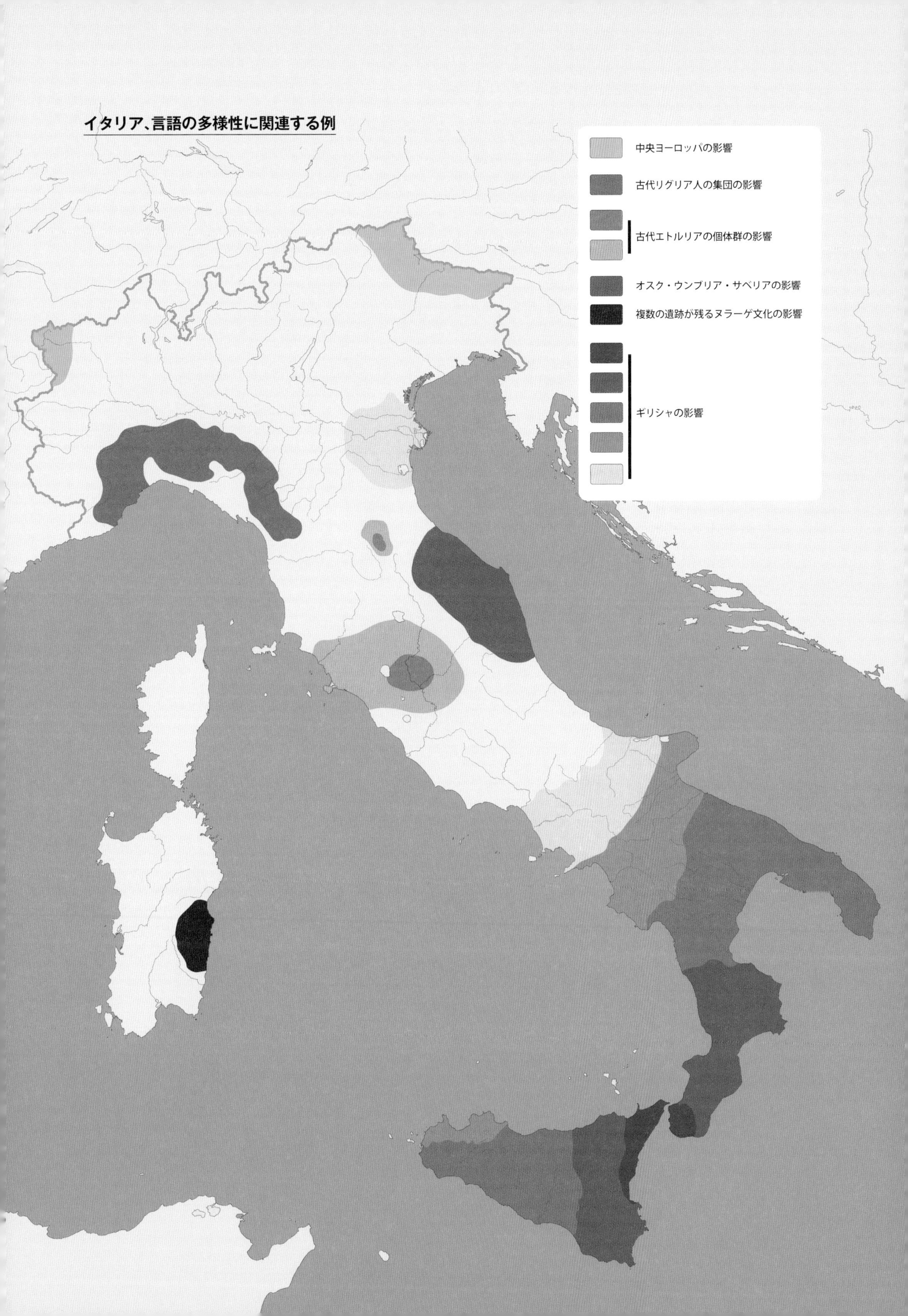
イタリア、言語の多様性に関連する例
中央ヨーロッパの影響
古代リグリア人の集団の影響
古代エトルリアの個体群の影響
オスク・ウンブリア・サベリアの影響
複数の遺跡が残るヌラーゲ文化の影響
ギリシャの影響

生物的および文化的多様性：最も危機に瀕する生態域と民族言語集団

地球全体における生物と言語の多様性のありさまは、細かいところまで似通っている。生物多様性が最も高い地域と言語の多様性が最も高い地域は重なり合っているようだ。

実際、生物種が最も多い地域、いわゆる生物多様性の「ホットスポット」に最も多くの民族・言語集団が集中している。ということは、種の絶滅のように人間の活動による生態系の大きな変化が言語の消滅に関係するかもしれない。

一般的には、言語消滅の原因は社会的地位の低い少数民族が疎外されることだ。太古の時代は支配層である少数派が話す言語が公用語だったこともあるが、それと対照的に現代では少数派の言語しか話せないと、社会における経済的、社会的、政治的疎外につながることが多い。

絶滅の危機に瀕する言語を救うためには、公平な発展に向けた政策を取らねばならない。そうすれば少数派言語を話す人々

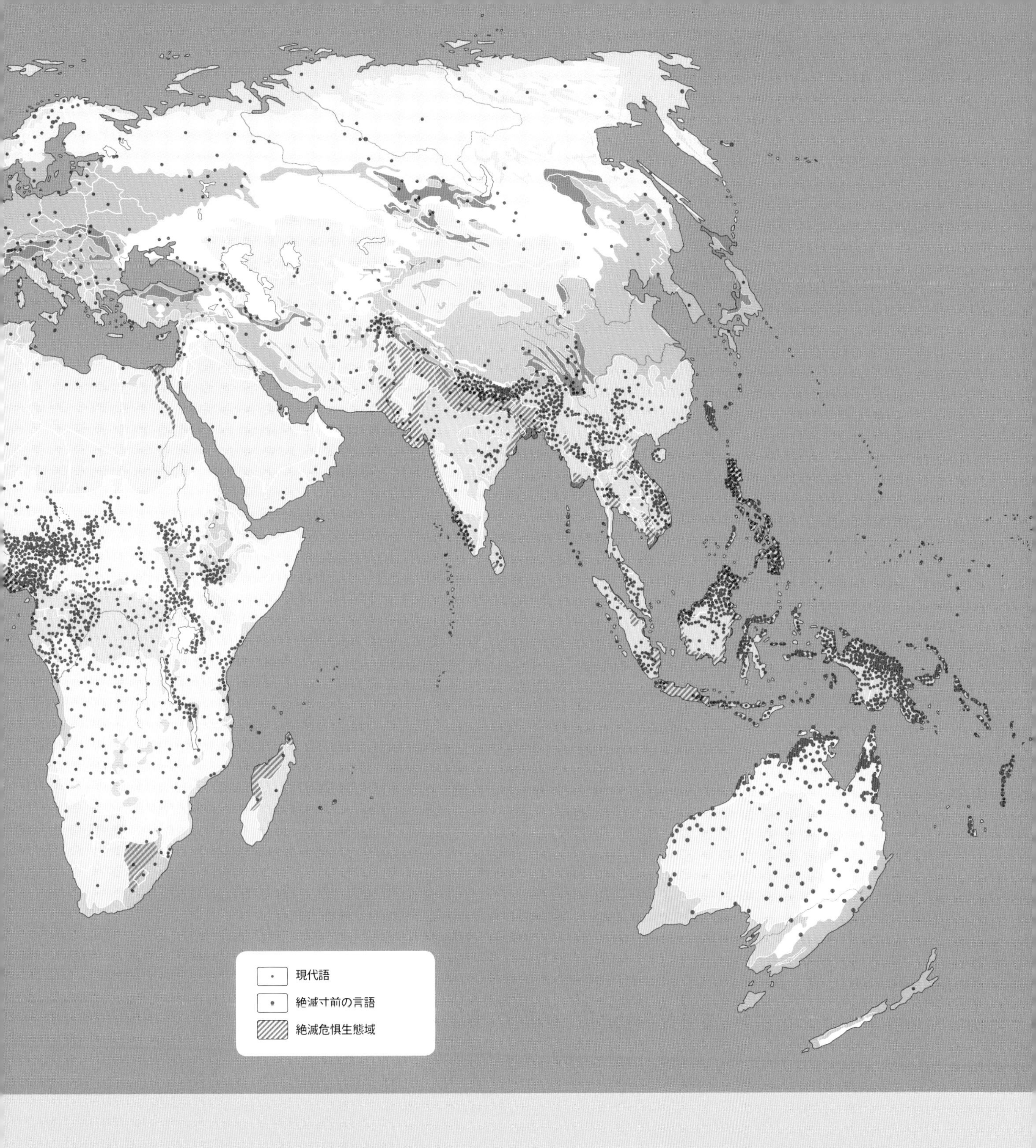

の社会的地位は向上する。同様に絶滅危惧生態域の生物多様性を守るためには、生態系と共存し、生態系のバランスを崩さない術を知る先住民族と連携する必要がある。過去にこのバランスを崩してしまった集団は消えていった。環境を持続させるためには、国際レベルでの公正な分配に力を注ぐことも必要だ。

生態系のバランスが崩れると、生物にも文化にも悪影響が生じる。186〜187ページの地図は、世界各地に生息する動植物種の数を基に、生物学的多様性と文化的多様性に強い相関性があることを示している。この重なりは、種の緯度勾配と高度勾配（低緯度、低高度ほど生物の多様性が大きい）の法則に沿っており、そうした地域は生物にとって最初都合が良かったか、持続的に保護されている環境だ。

多様性から見た 動物と言語の世界分布

この地図は、世界各地の脊椎動物の固有種（→用語集）の数に基づいて、動物多様性と言語多様性に強い相関性があることを示している。脊椎動物と言語の種類数の両方で25位以内に入っている国が17カ国（地図上では暗褐色）ある。

固有言語数上位25カ国

脊椎動物の固有種数上位25カ国

言語数、脊椎動物の固有種数のどちらも25位以内の国

多様性から見た植物と言語の世界分布

前ページの国別地図と同じく、このページの地図も世界中の生物多様性と言語の数の強い相関性を示すものだが、こちらは動物でなく陸上に存在する植物種の分布と比較している。

植物の多様性が高い地域ほど言語の集中度が高く、逆に植物種が少ない地域は言語的多様性も低い。

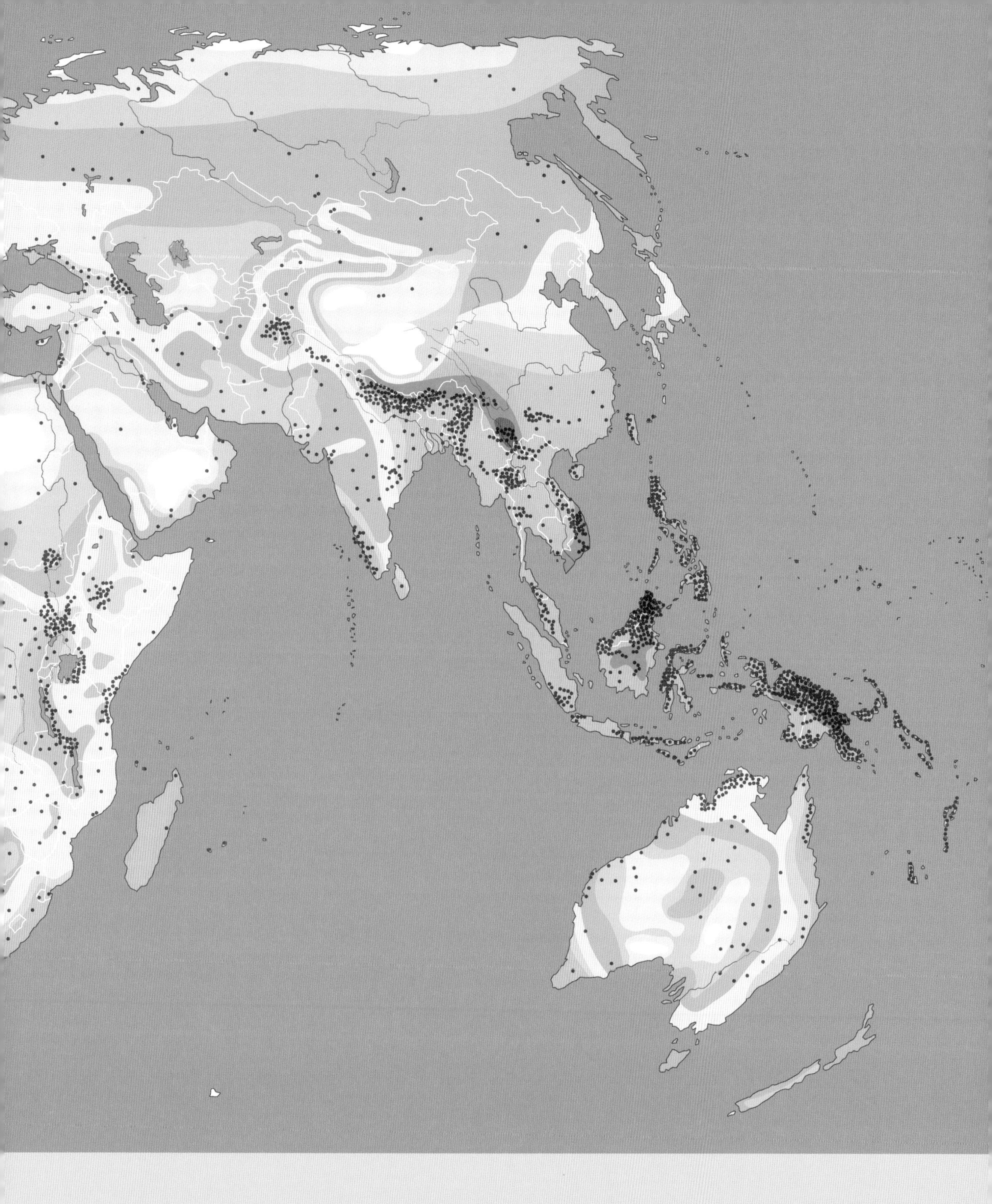

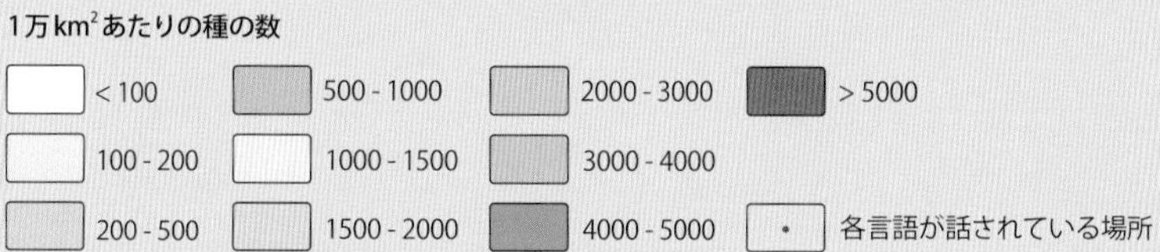
1万km²あたりの種の数
< 100
100 - 200
200 - 500
500 - 1000
1000 - 1500
1500 - 2000
2000 - 3000
3000 - 4000
4000 - 5000
> 5000
各言語が話されている場所

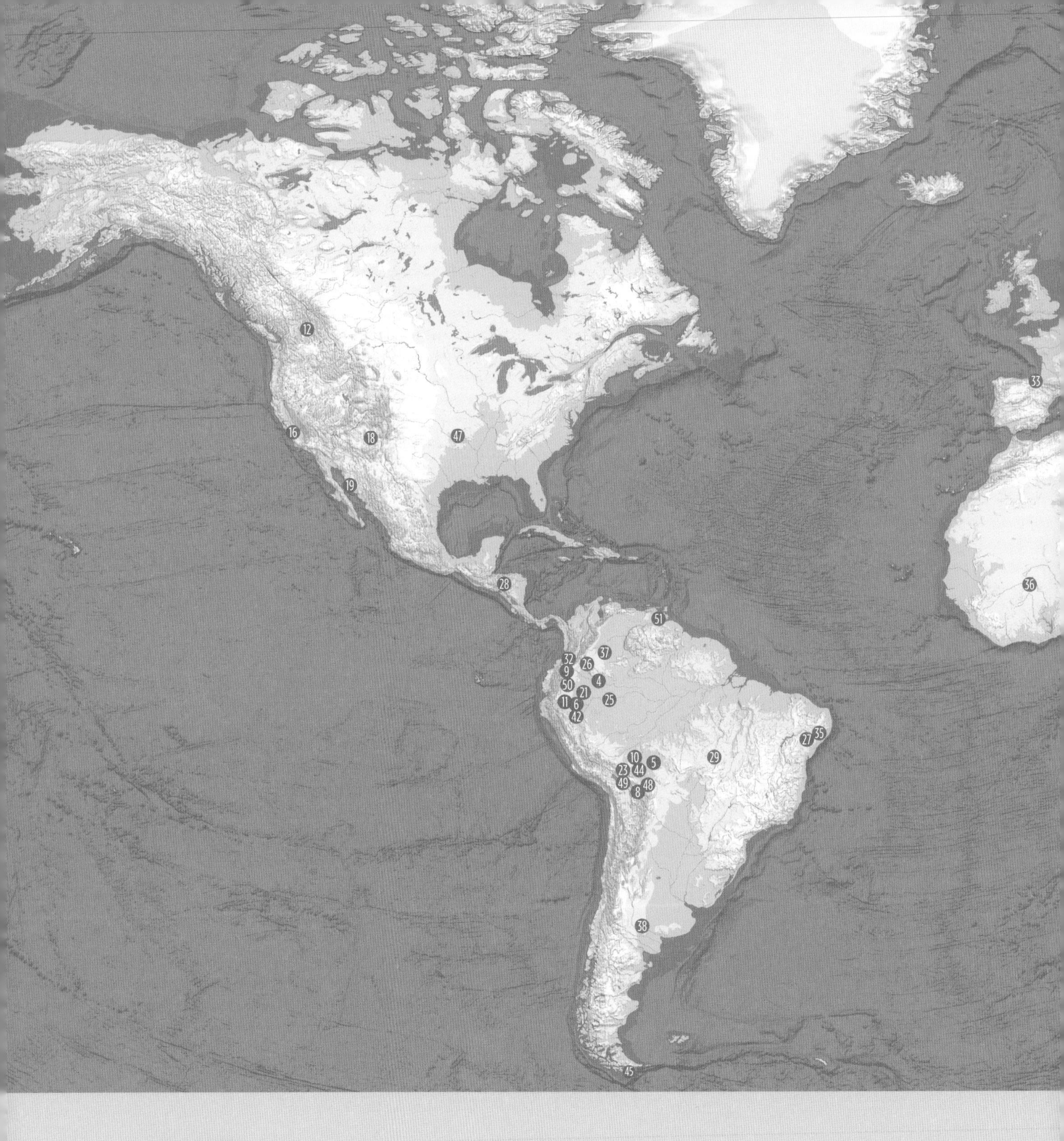

孤立した言語

この世界地図で示すのは、「孤立した言語」（または「孤立言語」）の中でも、ほかの言語との「系統的」なつながりをたどれない比較的特殊なケースだ。よく知られる孤立言語として古代イタリアのエトルリア語、現代ヨーロッパのバスク語、パキスタン北部のブルシャスキー語があるが、アメリカやニューギニアでも孤立した言語が多数見られる。この場合の孤立とは、当然ながらほかの言語と関連が一切ないという意味ではない。現在のところ起源を明らかにするのに十分な資料がないということだ。

特にバスク語の事例は興味深い。バスク語は実のところ先印欧語に属するヨーロッパ言語の唯一の生き残りという説もあれば、インド・ヨーロッパ語系民族の侵入によって完全に消滅した語族の一部とする説を唱える研究者もいる。

とすると、孤立言語は古代の人類の拡散と定住のプロセスの名残といえるかもしれない。ほぼすべての孤立言語が、同じ国の中の「公用語」の圧力を受けて現在消滅の危機に瀕している。

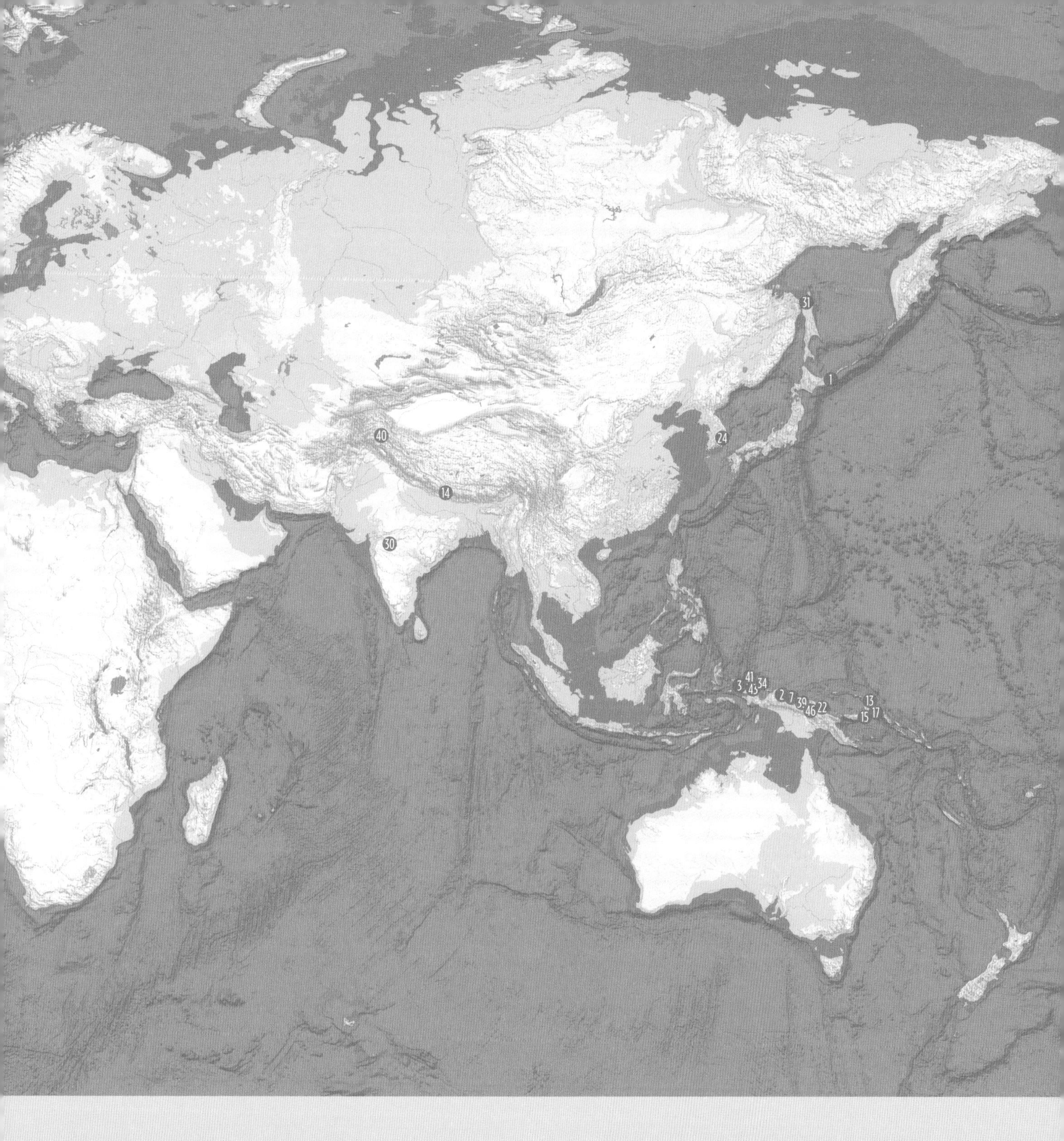

1 アイヌ語
2 アビノムン語
3 アブン語
4 アンドケ語
5 イトナマ語
6 ウラリナ語
7 エルセン語
8 カニチャナ語
9 カムサ語
10 カユババ語
11 カンドシ・シャプラ語
12 クーテネイ語
13 クオット語
14 クスンダ語
15 コル語
16 サリナ語
17 スールカ語
18 ズニ語
19 セリ語
20 セントゥム語
21 タウシロ語
22 タヤップ語
23 チマネ語
24 朝鮮語
25 ティクナ語
26 ティーグア語
27 トゥシャ語
28 トルパン語
29 トルマイ語
30 ニハリ語
31 ニブフ語（ギリヤーク語）
32 パエス語
33 バスク語
34 ハタム語
35 パンカラル語
36 バンギメ語
37 プイナベ語
38 プエルチェ語
39 ブサ語
40 ブルシャスキー語
41 マセップ語
42 ムニチ語
43 ムプル語
44 モビバ語
45 ヤマナ語
46 ヤレ語
47 ユチ語
48 ユラカレ語
49 レコ語
50 ワオラニ語
51 ワラオ語

（番号は西→東の順）

① ティモール=アロル=パンタル語諸語

アブイ語、ブラガル語、ブナク語、フタルク語、カボラ語、カフォア語、カイルイ語、ケロン語、コラナ語、クイ語、ラムマ語、ロバエア語、マカサイ語、ネデバング語、オイラタ語、タンラプイ語、テワ語、ウォイシカ語

② ハルマヘラ島北部諸語

ガレラ語、イブ語、ロダ語、モドレ語、パグ語、サフ語、タバル語、テルナテ語、ティドレ語、トベロ語、西マキアン語

③ ドベライ半島西部諸語

カラブラ語、クワニ語、モイ語、モライド語、セゲット語、テヒット語

④ ドベライ半島中部諸語

ブラット語、カロンドリ語

⑤ ボライ-ハッタム諸語

ボライ語、ハッタム語

⑥ ドベライ半島南部諸語

アランダイ語、バラウ語、ドゥリアンケレ語、インアンワタン語、カムボング・バル語、カスウエリ語、コンダ語、プラギ語、タロフ語、ヤハディアン語

⑦ ドベライ半島東部諸語

マンティオン語、メアックス語、メニンゴ語

⑧ ミラシタナーメラー諸語

マイラシ語、北マイラシ語、セミミ語、タナーメラー語I

⑨ 西ボンベライ諸語

バハム語、イハ語、カラス語

⑩ 東チェンドラワシ語族

バプ語、バロパシ語、バウジ語、トゥルンガレ語、ヤバ語

⑪ トル=レイクス・プレイン語族

バプリワ語、ベリク語、ボネリフ語、ダプラ語、フォアウ語、イティク語、クウェステン語、マンデル語、マレンギ語、マウェス語、パパセナ語、タオグウェ語、タオリ=ケイ語、タオリ=ソ語、タウォルタ語、トリ=アイクワカイ語、トゥル語、ウリア語、ワレス語、ウェレタイ語

⑫ ニンボラン語族

ケムトゥク語、メクウェイ語、ニンボラン語

⑬ カウレ諸語

カポリ語、カウレ語、コサレ語、ナラウ語、サウセ語

⑭ パウワシ諸語

ドゥブ語、エムム語、トウェイ語、ヤフィ語

⑮ センタニ諸語

デムタ語、ナフリ語、タナーメラーII語、センタニ語

⑯ ダニ=クウェルバ諸語

アイロラン語、グランド・バレー・ダニ語、クウェルバ語、ンドゥガ語、北ンガリク語、サベリ語、サマロケナ語、ササワ語、南ンガリク語、ワノ語、西ダニ語

⑰ ウィッセル湖群ケマンドガ諸語

エカギ語、モダニ語、モニ語、ウフンドゥニ語

⑱ メク（ゴリアト）諸語

エイポ語、ゴリアト語、ケテンバン語、キノメ語、コラプン語、コサレク語、ナルチャ語、ニプサン語、シルカイ語

⑲ カヤガル諸語

カウガト語、カイギル語、タマガリオ語

⑳ イェルメク-マクレウ諸語

マクレウ語、イェルメク語

㉑ コロポム諸語

キマガマ語、ンドム語、リアンタナ語

㉒ スコ諸語

クリサ語、ブアリ語、ラウォ語、サンケ語、スコ語、バニモ語、ワラプ語、ウトゥン語

㉓ タミ語族（ボーダー語族）

アマナブ語、アウイ語、ダオンダ語、キルメリ語、マネム語、ニンゲラ語、パギ語、センギ語、シモグ語、タイカト語、ワイナ語、ワリス語

㉔ クォムタリ諸語

バイバイ語、ビアカ語、ファス語、クォムタリ語、ピュ語

㉕ セナギ諸語

アンゴル語、ドゥラ語

㉖ 中部・南部ニューギニア諸語

アガラ語、アグフ語、アイロ語、アシエナラ語、アウィン語、バイナピ語、ベアミ語、ビミン語、カスアリナ沿岸アスマット語、中部アスマット語、チタック・アスマット語、ドゥナ語、エデラ語、ファイウォル語、イリア語、イウル語、カエティ語、カルリ語、カモロ語、カムラ語、カスア語、カウウォル語、キア語、コナイ語、コネラウ語、コトグト語、クワレ語、マピ語、ミアンミン語、モンブム語、ンガルム語、ニンゲルム語、ノマド語、北部アスマット語、北部カティ語、オナバスル語、パサ語、ピサ語、ポガヤ語、サウイ語、センパン語、セタマン語、シアガ語、ソマハイ語、ソニア語、南部カティ語、テレフォル語、ティファル語、トム語、上ディグル語、上カエメ語、ワンボン語、ワンゴム語、ヨンゴム語

㉗ マリンド諸語

ビアン・マリンド語、ボアジ語、マリンド語、ワルカイ語、ヤガイ語、ジマカニ語

㉘ トランス=フライ諸語

アゴブ語、アリギビ語、アトゥル語、バム語、キワイ語、ビネ語、ドロ語、ギドラ語、ギズラ語、イディ語、カヌン語、ケレウォ語、レワダ語、下モアヘッド語、メリアム語、モラオリ語、モリギ語、ムトゥム語、ナムブ語、北東キワイ語、南キワイ語、ティリオ語、トンダ語、上モアヘッド語、ワブダ語、ワイア語、イェイ語

㉙ トリチェリ諸語

アギ語、アイク語、アル（alu）語、アル（aru）語、アルエク語、アルオップ語、アウ語、ベリ語、ブラガット語、ブンビタ語、ブナ語、ブンガイン語、エイティエプ語、エレピ語、エルケイ語、ガル語、グナウ語、ヘヨ語、カマサウ語、カヤク語、コンピオ語、ラエコ語、リラウ語、ロウ語、マンディ語、モヌンボ語、山岳アラペシュ語、ムニワラ語、ニンビ語、ニンギル語、オロ語、オネ語、セタ語、セティ語、シリプト語、南アラペシュ語、ウラト語、ウリム語、ウリモ語、バルマン語、ウィアキ語、ウォム語、ヤハン語、ヤンペス語、ヤプンダ語、ヤウ語、イル語、イス語

㉚ 上セピク諸語

アバウ語、アマル語、ビカシ語、チェナピアン語、ガプン語、イワム語、ウォガムシン語

㉛ ラム諸語

アトゥ語、ボウイェ語、カラワ語

㉜ タマ諸語

カロウ語、マヨ語、メヘク語、パヒ語、パシ語

㉝ イエロー川諸語

アク語、アウン語、ナミエ語

㉞ 中部セピック諸語

アベラム語、ボイケン語、イアトムル語、カウンガ語、クワンガ語、クゥセンゲン語、クウォマ語、マナンブ語、ンガラ語、サウォス語、イェラカイ語

㉟ セピックヒル諸語

アランブラク語、バヒネモ語、ビカル語、ビス語、ピタラ語、ガピアノ語、ヘワ語、カプリマン語、マリ語、パカ語、ピアメ語、サニオ語、スマリウプ語、ワタカタウイ語

㊱ レオンハルトシュルツェ諸語

ドゥランミン語、バイ語、パピ語、トゥワリ語、ヤビオ語、ワリオ語

㊲ ノル=ポンド諸語

アンゴラム語、チャンブリ語、カラワリ語、コパル語、ムリック語、イマス語

㊳ ユアト諸語

ビワト語、ブン語、チャングリワ語、マランバ語、メクメク語、ミヤク語、

㊴ モンゴル=ランガム諸語

ランガム語、モンゴル語、ヤウル語

㊵ ワイブク諸語

アラモ語、ピナイ語、ワイブク語、ワピ語

㊶ アラフンディ諸語

アルフェンディオ語、メアクンブト語

㊷ ケラム諸語（グラス諸語）

アジョラ語、アイオン語、バナロ語、ゴロブ語、カンボト語

㊸ ルボニ諸語

アワル語、ボスマン語、ガメイ語、ギリ語、カイアン語、ミカレウ語、セペン語、ワタム語

㊹ ゴアム諸語

アクルカイ語、アンダルム語、ブレリ語、イガナ語、イゴム語、イトゥタン語、コミニムン語、ミヅシビンディ語、ロムクン語、タング語、タングアト語

㊺ アナベルグ諸語

アイオメ語、アノル語、ラオ語

㊻ アライ諸語

アマ語、ボ語、イテリ語、ニモ語、オウィニガ語、ロッキーピーク語

㊼ アムト=ムシアン書語

アムト語、ムシアン語

㊽ ムギル=イスムルド=ピホム諸語

アバサクル語、アマイモン語、ベポウル語、ビラクラ語、ブナブン語、ディミル語、ヒニホン語、コグマン語、コラク語、コワキ語、マラス語、マワク語、モエレ語、ムギル語、ムサル語、パラウェン語、パイ語、ピラ語、サキ語、タニ語、ウクリグマ語、ウリンガン語、ワナンブレ語、ワヌマ語、ワセンボ語、ワスキア語、ヤベン語、ヤラワタ語

㊾ ヨセフ=スタール=ワナン諸語

アンガウア語、アテンプレ語、エメルム語、イクンドゥン語、カティアティ語、モレサダ語、ムサク語、オスン語、パイナマル語、ポンドマ語、シレイビ語、ワダギナン語

㊿ ブラフマン諸語

ビヨム語、ファイタ語、イサビ語、タウヤ語

51 マブソ諸語

アメレ語、バグピ語、バイマク語、バウ語、ベマル語、ガル語、ガルー語、ガルス語、ギラワ語、グマル語、イセベ語、カンバ語、カレ語、マテピ語、マワン語、モシモ語、ムニト語、ムルピ語、ナケ語、パニム語、ラプティン語、レンピ語、サモサ語、サルガ語、シハン語、シロピ語、ウトゥ語、ワマス語、ヨイディク語

52 ライコースト諸語

アラウム語、アサス語、ボム語、ボング語、ダナル語、ドゥドゥエラ語、ドゥンブ語、ドゥムン語、エリマ語、ガンラウ語、ジリム語、ケサワイ語、コロム語、クヮト語、レミオ語、マレ語、プラブ語、レラウ語、サエプ語、サウシ語、シンサウル語、シロイ語、ソングム語、スマウ語、ウリギナ語、ウシノ語、ウス語、ヤボン語、ヤングラム語

53 東ニューギニア高地諸語

アンガル語、アウヤナ語、アワ語、ベナベナ語、ビヌマリエン語、チアベ語、チンブ語、エンガ語、フォレ語、ガドスプ語、ガフク語、ガンジャ語、ガンツ語、ゲンデ語、ギミ語、フリ語、イピリ語、カラーム語、カマノ語、カティンジャ語、ケナティ語、ケワ語、コボン語、クマン語、レンベナ語、マリン語、メドルパ語、ナラク語、ネテ語、ニイ語、ノマネ語、オウェナ語、サウ語、シアネ語、タイロラ語、ワッファ語、ワフギ語、ウィル語、ヤビユファ語

54 フィニステレ=フオン諸語

アバガ語、アサト語、バン語、ボンキマン語、ブルゲビ語、ブルム語、ダハティン語、デドゥア語、デゲナン語、ドムン語、フィヌングァ語、フォラク語、ガブタモン語、ギラ語、グィアラク語、グサン語、イルム語、イーサーン語、カテ語、ケウィエン語、キナラクナ語、コンバ語、コムトゥ語、コソロン語、コバイ語、クベ語、クムキオ語、ママア語、マペ語、メブ語、メセム語、ミガバチ語、モマレ語、モラファ語、ムンキプ語、ナバク語、ナフ語、ナカマ語、ナンキナ語、ネク語、ネクギニ語、ネコ語、ンガイン語、ニミ語、ノコポ語、ノム語、ヌク語、ヌマンガン語、オノ語、ラワ語、サカム語、サウク語、セレペット語、セネ語、シアルム語、ソム語、ティンベ語、トボ語、ウフィム語、ウリー語、ワンダボン語、ワントアト語、ウェリキ語、ヤガワク語、ヤゴミ語、ヤクンゲ語、ヤウ語

55 ゴゴダラ=スキ諸語

ゴゴダラ語、スキ語、ワルナ語

56 クチュブ諸語

ファス語、フィワガ語、フォエ語、ナムミ語、ソメ語

57 トゥラマ=キコリ諸語

イコビ語、カイリ語、メナ語、オマティ語

58 テベラ=パワイア諸語

ダディビ語、パワイア語、パドパ語

59 内陸ガルフ諸語

イピコ語、カラミ語（死語／消滅）、マヒギ語（死語／消滅）、ミナニバイ語、タオ語

60 エレマ諸語

ケウロ語、オパオ語、オロコロ語、プラリ語、タテ語、トアリピ語、ウアリピ語

61 アンガ諸語

アンガアタハ語、アンカベ語、バルヤ語、ハムタイ語、イボリ語、カマサ語、カワチャ語、ロヒキ語、メニャ語、サフェヨカ語、シンバリ語、ヤグウォイア語

62 ビナンデレ諸語

アエカ語、アンバシ語、バルガ語、ビナンデレ語、ドロゴ語、ガイナ語、グフ=サマネ語、フンジャラ語、コラフェ語、マワエ語、ノトゥ語、オロカイバ語、スエナ語、イェガ語、イェコラ語、ジア語

63 中部・南東ニューギニア諸語

アビア語、バライ語、バリジ語、バウワキ語、ビアンガイ語、ビナハリ語、ダガ語、ドム語、ドリリ語、ドロム語、フユゲ語、ギヌマン語、グウェデナ語、フメネ語、ジマジマ語、コイアリ語、コイタ語、クニマイパ語、クワレ語、ラウア語、マギ語、マイワ語、マンガラシ語、マペナ語、マリア語、モラワ語、山岳コイアリ語、ムラハ語（死語／消滅）、オミエ語、オンジョブ語、シリオ語、ソナ語、タウアデ語、トゥラカ語、ウェリ語、ヤレバ語

64 ニューブリテン

アネム語、バイニング語、ブタム方言（死語／消滅）、コル語、パナラス語、スルカ語、タウリル語、ワシ語

65 東ブーゲンビル諸語

ブイン語、ナゴビシ語、ナシオイ語、シウアイ語

66 西ブーゲンビル諸語

エイボ語、ケリアカ語、コヌア語、ロトカス語

67 イェレ=ソロモン諸語

バニアタ語、ビルア語、ドロロ語（死語／消滅）、グリグリ語（死語／消滅）、カズクル語（死語／消滅）、ラブカレベ語、サボサボ語、イェレ語

68 リーフ諸島サンタクルス諸語

エイウォ語、ナング語、サンタクルス語

ニューギニア島：多様性の宝石箱

西洋人がやってくる前のニューギニア島では5000種類以上の言語が話されていた。これは現在世界中で話されている言語の合計に匹敵する。これほどニューギニアが文化的に多様化したプロセスは、明らかにこの島の生物が多様化したプロセスと同じだ。島の複雑な山並みと多くの物理的な障壁が多様性を生み出した。

地球上でも珍しい、この言語密度の高さは、近代の入植以前に話されていた言語数が現在よりもはるかに多かったことを示唆している。

これほど言語密度の高い事例は世界にもほぼ例がなく、近代の入植以前に話されていた言語数は現在よりもはるかに多かったことを示唆している。人口280万人しかないパプア州（パプアニューギニアの西半分）で、現在も話されている言語は700あり、各言語を母語とする平均人数が非常に少ない(1言語あたり4000人)。

ニューギニア島において、各言語が話される範囲は平均900km^{2}ほどだが、セピック川流域では、それが約200km^{2}まで狭まり、言語密度が極めて高くなる。この地域に見られる語「族」は多様性が統一性をはるかに上回る。

これほど豊かな言語的多様性が現在まで残っているのは、地理的要因よりも社会文化的要因が大きい。ニューギニア島は共同体同士の衝突が比較的多いのだ。こうした社会環境では、普通はあり得ないが、純粋な地方言語を残したまま、広域に通じる話し言葉が目立った「言語の共食い」現象もなく確立されつつある。調和のとれた共存ではあるが、現在のグローバリゼーションの影響を受けて、もろくも崩れる危険は大いにある。

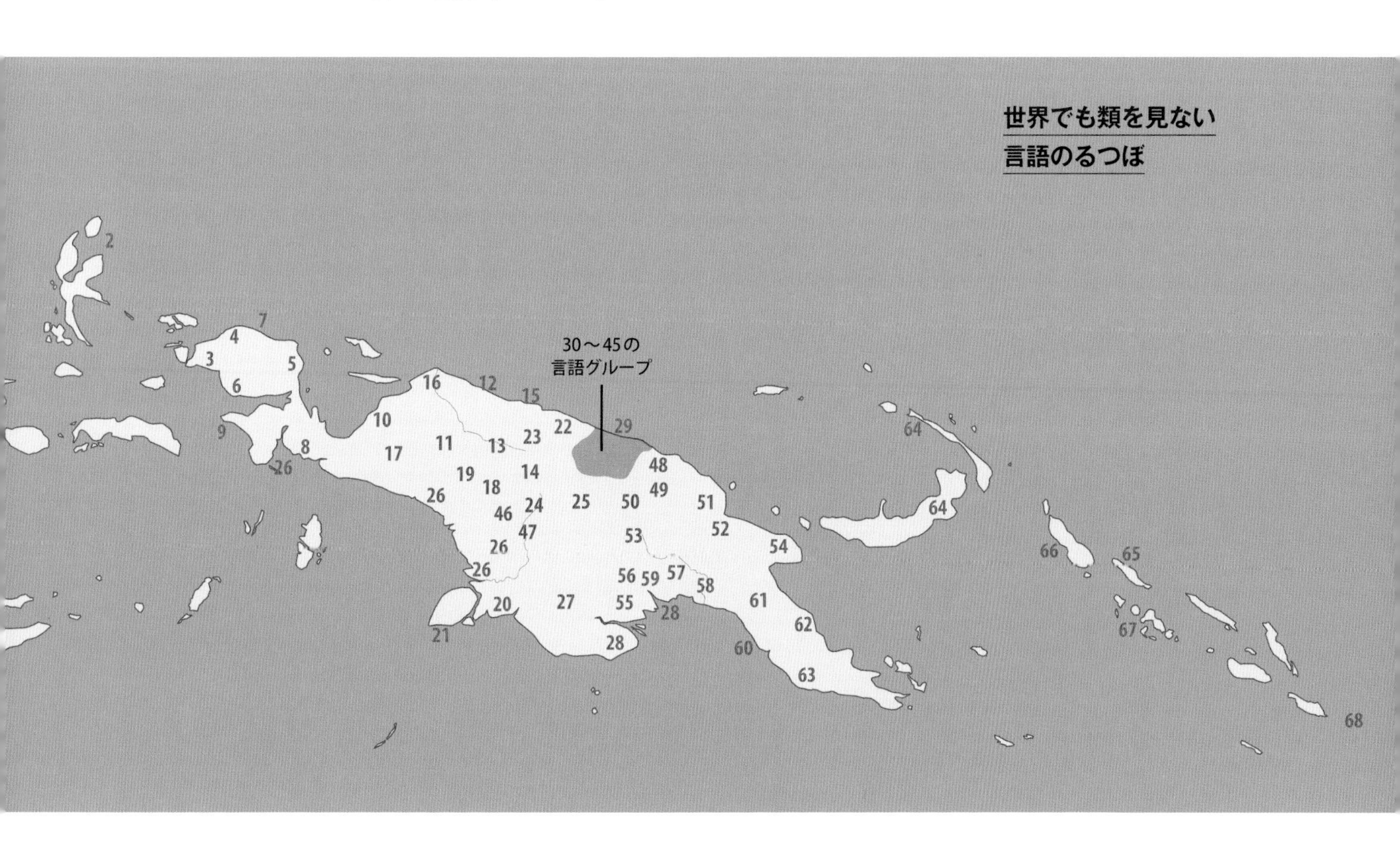

言語が消滅すると何がなくなるのか

私たちは言語を通して自分が感じた世界を伝える。言語の役割は私たちが見たり、聞いたり、感じたりしたものや、私たちに意味のある事柄を説明することだ。

今日、パプアの語族を構成する地方言語は700を数える。この数は大きいように感じられる（世界で現在話されている言語の10％以上に当たる）が、この地域ではもともと数千もの言語が話されていたことを考えると、言語が激減しているのは明白だ。言語は絶えず消えていくものだが（ヨーロッパのエトルリア語、ラテン語、ヒッタイト語のように）、過去5世紀ほどは、歴史上かつてない勢いで世界の言語が消滅している。現代世界における言語的多様性の縮小は、とどのつまり一握りの国際言語と植民地言語がほかの言語を駆逐して勢力を拡大した結果だ。

生態系へ外来種が入ってくると必ず在来種は影響を受ける。同じことが言語にも当てはまる。弱い言語は強い言語に食われてしまう。なぜなら、言語はそれを話す人々の影響力や権力に左右されるからだ。言語は不可欠な根幹、つまり話者数を減らすと、別の言語に取って代わられる。ただ自然界で起こる絶滅と違い、死語になった言語でも文書が記録に残っているなら、よみがえらせるチャンスはある。

現在の傾向を反転させなければ、現在地球上で話されている言語の半分近くは、2〜3世代のうちに消滅することになる。私たちはなかなか気づかないが、言語の消滅は単に文化の消滅というだけでなく、人間の集団と生態系が共適応した記憶もすべて失われることになるのだ。

人間は自然環境を自分たちの都合に合わせて作り替える力を得たばかりに、地球全体をやや人間中心の人工的な環境に変えてしまった。私たちはさまざまな発見や発明をしてきたが、それがもたらす長期的な影響については、ほとんどないがしろにしてきた。自然環境を変える力が大きくなればなるほど、自然環境への介入がもたらす結果を考え、自らの行動に責任を持つことが大切になる。

地球環境をコントロールして繁栄に適した状況を作ろうと模索し、その成果を今に伝える文化がたくさんある。そのどれも人類全体の進化に大いに役立つ。生物学的・文化的多様性を守ることは単なる道徳的な義務ではない。私たち自身の未来を保証するものなのだ。

クテナイ語を母語とし、カナダ南西部の太平洋岸、バンクーバー島に暮らしていた老人。20世紀初頭の写真。

ネパールの村の老婆。この村にはクスンダ語を話す人々がわずか数十人ながら残っている。

人類の交差点

なぜアメリカ大陸の征服に乗り出したのがヨーロッパ人で、ポルトガル沿岸に上陸したのがアタワルパ率いるインカ帝国ではなかったのだろうか？　アメリカの進化生物学者ジャレド・ダイアモンドによれば、この差が生まれた大きな要因は、鋼鉄製の武器、馬の使用、航海技術や軍事技術、文書を中心に機能する社会組織の有無だった。そしてヨーロッパ人がアメリカ大陸に持ち込んだ細菌やウイルスも、彼らが優位を保つのに貢献した。だがヨーロッパ人がこうしたウイルスや細菌を持っていたのは偶然ではない。社会階級の形式や人口密度、動物の家畜化や植物の栽培、技術開発といったもっと深い要因が関係している。

そこにはさらに遠大な、地球環境という要因も大きく影響している。実際、環境が似通ったところでは、たとえ離れた場所でも人間の集団と生息地の間に1つの共進化の形が見られる。

さらにそれぞれの大陸の緯度と経度も地球環境的な要因となってきた。これは中国や中東に当てはまる。なぜアメリカ大陸に乗り出したのが中国人やアラブ人ではなかったのか？　そこには中国と中東の緯度と経度が関係している。幸運もある。歴史的な要因も含め、多少なりとも有利な要因が偶然重なることがあるのだ。

これは人類が世界に進出する物語だ。アフリカで誕生して間もないホモ・サピエンスは世界各地に拡散し、何千にも及ぶ民族が生まれた。悠久の時の中でそうした側面は忘れ去られ、進化の歴史に完全に埋もれているが、実際には世界各地で起こる血みどろの紛争の中に毎日のように顔をのぞかせている。

中東、コーカサス、スーダン、アフガニスタン、アフリカの角……これらの紛争地帯には驚くべき共通点がある。どこも最も歴史が古く、多様化していく人類、文化、言語の最も重要な実験場なのだ。今も昔も、これらの地域は世界へ進出しようとする人類の交差点であるがゆえに、地球上で最も豊かで、最も人々が行き来し、最も苦しめられ続けている。

そこはまさに多様化した人類の歴史そのものであり、その歴史を紐解けば、世界中に根づいて間もないアフリカ出身の現生人類の進化の奥深くに隠れた共通性を理解できる。人類は多種多様な民族で構成され、それぞれが今も発展を続けている。

エピローグ

これまで人類の歴史は往々にして勝ち残った種族の叙事詩として記されてきた。しかし近年、言語学、遺伝学、古人類学といった幅広い分野の研究成果から、人類の歴史はさまざまに枝分かれし、地球の歴史や環境の変化と密接に結びついていることが明らかになってきた。これは旧世界最東端に位置する東南アジアの古代のデータからも分かる。

東南アジアは更新世において1つの地塊だった。それが時とともにその大半が島々に分断され、地理的に孤立したことで、いくつもの人類種が出現した。これら別の人類は現生人類と同じ時代を生きていた。長い間、私たちに唯一近い人類と考えられていたネアンデルタール人（→用語集）もまた、旧世界最西端の地理的な孤立と気候変動（→用語集）によって出現したのだ。

こうした事実から今までと違う古代の姿が見えてくる。古代は何種類もの人類が生きているのが当たり前の時代だったのだ。人類は私たちしか存在しないという見方は古く、そのような状況は長い地球の歴史から見れば、ごく最近のことでしかない。

ネアンデルタール人だけで過去の人類種の多様性を語ろうとすると、たとえそれが私たちの人類に対する考え方を改める最初の一歩であったとしても、西洋的視点に偏った人類史になってしまう。現生人類の歴史について書くときは、ほかの視点、つまり旧世界の中心部、南部、そして東部からの多角的な考察が求められる。

文化的データという別の側面に関して、本書では多元主義と地域の特殊性にしか触れていない。確かに生物学的領

域と文化的領域に交差する事例があるとはいえ、似通った点にのみ注目して相関性があると結論づけるには注意が必要だ。生物学と文化の関係性は、はっきりしていない。

近東で行われたネアンデルタール人と現生人類の調査から、2つの人類が同じ技術を共有してきたことが分かっている。その少しあとのヨーロッパで現生人類が共有する技術は1つだけだったのに、ネアンデルタール人は地域ごとに異なる技術を発展させていた。

生産システムにおいて技術革新が世界各地で起こるのはもっと最近の、かなり短い間のことなのは本書で書かれている通りだ。文化の発達と生物の発展は1つの体系として進まないし、同じ順序で進むわけでもない。だからこそ1つの基準のみで優劣を論じることがないように注意しなければならないのだ。

私たちからすると、最近の人類の生物多様性は旧世界の外縁部において豊かであるように見えるが、そもそも同じ現象はアフリカで起こっていた。パラントロプス、アウストラロピテクス、ホモ属が共存していたのだ。膨大な調査から新たな発見がもたらされ、知識が深まり、私たちのものの見方は多様化されていく。

とはいえ、最近の人類らしさというものは、生物学均一化だけではなく、地球規模での文化の画一化とあいまって、大きく揺らいでいる。人類史の真の姿を解き明かす研究は、私たちの思考を豊かにし、少なくとも人類の歴史が地球の歴史と密接に結びついていると知らしめるものでなくてはならない。

バレリー・ゼトゥン
フランス国立科学研究センター（CNRS）国立自然史博物館、
パリ第6大学 古人類学教授

付録

フランスとヨーロッパの
主要な博物館と先史時代の遺跡

フランスの博物館

人類博物館
17 Place du Trocadéro, 75016 Paris
www.museedelhomme.fr

自然史博物館
57 Rue Cuvier, 75005 Paris
www.mnhn.fr

ベルドン渓谷先史博物館
Route de Montmeyan, 04500 Quinson
www.museeprehistoire.com

マスダジル博物館
Place du village, 09290 Le Mas D'Azil
www.ariegepyrenees.com

フェネイユ博物館
14 Place Eugène Raynaldy, 12000 Rodez
www.musee-fenaille.rodezagglo.fr

ネアンデルタール博物館
Mairie, 19120 La Chapelle-aux-Saints
www.neandertal-musee.org

国立先史博物館
1 rue du musée, 24620 Les Eyzies
www.musee-prehistoire-eyzies.fr

国際先史遺跡センター
30 rue du Moulin, 24620 Les Eyzies
www.pole-prehistoire.com/fr/

フィニステール先史博物館
657 rue du Musée de la Préhistoire, 29760 Penmarch
www.ccpbs.fr/rubrique-tourisme/musee-de-la-prehistoire-2/

アキテーヌ博物館
20 cours Pasteur, 33000 Bordeaux
www.musee-aquitaine-bordeaux.fr

オーリニャック文化博物館
Avenue de Benabarre, 31420 Aurignac
www.musee-aurignacien.com

グランプレシニー先史博物館
Rue des Remparts, 37350 Le-Grand-Pressigny
www.prehistoiregrandpressigny.fr

ペシュメルル先史博物館
Pech Merle, 46330 Cabrerets
www.pechmerle.com

先史博物館
10 Place de la Chapelle, 56340 Carnac
www.museedecarnac.com

シャトー=ガイヤール歴史考古学博物館
2 Rue Noé, Vannes 56000
https://www.golfedumorbihan.bzh/fiche/chateau-gaillard-musee-d-histoire-et-d-archeologie/

トータベル先史博物館
Avenue Léon Jean Grégory, 66720 Tautavel
https://450000ans.com

ソリュトレ先史博物館
Chemin de la Roche, 71960 Solutré Pouilly
http://rochedesolutre.com

イル・ド・フランス先史博物館
48, avenue Étienne Dailly, 77140 Nemours
http://www.musee-prehistoire-idf.fr

バル=ドワーズ考古学博物館
Place du Château, 95450 Guiry-en-Vexin
www.valdoise.fr/608-le-musee-archeologique-departemental-du-val-d-oise.htm

国立考古学博物館
Château place Charles de Gaulle, 78100 Saint-Germain-en-Laye
https://musee-archeologienationale.fr/

フランスの遺跡

ショーベ=ポンダルク洞窟
Combe d'Arc, 07150 Ardèche
http://archeologie.culture.fr/chauvet/fr

マスダジル洞窟
Avenue de la Grotte, 09290 Le Mas-d'Azil
www.sites-touristiques-ariege.fr/sitestouristiques-ariege/grotte-du-mas-dazil

ニオー洞窟
Niaux, 09400 Ariège
www.sites-touristiques-ariege.fr/sites-touristiques-ariege/grotte-de-niaux

コスケール洞窟
13009 Marseille
http://archeologie.culture.fr/fr/a-propos/grotte-cosquer

シェール・ア・カルバン岩窟住居
Chemin de la chaire à Calvin
16440Mouthiers-sur Boëme
www.sculpture.prehistoire.culture.fr/fr/la-chaire-calvin.html#la-chaire-calvinintroduction

ラスコー洞窟
24290 Montignac
www.lascaux.fr/fr

ルベルディ岩窟住居
Les vallons des Roches, 24290 Sergeac
www.sculpture.prehistoire.culture.fr/fr/labri-reverdit.html#reverdit-introduction

カッププラン岩窟住居
24620, Marquay
www.sites-les-eyzies.fr

キュサック洞窟
24480 Le Buisson de Cadouin
http://archeologie.culture.fr/fr/a-propos/grotte-cussac

フォン・ド・ゴーム洞窟
1-4 Avenue des Grottes, 24620Les Eyzies-de-Tayac-Sireuil
http://font-de-gaume.monuments-nationaux.fr/

クロマニョン岩陰
2 Chemin de Cro-Magnon, 24620Les Eyzies-de-Tayac Sireui
http://archeologie.culture.fr/etiolles/fr

エティオルの旧石器時代の集落
Étiolles, 91450 Essonne
http://www.musee-prehistoire-idf.fr/fr/magdaleniens-detiolles-de-remarquables-tailleurs-de-silex

ペシュメルル洞窟
Pech Merle, 46330 Cabrerets
www.pechmerle.com/

イストゥリッツとオキソチェルハヤの先史時代の洞窟
Quartier Herebehere, 64640 Saint-Martin-d'Arberoue
www.grottes-isturitz.com/

ロック・オー・ソルシエ
2 Les Certeaux, 86260
Angles-sur-l'Anglin
www.roc-aux-sorciers.fr/

アルシー=シュル=キュール洞窟
89270 Arcy-sur-Cure
www.grottes-arcy.net/fr/
la-grande-grotte

サン=モレ洞窟
Saint moré 89270

ヨーロッパの博物館

モナコ先史人類学博物館
56 bis, Boulevard du Jardin Exotique,
98000, Monaco
https://map-mc.org/

ネアンデルタール博物館
Talstraße 300, 40822 Mettmann,
Allemagne
www.neanderthal.de/de/start.html

ブラウボイレン先史博物館
Kirchplatz 10, 89143 Blaubeuren
www.urmu.de/de/Home

ローマ・ゲルマン博物館
Roncalliplatz 4, 50667 Köln, Allemagne
www.roemisch-germanisches-museum.
de/ Startseite

パレオン博物館
Paläon 1, 38364 Schöningen, Allemagne
www.palaeon.de/

フォーゲルヘルト考古学公園
Am Vogelherd 1, 89168
Niederstotzingen, Allemagne
www.archaeopark-vogelherd.de/

先史・原始博物館
Bodestraße 1-3, 10178 Berlin, Allemagne
https://www.smb.museum/museen-ein-
richtungen/museum-fuer-vor-und-frue-
hgeschichte/home/

MAMUZ
Waldstraße 44-46 2130 Mistelbach
www.mamuz.at/de

プレヒスト・ミュージアム
Rue de la Grotte 128, 4400 Flémalle,
Belgique
www.prehisto.museum/

クラピナ・ネアンデルタール博物館
Šetalište Vilibalda Sluge bb, 49000,
Krapina, Croatie
www.mkn.mhz.hr/hr/

モースゴー博物館
Moesgård Allé 15, 8270 Højbjerg,
Danemark
www.moesgaardmuseum.dk/

人類進化博物館
Paseo Sierra de Atapuerca, s/n, 09002
Burgos, Espagne

アルタミラ国立博物館研究センター
Avenida Marcelino Sanz de Sautuola, s/
n, 39330 Santillana del Mar, Cantabria,
Espagne
www.culturaydeporte.gob.es/mnal-
tamira/home.html

バスク考古学・民族学・歴史博物館
Unamuno Miguel Plaza, 4, 48006Bilbo,
Bizkaia, Espagne
https://turismo.euskadi.eus/es/museos/
museo-vasco-museo-arqueologico-et-
nografico-e-historico-vasco/aa30-
12375/es/

エカインベリ・エカイン洞窟博物館
Portale Kalea, 1, 20740Zestoa, Gipuzkoa,
Espagne
www.ekainberri.eus/

エスパイ・オリガンス—牛の岩と大きな洞窟
Lleida, 25001 Espagne
http://espaiorigens.es/
la-roca-dels-bous-5/

フィンランド国立博物館
Mannerheimintie 34, 00100 Helsinki,
Finlande
www.kansallismuseo.fi/fi/kansallismu-
seo/ etusivu

大英博物館
Great Russell St, Bloomsbury, London
WC1B 3DG, Royaume-Uni
www.britishmuseum.org/

ケンツの先史時代の洞窟
91 Ilsham Rd, Torquay TQ1 2JF,
Royaume-Uni
www.kents-cavern.co.uk/

ストーンヘンジ
Wiltshire SP4 7DE, Royaume-Uni
www.english-heritage.org.uk/visit/
places/stonehenge/

スカラブレイ
Sandwick, Stromness KW16 3LR,
Royaume-Uni
www.historicenvironment.scot/

アテネ国立考古学博物館
28is Oktovriou 44, Athina 106 82, Grèce
www.namuseum.gr/

ピゴリーニ先史・民族博物館
Piazza Guglielmo Marconi, 14, 00144
Roma RM, Italie

ミューズ科学博物館
Corso del Lavoro e della Scienza, 3,
38122 Trento TN, Italie
www.muse.it/it/Pagine/default.aspx

ボルツァーノ県立考古学博物館
Via Museo, 43, 39100 Bolzano BZ, Italie
www.iceman.it/en/

フマネ洞窟
Valle dei Progni, 37022 Fumane, Verona,
Italy
http://grottadifumane.eu/

サンタンナ・ダルファエード先史・古生物学博物館
Piazza dalla Bona Gian Attilio, 12, 37020
Sant'Anna D'alfaedo VR, Italie
www.archeoveneto.it/portale/
wpcontent/ filemaker/stampa_scheda_
estesa. php?recid=47

コア博物館
Rua do Museu,
Vila Nova de Foz Côa, Portugal
www.arte-coa.pt/

国立考古学博物館
Praça do Império, 1400-026 Lisboa,
Portugal
www.museunacionalarqueologia.gov.pt/

ラテニウム考古学公園・博物館
Espace Paul Vouga, 2068 Hauterive NE,
Suisse
http://latenium.ch/

先史博物館
6300 Zoug, Suisse
www.urgeschichte-zug.ch/

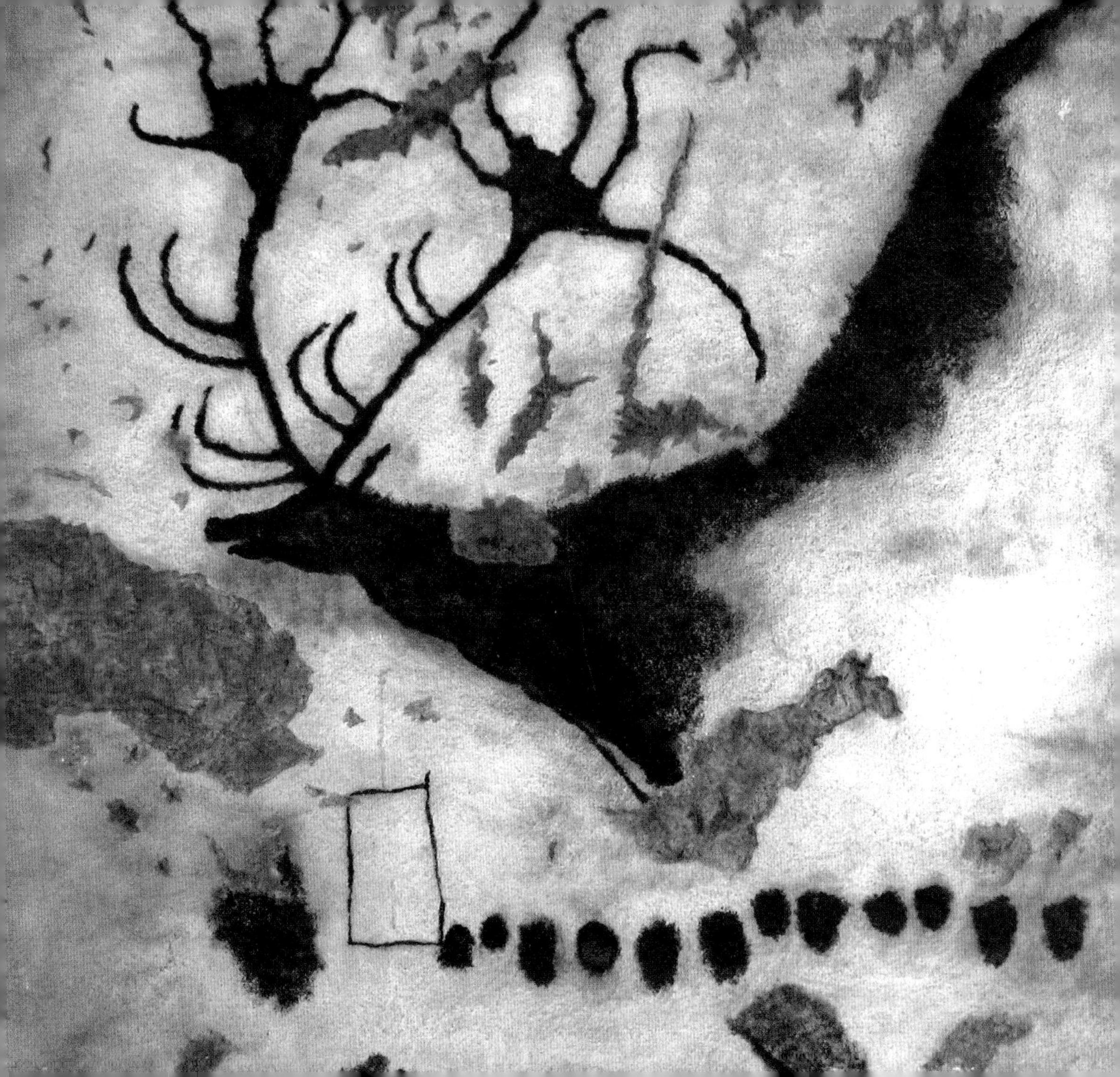

用語集

アシュール文化

古代旧石器時代の文化期の1つ。その名はフランスのソンム川沿いにあるサンタシュール遺跡に由来する。両面加工石器はこの卓越したアシュール文化の石器製作法で作られた道具である。石器の形は複数あり、その後も進化を続けた。

ウルッツァ文化

中期旧石器時代から後期旧石器時代まで続く文化期で、イタリアからの出土品を中心とする。イタリアのプッリャ州にあるウルッツォ湾からその名が取られている。シャテルペロン文化やセレタ文化と同様に過渡期の文化である。

オーリニャック文化

後期旧石器時代前葉(4万3000〜3万5000年前)に属する文化期。出現時期がホモ・サピエンスのヨーロッパ到達と一致する。名前はオーリニャック洞窟(フランスのオート=ガロンヌ県)からつけられた。

完新世

第四紀の中で最も新しい地質時代区分で、現在まで1万2000年ほど続いている。

岩面画

特に岩壁に描いたり、彫ったりした絵を指す。

気候変動

干ばつや洪水など、そこに生きている生物種に直接的な影響を及ぼしかねない気候条件の悪化。

旧石器時代

先史時代の最も初期の時代で、ほぼ氷河期と重なる。アフリカやヨーロッパを中心に前期、中期、後期の3つに分けられる。330万年前にアフリカで最初の道具が現れたところから始まり、現生人類がアメリカ大陸に拡散する1万1000年ほど前に終わった。石器の発明と発展を主な特徴とする。

グラベット文化

約3万4000〜2万5000年前の旧石器時代後期の文化期。種類が豊富で多様化した骨角器、ポータブルアート(壮観なビーナス像など)や洞窟壁画などを特徴とする。旧石器時代の中でこの文化の埋葬数が最も多いことも注目に値する。

古気候

先史時代の気候。地質学および生物学的現象を頼りに研究が進められている。

固有種

決まった領域にしか分布していない生物種。

シャテルペロン文化

今から4万5000年ほど遡る後期旧石器時代の文化期で、オーリニャック型石器と並行して発達した石器製作(フリント製石刃の生産)が特徴。名前はフェ洞窟があるフランスのオーベルニュ地方シャテルペロンに由来する。

人工遺物

人の手によって加工された物体。

新石器時代

先史時代に属し、中石器時代と鉄器時代の間に位置する。農耕や牧畜といった新たな生業形態が誕生した時代。

石器製作

石を材料に実用的な機能を持つ道具を作る行為。道具の用途に応じて、さまざまな方法と技術が用いられる。

舌骨

喉頭の上、舌の付け根の下に位置し、ほかの骨との関節がない唯一の骨。馬蹄形をしており、言語や嚥下に関連するさまざまな働きをする。

セレタ文化

ハンガリーのセレタ洞窟にその名が由来する後期旧石器時代の文化期。バルカン地域の特徴である、葉の形をした両面加工の尖頭器に関連した文化で、ソリュートレ文化を連想させる。

先史時代

人類史において、文字と鉄器がまだ使われていない時代。

鮮新世

第三紀に属し、中新世の次に来る時代。

造山運動

山脈が形成されるような地殻変動をいう。

層相または文化期

1つの文化時代のすべての特徴を表すのに使われる考古学用語。

ゾウ目

ゾウやほかの長い鼻を持つ絶滅種が属する動物目。

ソリュートレ文化

2万6000～2万3000年前の後期旧石器時代に位置するこの文化は、フランスのソーヌエロワール県のソリュートレ遺跡からその名が取られている。4つの進化段階に区分され、フリント製石器（月桂樹や柳の葉形の石器、鋸歯状の尖頭器）、骨器製作（例えば、針の発明）で有名。

洞窟壁画

洞窟の壁に描かれた具象絵画や抽象的な図案。

ネアンデルタール人

学名ホモ・ネアンデルターレンシス。1856年に標本骨が発見されたドイツのデュッセルドルフ近郊のネアンデル谷から名づけられた。50万～20万年前に出現して4万～3万年前に絶滅。ホモ・サピエンスと共存していた。

ネガティブハンド

ステンシル技法の要領で作る模様。指を広げた状態で手を岩肌に当て、顔料を口に含んでよく噛んでから、手の周りに吹きつける。すると色がつかなかったところが手の形となって現れる。

ビーナス

グラベット文化期の女性的なふくよかな姿をした擬人像の名称。形は作られた場所によって異なるが、その表現には類似性がある。用途についてはさまざまな説が唱えられている。

表現型

遺伝子や環境因子に関連して個体に現れる観察可能なすべての特徴。

ペトログリフ

石に刻まれた絵や文字。

ポータブルアート

支持体（石，骨，象牙，貝殻）の上に、具象的または抽象的なグラフィック（絵画や彫刻）を表現した持ち運び可能な物体。

ポジティブハンド

顔料を塗った手を岩壁に押しつけることで得られる模様。

マドレーヌ文化

2万1000～1万4000年前にかけて栄えたソリュートレ文化に続く後期旧石器時代の文化期。名前の由来は、フランスのドルドーニュ地方マドレーヌにある岩窟住居に由来する。装飾品、石器製作、洞窟壁画、ポータブルアートに関連する技術が大きく発展しているのが特徴。

ミトコンドリア

細胞質（細胞内の核以外の領域）内の小器官。酸化、細胞呼吸、エネルギーや重要な物質の貯蔵など重要な役割を担う。

ムスティエ文化

中期旧石器時代の一時代。さまざまな石器の発達が見られ、数も多い。

両面加工石器

2つの面が整形された石器で、さまざまな形状がある。形状によっていくつかの種類に分類されるだけでなく、製作年代を特定できる。

レリーフ

背景から浅く浮き出すように彫るか盛り上げて立体感をつけた美術品（着色されている場合と、そうでない場合がある）。

主な参考文献

概説書

- L. L. Cavalli Sforza, *Gènes, peuples et langues*, O. Jacob, Paris, 1996.
- L. L. Cavalli Sforza, *Évolution biologique, évolution culturelle*, O. Jacob, Paris, 2005.
- L. L. Cavalli Sforza, F. Cavalli Sforza, *Qui sommes-nous ? Une histoire de la diversité humaine*, Flammarion, Paris, 2011.
- J. Diamond, *Guns, Germs, and Steel : The Fates of Human Societies*, W. W. Norton, New York, 1997.
- J. Diamond, *De l'inégalité parmi les sociétés*, Folio Essais, Paris, 2007.
- J. Diamond, 2005, *Effondrement : comment les sociétés décident de leur disparition ou de leur survie,* Gallimard, Paris, 2006.
- J. Diamond, J. A. Robinson, *Natural Experiments of History*, Harvard University Press, Cambridge MA, 2010.
- S. J. Gould, *La vie est belle : les surprises de l'évolution*, Éditions du Seuil, Paris, 1998.
- H. Thomas, *D'où vient l'Homme ?* Acropole, Paris, 2005.
- D. Garcia, H. Le Bras, *Archéologie des migrations*, La Découverte, Paris, 2017.
- M. Rasse, *Modélisation de la diffusion du Néolithique en Europe*, Revue Mappemonde, 2014.
- B. Valentin, *Le Paléolithique*, PUF, « Que Sais-je ? », Paris, n° 3924, 2011.
- A. Testart, *Les chasseurs cueilleurs ou l'origine des inégalités*, Société d'ethnographie, Paris. 1984.
- I. Tattersall, *The World from Beginnings to 4000 BCE*, Oxford University Press, Oxford, 2008.
- *Néandertal*, sous la direction scientifique de M. Patou-Mathis et P. Depaepe, Gallimard/Muséum national d'Histoire naturelle, 2018.

多種同族進化論

- I. Tattersall, *Masters of the Planet: The Search for Our Human Origins*, Palgrave Macmillan, 2013.
- S. Paabo, *Néandertal, À la recherche des génomes perdus*, Les Liens Qui Libèrent, Uzès, 2015.
- C. Tuniz, R. Gillespie, C. Jones, *The bone readers*, Left Coast Press, Walnut Creek CA, 2009.
- B. Wood, *Human Evolution. À Very Short Introduction*, Oxford University Press, Oxford, 2005.

いわゆる「人間種族」を巡る議論

- C. Levi-Strauss, *Race et Histoire*, Folio essais, Paris, 1987.
- A. Jacquard, *Éloge de la différence. La génétique et les Hommes*, Points Seuil, 1981.

ホモ・サピエンスの生物学的・文化的多様性への影響

- L. L. Cavalli Sforza, *L'aventure de l'espèce humaine : de la génétique des populations à l'évolution culturelle*, O. Jacob, Paris, 2011.
- N. Eldredge, *Life in the Balance. Humanity and the Biodiversity Crisis*, Princeton University Press, Princeton NJ, 1998.
- E. Kolbert, *La sixième extinction*, Flammarion, Paris, 2011.
- R. Leakey, R. Lewin, *La sixième extinction : évolution et catastrophes*, Flammarion, Paris, 1997.
- E. O. Wilson, *L'avenir de la vie*, Éditions du Seuil, Paris, 2003.

日本語で読めるもの

- 秋道智彌・印東道子編『ヒトはなぜ海を越えたのか オセアニア考古学の挑戦』、雄山閣、2020
- 池谷和信編『ビーズでたどるホモ・サピエンス史 美の起源に迫る』、昭和堂、2020
- 小野林太郎『海の人類史 東南アジア・オセアニア海域の考古学【増補改訂版】』、雄山閣、2018
- 海部陽介『サピエンス日本上陸 3万年前の大航海』、講談社、2020
- 川端裕人『我々はなぜ我々だけなのか アジアから消えた多様な「人類」たち』、講談社ブルーバックス、2017
- 後藤明『海を渡ったモンゴロイド 太平洋と日本への道』、講談社選書メチエ、2003
- クリス・ストリンガー、ピーター・アンドリュース（馬場悠男・道方しのぶ訳）『人類進化大全 進化の実像と発掘・分析のすべて 改訂普及版』、悠書館、2012
- ジャレド・ダイアモンド（倉骨彰訳）『銃・病原菌・鉄 1万3000年にわたる人類史の謎』、草思社文庫、2012
- デイヴィッド・ライク（日向やよい訳）『交雑する人類 古代DNAが解き明かす新サピエンス史』、NHK出版、2018
- アリス・ロバーツ（野中香方子訳）『人類20万年 遥かなる旅路』、文春文庫、2016

画像クレジット

Couverture : photo © Philippe Plailly, sculpture © Elisabeth Daynes/LookatSciences

Pages intérieures : 6 : De Agostini Picture Library/G. Dagli Orti ; 8-9 : DR ; 10 h. : John Reader/Science Photo Library ; 10 c. : Luc-Henri Fage ; 10 b. : RMN-Grand Palais (musée d'Archéologie nationale)/Jean-Gilles Berizzi ; 11 h. : AKG-images/Philippe Psaila/Science Photo Library ; 11 c. : Musée Civique Archéologique d'Arona ; 11 b. : DR ; 16-17 : Source : International Chronostratigraphic Chart v.2014/02 approved by : International Union of Geological Sciences (IUGS) and International Commission of Stratigraphy (ICS) ; 18 g. : Reconstitution d'Ardipithecus ramidus © Julius T. Csotonyi/Science Photo Library ; 18 d. : MPK-WTAP ; 21 h. : Mauricio Anton/Science Photo Library ; 21 b. : Natural History Museum, London/Science Photo Library ; 22 : Christophe Boisvieux/Hemis/Corbis ; 23 g. : Raul ; Martin/MSF/Science Photo Library ; 23 d. : John Reader/Science Photo Library ; 24-25 : Denis Clerc ; 28 g. : Nachosan/Creative Commons ; 28 d. : Lee Roger Berger research team/Creative Commons ; 32 h. : Natural History Museum, London/Bridgeman Images ; 32 b. : Volker Steger/Science Photo Library ; 33 : photo © Sylvain Entressangle, sculpture © Elisabeth Daynes/LookatSiences ; 37 h. : Kenneth Garrett/Getty Images ; 37 b. g. : Kenneth Garrett/Getty Images ; 37 b. d. : Science journal ; 41 b. : NASA GSFC. Image by Robert Simmon ; 42 : Javier Trueba/MSF/Science Photo Library ; 44 h. : Mauricio Anton/Science Photo Library ; 44 b. : AKG/Science Photo Library ; 45 : photo © Sylvain Entressangle, sculpture © Elisabeth Daynes/LookatSiences ; 46 h. : PLoS ONE, 2014 Ashton et al./Creative Commons ; 46 b. : Simon Parfitt et al./Creative Commons ; 47 h. : Olaf Tausch (Creative Commons) ; 47 b. : Mauro Fermariello/Science Photo Library ; 48-49 : Dai Mar Tamarack/Alamy ; 49 h. : Danita Delimont/Getty Images ; 49 c. : Didier Descouens (Creative Commons) ; 49 b. : Didier Descouens (Creative Commons) ; 50 : DR ; 51 : AKG-images/Mission archéologique de Qafzeh/Look at sciences/Science Photo Library ; 56 : Armel Gaulme ; 62 : Gibmetal77 (Creative Commons) ; 63 : photo © Sylvain Entressangle, sculpture © Elisabeth Daynes/LookatSiences ; 64 h. : De Agostini Picture Library/A. Dagli Orti ; 64 b. : AKG/Science Photo Library ; 65 h. : Dirk Wiersma/Science Photo Library ; 65 b. : adaptation du schéma de Philip Lieberman ; 66 : John Connell, Flickr ; 67 : A. Dagli Orti/De Agostini Picture Library/Bridgeman Images ; 68-69 : Luc-Henri Fage ; 70 : Illustration de Mauro Cutrona ; 71 h. g. : João Zilhão ; 71 h. d. : National Museum of Slovenia, © photo : Tomaz Lauko ; 71 c. : RMN-Grand Palais (musée de la Préhistoire des Eyzies)/Franck Raux ; 71 b. : Thilo Parg/Wikimedia Common, License : CC BY-SA 3.0 ; 72 h. : DR ; 72 c. : Larry Williams/Corbis ; 72-73 : Worldwide Human Relationships Inferred from Genome-Wide Patterns of Variation, Jun Z. Li, et al. Science 319, 1100 (2008) ; 74 h. : Modèle de Lorenzo Possenti © Alessandro Mortarino ; 74 b. : Modèle de Lorenzo Possenti © Alessandro Mortarino ; 76 : Ria Novosti/Science Photo Library ; 77 : Avec l'aimable autorisation de David Reich/Nature ; 81 h. : Modello di LorenzoPossenti © Alessandro Mortarino ; 81 b. : Mauricio Anton/Science Photo Library ; 82-83 : photo © Philippe Plailly, sculpture © Elisabeth Daynes/LookatSciences ; 86-87 : photo © Sylvain Entressangle, sculpture © Elisabeth Daynes/LookatSiences ; 88 h. : Pascal Goetgheluck/Science Photo Library ; 88 b. g. : Kenneth Garret/Getty Images ; 88 b. d. : Romandini ; 89 : Science Photo Library/AKG-images ; 90 : traitement graphique de Lori J. Lawson Handley, Trends in genetics ; 92-93 : Paul Nevin/Getty Images ; 101 : Claude Valette/Creative Commons ; 102 : J. Matternes 2002 ; 103 : DR ; 104 h. : John Reader/Science Photo Library ; 104 b. : Anna Zieminski/AFP/Getty Images ; 105 h. : John Reader/Science Photo Library ; 105 c. : MNP, Les Eyzies, Dist. RMN-Grand Palais/Philippe Jugie ; 105 b. : RMN-Grand Palais (musée d'Archéologie nationale)/Franck Raux ; 106 : DR ; 107 h. : De Agostini Picture Library/G. Sosio ; 107 b. : De Agostini Picture Library/G. Sosio ; 108-109 : AKG-images/Philippe Psaila/Science Photo Library ; 110-111 : AKG-images/Heritage Images/Fine Art Images ; 112 : Mogadir/Creative Commons ; 113 h. g. : Museum der Stadt, Ulm, Germany/Bridgeman Images ; 113 h. d. : Mogadir/Creative Commons ; 113 c. d. : Museum der Universität Tübingen MUT/Creative Commons ; 113 b. g. : RMN-Grand Palais (musée de la Préhistoire des Eyzies) / Franck Raux ; 113 b. d. : RMN-Grand Palais (musée d'Archéologie nationale) / Jean-Gilles Berizzi ; 114 : De Agostini Picture Library/A. Dagli Orti ; 115 h. : DR ; 115 b. : Gustavo Tomsich/Corbis ; 116 : PanBK (Creative Commons) ; 118-119 : Luc-Henri Fage ; 120 : PanBK (Creative Commons) ; 121 : Werner Forman/Werner Forman Archive/Corbis ; 122 : De Agostini Picture Library/N. Cirani ; 123 h. : Graeme Churchard/Creative Commons ; 123 b. : Ben Gunn ; 124 : Granger/Bridgeman Images ; 125 : Carolina Biological/Visuals Unlimited/Corbis ; 127 g. : DR ; 127 d. : Bryn Mawr Collection ; 128 : Natural History Museum, London/Science Photo Library ; 129 h. g. : Dmitry Bogdanov (Creative Commons) ; 129 h. d. : De Agostini Picture Library ; 129 c. d. : Nobu Tamura (Creative Commons) ; 129 b. : Modèle de Lorenzo Possenti © Alessandro Mortarino ; 136 h. : DR ; 136 b. : Reproduction de L.L. Cavalli Sforza, P. Menozzi, A. Piazza, 1994, Storia e geografia dei geni umani, Adelphi, Milan, 550 ; 139 : Martin Harvey/Corbis ; 142 : Mesopotamian Gallery, Chicago ; 143 h. g. : De Agostini Picture Library ; 143 h. d. : De Agostini Picture Library ; 143 c. : Musée Civique Archéologique d'Arona ; 143 b. g. : De Agostini Picture Library/A. Dagli Orti ; 143 b. d. : De Agostini Picture Library/A. Dagli Orti ; 144 h. : DR ; 144 b. : Marie-Lan Nguyen/Wikimedia Commons ; 145 : Marie-Lan Nguyen/Wikimedia Commons ; 146 : De Agostini Picture Library ; 147 : De Agostini Picture Library/G. Dagli Orti ; 150 : DR ; 151 h. : Tom Walsh (Creative Commons) ; 151 b. : DR ; 153 h. : Musée des Antiquités Nationales, St. Germain-en-Laye, France/Bridgeman Images ; 153 b. : DR ; 154 h. : Stefano Papi ; 154 b. : dessin de Nuka Godfredsten ; 155 h. : Wolfgang Kaehler/Corbis ; 155 b. : Collection D. B. Webster, Musée d'Histoire Naturelle de Florence ; 159 h. : avec l'aimable autorisation du Prof. Jacopo Moggi-Cecchi ; 159 b. : De Agostini Picture Library ; 162 : Michal Zalewski/Creative Commons ; 167 h. g. : Tiziana and Gianni Baldizzone/Corbis ; 167 h. c. : Lawrence Manning/Corbis ; 167 h. d. : Martin Harvey/Corbis ; 167 c. g. : Sam Diephuis/Corbis ; 167 c. c. : Bob Krist/Corbis ; 167 c. d. : Gregor M. Schmid/Corbis ; 167 b. g. : Erwin Patzelt/dpa/Corbis ; 167 b. c. : Janet Wishnetsky/Corbis ; 167 b. d. : Roger de la Harpe ; Gallo Images/Corbis ; 168 : Pierre Perrin/Zoko/Sygma/CorbisZoko/Sygma/Corbis ; 169 : Musée d'Anthropologie et Ethnographie de l'Université de Turin ; 182 : MrAndre/Creative Commons ; 194 : E. S. Curtis/Corbis ; 195 : Nichole Sobecki/Corbis ; 196-197 : DR ; 200 : Thomas T./Creative Commons ; 203 : DR

ナショナル ジオグラフィック協会は1888年の設立以来、研究、探検、環境保護など1万4000件を超えるプロジェクトに資金を提供してきました。ナショナル ジオグラフィックパートナーズは、収益の一部をナショナルジオグラフィック協会に還元し、動物や生息地の保護などの活動を支援しています。

日本では日経ナショナル ジオグラフィック社を設立し、1995年に創刊した月刊誌『ナショナル ジオグラフィック日本版』のほか、書籍、ムック、ウェブサイト、SNSなど様々なメディアを通じて、「地球の今」を皆様にお届けしています。

nationalgeographic.jp

人類史マップ　サピエンス誕生・危機・拡散の全記録

2021年1月25日　第1版1刷
2022年3月25日　3刷

著者　テルモ・ピエバニ、バレリー・ゼトゥン
翻訳　エラリー・ジャンクリストフ、篠原範子、竹花秀春
日本語版監修　小野林太郎(国立民族学博物館)
編集　尾崎憲和
編集協力　リリーフ・システムズ
発行者　滝山晋
発行　日経ナショナル ジオグラフィック社
〒105-8308　東京都港区虎ノ門4-3-12
発売　日経BPマーケティング
印刷・製本　加藤文明社

ISBN978-4-86313-481-2　Printed in Japan

乱丁・落丁本のお取替えは、こちらまでご連絡ください。
https://nkbp.jp/ngbook

本書は仏Glenatの書籍「Le Grand Atlas Homo Spiens」を翻訳したものです。内容については原著者の見解に基づいています。

Original title: **Le Grand Atlas Homo Sapiens**
Authors: Telmo Pievani, Valéry Zeitoun